Copyright © Editorial Castalia, 1978
rbano, 39 - Tel. 4195857 - Madrid (10)

Impresión: Publidisa

Cubierta de Víctor Sanz

I.S.B.N.: 84-7039-294-8
Depósito Legal: SE-3823-2004

M000297682

EL SEÑORITO MIMADO

LA SEÑORITA MALCRIADA

TOMÁS
Zu

EL SEÑO

LA SEÑORI

Ed
introdu

RUSSELL

clásicos cas

Madri

SUMARIO

INTRODUCCIÓN
BIOGRÁFICA Y CRÍTICA

Numquam poetor nisi si podager.

Quinto Ennio

*¿Cómo se escribiría en el día, en nuestra
patria, sin la existencia anterior de los
Feijoo, Iriarte, Forner y Moratín?*

Mariano José de Larra

I. La huida del dolor y el fastidio: semblanza moral y social de Tomás de Iriarte

DURANTE todo el verano de 1791 se repitieron con violencia y casi sin tregua los ataques de gota que llevaron a Iriarte al sepulcro en septiembre. Su larga convalecencia en Sanlúcar de Barrameda, en 1790, no había producido efectos duraderos, y el afable neoclásico sufría tanto, que para combatir los asaltos de la enfermedad tenía que reforzar su natural buen humor con las drogas. "Eran tan intensos los dolores que sufría, por habérsele esparcido la gota en todo el cuerpo —nos dice su amigo Carlos Pignatelli—, que sólo a beneficio del opio, que tomaba en gran cantidad, podía encontrar algún alivio".[1] Sin embargo, su

---

[1] "Noticia histórica de la vida y escritos de don Tomás de Iriarte", *Revue Hispanique*, t. XXXVI, París, 1916 (pp. 200-252), p. 247. Cotarelo no conocía este interesante documento. Salvo otra indicación, los números arábigos lisos insertados entre paréntesis en el texto con los que se indican las demás citas de esta "Noticia", así como las segundas y terceras citas de otras obras, por ejemplo (247), se refieren a las páginas de las mismas. Los números arábigos correspondientes a los versos de las comedias editadas aquí, al citarse entre paréntesis en el texto, se distinguen, en cambio, de los anteriores con el uso de las abreviaturas *v.* y *vv.*, por ejemplo: (v. 247). Los números romanos desde luego indican siempre tomos.

carácter seguía suficientemente inalterado, para que se aprovechara de los brevísimos intervalos de su último martirio para componer tres fábulas y un soneto muy conocido en el que alude por vez postrera a Forner. En una de aquéllas, sobre la insuficiencia del arte médica, describe con gracia la batalla del enfermo con la enfermedad y los inútiles esfuerzos de "un corto de vista" (el médico) que "con un palo quiere ponerlos en paz: garrotazo viene,/ garrotazo va", etc.[2] Mas el tono de esta fabulita revela que no se trata de una expresión de resentimiento contra sus médicos, que fueron Casimiro Ortega y Jaime Bonells; y lo mismo se desprende del hecho de que desde sus veintiocho años el poeta venía dedicando versos humorísticos a su aflicción, algunos de los cuales se habían dirigido al mismo doctor Ortega.[3]

Pignatelli, que fue uno de "los que casi presenciamos sus últimos momentos", apunta las conmovedoras palabras de Iriarte cuando en uno de los postreros días intentó consolar a los que viéndole reducido a tan doloroso estado no lograban ocultar la depresión que su decaimiento les causaba: "Si usted no ve mi muerte —decía Iriarte a uno de sus amigos—, tendré yo que ver la de usted, y sufrir entonces lo que usted sufre ahora. ¿Cuál será para mí mayor mal?" (Pignatelli, 247). No se acusa nada de amargura en el último trance de este poeta que se despide del mundo en la víspera de su cuarenta y un cumpleaños; sólo asoma en algún momento durante los últimos días, como en el ya aludido soneto, algo de la situación irónica de quien, habiéndose entregado durante muchos años al cultivo de las ciencias humanas, no encuentra en ellas ningún remedio contra la muerte prematura: "El libro vive, y el autor perece./¿Y amar la ciencia tal provecho trae?" (BAE, XLIII, 54a).

---

[2] Poesías, en Biblioteca de Autores Españoles, t. LXIII, Madrid, 1952, pp. 21b-22a. Las demás referencias a este y otros tomos de la misma colección se indicarán parentéticamente en el texto con la abreviatura BAE, el número del tomo y el de la página.

[3] Véase Emilio Cotarelo y Mori, Iriarte y su época, Madrid, 1897, apéndices, pp. 454-455, 508.

He empezado esta semblanza con el sombrío y casi desconocido episodio final de la vida de Iriarte, porque en él
se encuentra la clave que nos permitirá apreciar el atrayente
perfil humano del poeta, así como el de algún personaje
suyo, pues tanto el uno como el otro no se logran sino a
costa de los mayores sacrificios físicos y morales. Desde
sus veintiocho años la lucha contra el dolor de la gota es
en Iriarte el reverso —y un nuevo estímulo— de esa urbana
cordialidad que le hizo el favorito del Madrid elegante;
y como reflejo de esta entereza de ánimo en las obras literarias que escribió ahogando el dolor, puede señalarse la
noble ecuanimidad de ciertos personajes de *El señorito
mimado*, *La señorita malcriada* y *El don de gentes*. Ya
Alcalá Galiano notó que Iriarte "se distingue por su acierto
en representar... lo que aciertan a expresar muy pocos...
a saber, el carácter de un caballero cumplido".[4]

En carta de 31 de octubre de 1778, dirigida al gran cer-
vantista don Vicente de los Ríos, Iriarte dice que para
excusar las imperfecciones de un nuevo libro suyo le bastaría "la circunstancia de haberle escrito cuando me hallaba tan molestado de la gota, que un criado me cargaba
desde la cama a una silla y no podía resistir en el pie ni aun
el peso de una sábana" (Cotarelo, apéndices, 454). En una
silva amatoria compuesta por todas las apariencias hacia
esta misma época, Iriarte nos habla de la airosa y romántica
figura que cortaba entre los jóvenes de la sociedad madrileña
antes de haberle asaltado la gota —figura que no es sorprendente fuese la de un íntimo del garboso militar, poeta y
amante José Cadalso. "Propensión me debía/en otro tiempo
de la esgrima el arte" —dice Iriarte, y a continuación, en
el mismo tono nostálgico, escribe: "Conté por la mayor
de mis venturas/ que me hallase bailando sin desmayo/de
la aurora siguiente el primer rayo". En el mismo poema el
doliente escritor dice que todos los días deja temprano
"el lecho que aborrezco", y en los versos inmediatos alude
a lo que parece ser su aflicción física y a ciertas "amorosas
inquietudes" con que intenta distraerse de aquélla: "Desde

[4] Antonio Alcalá Galiano, *Historia de la literatura española, francesa,
inglesa e italiana en el siglo XVIII*, Madrid, 1845, p. 261.

entonces al mal de que adolezco/mi triste fantasía,/ cansada
de buscar otros alivios,/uno solo procura" *(BAE*, LXIII,
55b-56a).

Parece natural que el don de gentes sea el tema de una
de las comedias de Iriarte, pues él mismo lo poseyó en grado
sumo. "Tenía un genio naturalmente franco y agradable
—dice Pignatelli—. Era buscado en todas las concurrencias,
y su sociedad no era menos grata a los hombres que a las
damas. Había adoptado en el trato de éstas cierta amenidad
y flexibilidad que no se encuentra siempre en los que sólo
tratan con los libros" (249). Sus mayores éxitos sociales
corresponderían sin embargo a las épocas en que su gota
le daba treguas. "Más ha de ocho meses que no tengo gota,
y lo atribuyo al sistema que voy siguiendo de no exaltarme
la bilis, causa que ha sido siempre de mis males" —escribe
en una larga y confiada carta de 11 de mayo de 1779, dirigida a Enrique Ramos, en la que también habla muy
animadamente de los toros y de visitas a amigos aristocráticos como el marqués de Manca, la duquesa de Villahermosa y los dos hermanos de ésta, Carlos y Juan Pignatelli
(Cotarelo, ap., 462). (Nótese ya de paso esta inclinación
a la bilis o irritabilidad en la que el poeta veía el origen de
su mal físico, y que de hecho en alguna ocasión bastaría,
según me aclara el doctor Carl Brighton, catedrático de
medicina en la Universidad de Pensilvania, para estimular
un ataque, tratándose de un caso de gota de la extrema
gravedad indicada por la incapacidad de Iriarte de resistir
el peso de una sábana en el pie.) Volveremos a ocuparnos
de la enfermedad de Tomás y de la irritabilidad que parece
haber contribuido a ella; mas por de pronto hace falta
dedicar unas líneas al Iriarte frecuentador de círculos literarios y aristocráticos y al hastío que la sociedad le
causaba; pues luchaba simultáneamente contra este ma-
lestar espiritual que le venía de fuera y contra el otro de la
bilis que le venía de dentro, y sin tomar en cuenta ambos
irritantes no es posible entender del todo la interesante
psicología del poeta canario.

Tomasito, como le llamaban los amigos (Cotarelo, ap.,
555), atraía a las almas sensibles, no sólo por sus encan-

tadores modales, sino también por sus múltiples dones artísticos. Con Cadalso, que le llama "amigo y filósofo" y le habla del "interés de literatura y gusto que me causan sus cartas",[5] Iriarte consulta sus propios problemas de composición, mandando sus "versos... al examen y censura de Dalmiro", pues —según dice en carta dirigida a éste con fecha 19 de enero de 1776— está convencido de que "él es uno de los pocos inteligentes en poesía" (Cotarelo, ap., 451). En las cartas ya citadas, Cadalso se declara "devoto de esa trinidad" de hermanos, Bernardo, Domingo y Tomás, pero "me importa y mucho —dice hablando en particular con el último— que usted sepa que le estimo mucho". A lo cual Iriarte responde, en tono que refleja algo del sentimentalismo de esa amistad a lo Rousseau que era tan característica de los amigos salmantinos de Cadalso, y de la que hablo en el capítulo segundo de mi libro sobre Dalmiro: "¿Por qué será que siento cierta complacencia interior en ésta respondiendo a su carta? —el canario pregunta a Cadalso—. ¿Por qué ha de ser, sino porque se me ha antojado que usted es mi amigo?" (Cotarelo, ap., 448).[6]

La duquesa de Villahermosa, "mi favorecedora y discípula", como Iriarte la llama en una carta dirigida al duque, fue una de varias íntimas amigas y aficionadas al verso que influyeron en su obra: Según el poeta, en la ya citada carta a Enrique Ramos, lo mejor de *La música* son "los primeros tres cantos que trabajé cuando estaba aquí mi señora la duquesa de Villahermosa, cuyo apacible trato me suavizaba la musa" (Cotarelo, ap., 452, 465). Iriarte, compositor y consumado músico, que tocaba el violín y la viola, compartía con su grande amigo Manuel Delitala, marqués de Manca, su afición a la música; el poeta ofrecía "academias de armonía" en su "morada" y siempre participaba en las que el marqués celebraba en su casa de la carrera de San

5 Cartas de Cadalso a Iriarte, en "Obras inéditas de Cadalso", *Revue Hispanique*, t. I, París, 1894 (pp. 308-328), p. 312.

6 Véase Russell P. Sebold, *Colonel Don José Cadalso*, Twayne's World Authors Series, núm. 143. Nueva York, 1971, pp. 26-34; o la edición española, bajo el título *Cadalso: el primer romántico «europeo» de España*, Madrid, Editorial Gredos, 1974, pp. 45-58.

Francisco (*BAE*, LXIII, 33-34a; Cotarelo, 156, y ap., 467-475, 551-554). El interés de los tres hermanos Iriarte por las artes plásticas, que les llevó a formar en su casa de Madrid una de las más notables colecciones privadas de pintura de toda Europa, valió a Tomás la amistad de Antonio Rafael Mengs, pintor de cámara de Carlos III: "Mengs, el célebre sajón,/el Apeles de este siglo,/ con su amistad me envanece;/yo en la mía le distingo" (*BAE*, LXIII, 36a).

La pintura, la música, la literatura y la amistad con Cadalso son las cosas que Tomasito tenía en común con su mejor amiga, la condesa-duquesa de Benavente, duquesa de Osuna; pues esta señora competía con los Iriarte en coleccionar cuadros de Van Dyck, Rubens y otros maestros europeos y españoles; compraba composiciones originales de Haydn que el fabulista y sus amigos tocaban en sus academias musicales (a la duquesa se la veía "presidiendo tal vez una academia/de música sonora"); y por fin, reunía, alrededor de su mesa, a los principales literatos de su época, influyendo de modo profundo en las ideas y obras de algunos de ellos, como he demostrado en el primer capítulo de mi libro sobre Cadalso. Iriarte se considera como un "apasionado" de la condesa-duquesa, la tutea en la larga epístola jocoseria publicada por Cotarelo; y dirigiéndose a la gran señora en esta composición, el poeta pregunta: "¿Qué más tierno argumento/puede ofrecerse a la tristeza mía/que tu fatal ausencia/y la suma impaciencia/con que de su remate aguardo el día?" Por su parte, la noble dama se muestra igualmente deseosa de recibir a Iriarte en su suntuosa casa de la Puerta de la Vega: Manca escribe a Tomás diciéndole que "en la Puerta de la Vega/... a vos con ansia os esperan". Y cuando los escritores se hallaban a la mesa de la condesa-duquesa, leyendo versos nuevos o conversando acerca del teatro, la historia literaria o los adelantos filosóficos y científicos de la Ilustración, reinaba la más completa familiaridad. En una ocasión, por ejemplo, cuando se presentó un necio ceremonioso que deseaba cumplimentar a la dama de gustos un tanto bohemios —Iriarte dice, hablando con su anfitriona en la ya citada epístola jocoseria—, "aún me acuerdo que tú, viendo su triste/y fea catadura, le dijiste: 'Bien puedes ya mudarte/a hacer tus ceremonias a otra parte'./Y yo le eché un conjuro con cerveza/porque no me rompiera la cabeza" (Cotarelo, ap., 478-483, 554).

La carta *Sobre la voz "presidenta"* que Iriarte manda al *Diario de Madrid* respondiendo al anónimo inserto en el número correspondiente al 20 de octubre de 1787, en el que el desconocido crítico había reprobado el uso de tal forma femenina para designar a la señora que presidía la Junta de Damas de Honor y Mérito, sociedad filantrópica de la que Carlos III once días antes había nombrado *presidenta* a la condesa-duquesa de Benavente, debió motivarse como obsequio del poeta para su ilustre amiga.[7] Durante su convalecencia en Sanlúcar, Iriarte compuso para la condesa-duquesa la comedia *El don de gentes*, así como el fin de fiesta de ésta o zarzuela *Donde menos se piensa salta la liebre*, de cuya primera representación en el palacio de la Puerta de la Vega es posible formarse una idea por los apuntamientos originales del dramaturgo en los cuales asigna papeles a su amiga y a los familiares de ésta (Bib. Nac., MS 7922, fol. 80). Finalmente, por una carta en verso dirigida a Iriarte por un tal Pedro Gil, coplero muy allegado a la casa de la condesa-duquesa, se ve que en 1790 la sensible patricia seguía con la mayor impaciencia los progresos de la convalecencia de su antiguo comensal, llegando a llevar, en su "elegante cartera", una carta de éste a una función del teatro del Príncipe, para que todos pudiesen disfrutar en la lectura de tan buenas noticias (Cotarelo, 384-386).

Cualquier envidioso del éxito personal de Iriarte en el gran mundo madrileño (Forner, por ejemplo) habría juzgado que su activa y al parecer regocijada vida social no le proporcionaba sino el mayor placer. Mas en la Epístola VII, de 8 de enero de 1776, escrita cuando el poeta aún no tiene sino veinticinco años, el hastío que le producen ciertas costumbres de la alta sociedad salta a la vista:

---

[7] "Sobre la voz *presidenta*", *Colección de obras en verso y prosa de D. Tomás de Yriarte*, Madrid, 1805, t. VIII, pp. 323-327.

"Síguese el sempiterno cumplimiento/de precisas e inútiles visitas,/de molestos convites y citas/…/o al paseo nos llevan otros días,/no para un ejercicio saludable./sí para hacer trescientas cortesías,/y metódicamente con los coches/seguir cierto carril inalterable" *(BAE,* LXIII, 33a). El fastidio de Iriarte es tan exquisito, si cabe hablar así, como el de Cadalso con las mismas formas sociales, y por tanto su actitud también parece presagiar la del romántico Larra, que había de sentirse tan aburrido con el dandismo y las demás modas de la sociedad de su tiempo (véase, en el capítulo tercero de mi ya mencionado libro, la comparación entre Dalmiro y Fígaro).

En la estrofa siguiente, de tono también en parte larriano, las palabras de Iriarte referentes a la juventud parecen apuntar hacia esos momentos de extremo desencanto en que el costumbrista decimonónico haría afirmaciones como la de que los jóvenes de Madrid son como los periódicos de la capital, por diferir unos de otros tan sólo en el nombre *(La vida de Madrid)*: "Yo, cuando así se vive en el recinto/de esta imperial y coronada villa —dice Iriarte—,/voy, Fabio, por camino bien distinto/del que la juventud por moda trilla,/o bien por ocio u maquinal instinto./Sin llegar mi retiro a ser desierto,/me privo, me separo y excomulgo/de este común sistema, y me divierto/sólo en no divertirme como el vulgo". Evidentemente, el hastío de Iriarte, como el de Cadalso y Larra, tiene algo de *pose* —no le horroriza tanto la sociedad como puede parecer—; pero también se trata de un auténtico conflicto espiritual; pues las elegantes costumbres de la buena sociedad en las que el sensible artista busca algunos días un a modo de metáfora viva con la que pueda manifestar en la forma externa de su existencia su refinado instinto estético, son en realidad por su vacío espiritual la antítesis del talento creador. Así no causa sorpresa que Iriarte vuelva a contraponer la sociedad elegante y la profesión literaria en su único poema de tono realmente amargo, su Epístola III *(BAE,* LXIII, 26-28), escrita después de la ya citada VII y fechada en 9 de septiembre de 1777, nueve días antes que el poeta cumpliera veintisiete años.

La Epístola III contiene interesantísimos antecedentes de ese Larra que unos sesenta años después afirmaría que "escribir en Madrid es llorar" *(Horas de invierno)*, que la Imprenta Nacional es un sepulcro *(Día de difuntos de 1836)* y que el único motivo para participar en las diversiones de la sociedad es para poder despreciarlas con conocimiento de causa *(La sociedad)*: Iriarte se duele de la "persecución, abatimiento y sustos,/que un miserable autor aquí tolera"; dice que ha renunciado a dar sus obras a la estampa, pues el público madrileño no se interesa por la buena literatura, "y al sepultarlas en eterno olvido,/ las pongo esta inscripción: TIEMPO PERDIDO". Luego por puro despecho, y por apagar la exigente voz de la musa,

Dormiré bien y criaré buen quilo,
. . . .
y por dos cuartos tomaré una silla
del paseo del Prado.
. . . .

Nadie me ganará la palmatoria
en frecuentar los palcos y luneta.
Allí desde hoy con cara de baqueta
oiré, sin tomarme pesadumbres,
la desvergüenza pública y notoria
de la escuela (que llaman) de costumbres,
en el siglo (que llaman) ilustrado,
y en una capital de un grande estado.
No perderé convite ni bureo;
sabré muy por menor cuando el paseo
de Atocha a San Isidro se transfiere,
cuando el Retiro al río se prefiere,
cuando toca al canal su temporada,
cuando es a las Delicias la jornada;
no faltaré en café, toros ni ferias,
ni en la Puerta del Sol habrá corrillo
o tienda en que no logre yo cabida.
Iré a tertulias donde las materias
más importantes sean el tresillo,
el mal tiempo, del prójimo la vida,
los talcos y las borlas del peinado,

y en fin, seré un ocioso consumado.
Así me llamarán jovial, sociable,
útil, hábil, político y amable.[8]

Podríamos dedicar muchas líneas a comentar este pasaje costumbrista; pues, además de los anticipos de la desilusión larriana ya indicados, contiene otros igualmente curiosos. La entrega final de Iriarte a esa misma frivolidad que se contrapone a su esfuerzo creador parece anticiparse, por ejemplo, a un final de artículo de Larra como el de *Vuelva usted mañana*, en cuyo último párrafo el gran costumbrista confiesa con sardónico humorismo que él está tan afectado por la pereza nacional como todos los que ha criticado en su ensayo. Y por mencionar sólo un paralelo más, el sarcasmo de que a Iriarte le llamarán "sociable" y "útil" si se entrega a los triviales usos de los elegantes parece un antecedente de las ironías de Larra sobre el hombre como "animal social" y la sociedad como "la peor de todas las necesidades de la vida", al principio de *La sociedad*.

No subrayo el hastío de Iriarte ante la sociedad ni las otras cualidades "románticas" que quedan mencionadas con la intención de convertir al famoso fabulista en prerromántico o romántico, porque la idea de un Iriarte romántico sería totalmente inconcebible, y sin embargo hay en el canario cierto "romanticismo" subterráneo cuya constante y difícil represión es solidaria de su neoclasicismo, así como de la actitud estoica con que afronta su mal físico (pues el término *estoico* —casi siempre inexacto y peligroso de usar— por lo menos no cuadra tan mal a este poeta como a su amigo Cadalso, a quien alguna vez se ha aplicado de modo muy impropio). Ello es que lo que puede parecer romanticismo en Iriarte es ya en algunas ocasiones esa "bilis" en la que él ve el origen de su doloroso mal físico, ya en otras el hastío que le causa la sociedad; y aun cuando

---

[8] La idea central de estos versos se refleja en un parlamento del aburrido barón de Sotobello, en *El don de gentes:* "En Cádiz a los principios,/como es tan bonito el pueblo,/me divertía. Gocé/teatro, convites, juego;/todo lo anduve. Después/empezó a causarme tedio/aquel bullicio" (Obras, 1805, VIII, 133-134).

llegue a reflejarse, en la expresión de una y otro, algún rasgo de la literatura romántica, que entonces se iba formando, el fabulista no deja nunca de luchar por sofocar los efectos de ambos irritantes, según ya veremos.

Casi mes y medio después de haber fechado su amarga Epístola III, Iriarte manda una copia de ella a Cadalso y explica cómo llegó a escribir tal cosa, refiriéndose al nerviosismo y depresión que siempre parecían asociarse a sus ataques de gota, aunque naturalmente no se sirve de tal terminología, porque según Mesonero diría en 1846, en las *Escenas matritenses*, "la invención de los nervios no data de muchos años". Pero el sentido es el ya indicado al aludir Iriarte, en 20 de octubre de 1777, a su Epístola III: "El tiempo en que la escribí fue un mal rato en que me dominaba la bilis y la hipocondría". Al proseguir Iriarte su explicación, se ve que aun en medio de la tranquilidad relativa que le ha sobrevenido, no se arrepiente del todo de lo dicho en su invectiva poética contra la sociedad y el público madrileños, tan ocupados con sus triviales ritos sociales, pues en el período inmediato dice: "El numen que me la dictó fue la razón, apoyada de experiencia y desengaños" (*BAE*, LXIII, 37b).

Ahora bien, en parte por eludir ocasiones que le produzcan hastío, pero también por evitar que se le exalte así la bilis, causa, según cree él, de todos sus ataques de gota, Iriarte empieza a limitar severamente el número de sus amistades. En la ya citada Epístola VII de enero de 1776, dice hablando con un amigo: "no imagines que... huyo/ cual misántropo raro y displicente,/de todo trato y sociedad de gente./Amigos tengo algunos que visito;/pero a número corto los limito,/y de nadie me pago fácilmente,/aunque es, al parecer, tan poco austera/mi condición, que trato con cualquiera" (*BAE*, LXIII, 34a). También por salvaguardar su salud evitando irritaciones que puedan llevar a nuevos accesos de gota, desiste de ir con frecuencia al teatro: "hace muchísimos meses que no atravieso las puertas de los teatros —dice en carta de 11 de mayo de 1779 a Enrique Ramos—. Esta diversión me está rigurosamente prohibida por la religión de Horacio que profeso, y me sucede cabalmente aquello de *aut dormitabo, ut ridebo*, para lo cual no necesito ir a la luneta, *con peligro de que se me acede la comida... Contado me divierte, y visto me indispone para muchos días, y esto no es bueno para la gota*" (Cotarelo, ap., 467; el subrayado es mío).

Incluso los forneristas han llamado la atención sobre el "tono ligero y desenfadado" de la ironía de Iriarte al responder a las furiosas fulminaciones polémicas de la pestilente musa de Forner.[9] El contraste es notable, pues el tono de Forner en la polémica de la década de 1780 es tal que aun a dos siglos de distancia produce en un lector desinteresado una irritación casi inaguantable. ¿Cómo se explica por ende la circunspección de quien era el más afectado? La respuesta a esta interrogación se encuentra en los párrafos anteriores: al contestar a Pablo Ignocausto, Iriarte evitaría acalorarse merced no sólo a su temor de que el irritarse pudiese ser causa de la renovación de su horrible martirio, sino merced también a la excepcional entereza de ánimo que había aprendido en sus continuas luchas contra las causas y los efectos del dolor. No creo que se hayan conservado cartas de Iriarte de la década de 1780 —por lo menos no conozco ninguna—, pero en ellas sin duda hablaría alguna vez de los esfuerzos redoblados que consideraría indispensables por eludir las irritaciones según iba recrudeciéndose su mal, y su polémica con Forner.

Parece oportuno proponer ya la hipótesis que quería sugerir con esta semblanza, esto es, que el tono ligero y desenfadado de quien razona mientras su contrincante fulmina es en Iriarte, para designarlo con el adecuado término psicológico, la sublimación, ya de su dolor, ya de su terror ante la posible renovación del dolor, ya de la bilis en la que él ve la causa principal de tales renovaciones, o ya, finalmente, del hastío que le produce la sociedad y que fácilmente puede llevar a su vez a la bilis ya dicha. En mi libro *El rapto de la mente* he llamado la atención sobre

---

[9] Juan Pablo Forner, *Los gramáticos, historia chinesca*, ed. John H. R. Polt, Madrid, Editorial Castalia, 1970, p. 21.

el hecho de que en sus versos Iriarte sólo conquista un estilo neoclásico maduro y sereno y un humorismo reposado a través de una constante lucha consigo mismo "porque, al cabo, me veo en el apuro —según él nos dice en su Epístola XI—/de propender a un delicado estilo,/que nunca puedo usar libre y tranquilo" (BAE, LXIII, 38a). Y allí digo yo: "La lucha consigo mismo era hasta tal punto una constante de la vida literaria de Iriarte, que se le sorprende en este conflicto hasta en el nivel subconsciente".[10] Mas ya no creo que se trate en esas ocasiones tan sólo de la lucha del poeta con el medio o con el propio talento; creo que tanto en el caso de las Fábulas literarias y las comedias, como en el de las obras polémicas, la lucha contra el dolor también jugaría un papel importante en la consecución de esa ecuanimidad y esa al parecer fácil gracia que son tan características de Iriarte.

El que en los tres últimos años de su vida Iriarte pueda representar, en su teatro, con tanta simpatía y de modo tan convincente el carácter del hombre maduro que goza de buena salud y todavía puede disfrutar en convites, bailes y otras alegres diversiones (don Gonzalo en La señorita malcriada y don Alberto en El don de gentes) ilustra una vez más la enorme capacidad para la sublimación del dolor que poseía este neoclásico, que en la época en que escribía esas mismas obras se veía obligado a vigilar constantemente su comida y muchos días ni aun podía andar. Los dos personajes ya indicados se caracterizan a la vez por cierta profundidad o ecuanimidad muy atractiva —¿reflejo de la de Iriarte?—, la cual les permite renunciar sin resentimiento a sus alegres y juveniles diversiones para abrazar otra forma de vida más morigerada. El aire de recta seguridad que se observa en el tutor, don Cristóbal, en El señorito mimado, más bien que efecto de una mezquindad moral, encubre una humanidad tan cordial como poco visible en las primeras escenas, y así reflejará también en cierto modo el intento de Iriarte de

---

[10] Russell P. Sebold, El rapto de la mente. Poética y poesía dieciochescas, El Soto, núm. 14, Madrid, Prensa Española, 1970, p. 147.

reprimir, bajo la apariencia de una reserva imperturbable, su propensión a las emociones delicadas por temor de acabar por tal vía dando expresión egoísta al dolor que le causaba su mal físico: En su *Censura* de *El señorito mimado*, fechada en Madrid en 25 de junio de 1788, Díez González subraya los "afectos tiernos, suaves y moderados" que experimenta el lector al leer la obra, "particularmente en las escenas en que interviene el tutor, cuyas expresiones propias de su carácter recto, franco y activo excitan no sé qué ternura y sensibilidad en el corazón".[11]

A propósito de la expresión o abstención de expresar la emoción egoísta, nada hay más antirromántico en la época prerromántica ni más admirable por su aparente motivación estoica, que el modo iriartiano de tratar el esplín, esa negra melancolía que ya se iba convirtiendo en el *fastidio universal* romántico, y de la que setenta años después la Avellaneda, por ejemplo, seguirá hablando en tono profundamente sombrío: "estoy en mis días de *esplín*, que... son horribles".[12] Tal emoción la representa Iriarte, en cambio, en el tono más ligero que cabe, en una *Definición del mal que llaman "esplín" (en inglés "spleen")*, publicada sólo cuatro años antes de su muerte:

> Es el esplín, señora, una dolencia
> que de Inglaterra dicen que nos vino;
> es mal humor, manía, displicencia;
> es amar la aflicción, perder el tino,
> aborrecer un hombre su existencia,
> renegar de su genio y su destino;
> y es, en fin, para hablarte sin rodeo,
> aquello que me da si no te veo. *(BAE*, LXIII, 55b)[13]

Es aún más significativo el hecho de que en 1790, el año antes de su muerte, Iriarte sigue burlándose del esplín,

[11] Esta *Censura* está reproducida en Juan Sempere y Guarinos, *Ensayo de una biblioteca española de los mejores escritores del reinado de Carlos III*, t. VI, Madrid, 1789, pp. 211-214.
[12] Gertrudis Gómez de Avellaneda, *Autobiografía y cartas*, ed. Lorenzo Cruz de Fuentes, 2.ª ed., Madrid, Imprenta Helénica, s. a., p. 228.
[13] Este poemita se estampó por primera vez en la edición príncipe de la *Colección de obras en verso y prosa de D. Tomás de Yriarte*, Madrid, 1787, t. II, p. 306.

la amargura y la desilusión en la zarzuela *Donde menos se piensa salta la liebre*. Un comerciante inglés, Guillermo Bitter, personaje de la zarzuela —su mismo apellido significa "amargo"— se expresa en el tono más desabrido sobre todas las cuestiones, respondiendo así, por ejemplo, cuando otro personaje ofrece recitar una tragedia original: "Tengo el humor/bien triste, sin oír dramas/melancólicos"; y el autor de la tragedia explica luego el constante mal humor del inglés diciendo: "Son efectos/del esplín". Mas ninguno de los otros personajes simpatiza con la actitud antisocial del "inglés que es tan triste/y tan seco", o con su filosofía negativa: "A mí me espanta —comenta una paya simple—/ cuando dice que si un hombre/está aburrido, se mata" *(Obras*, 1805, VIII, 258, 264-265, 268).

Ahora bien, no hay que olvidar por un momento que estamos hablando de una época en la que merced a las versiones francesa e inglesa ya eran conocidas en toda Europa y América las cuitas del suicida Werther; de una época en la que incluso los primeros personajes novelísticos creados en el Nuevo Mundo —como Harrington en *The power of sympathy* (Boston, 1789)— se suicidaban a imitación de su admirado Werther; y de una época en la que eran muy conocidos en España los melancólicos razonamientos suicidas de Tediato en las *Noches lúgubres* (1774; circulados en manuscrito antes de su primera publicación en 1789), los fatídicos remordimientos del noble "monstruo" Torcuato en *El delincuente honrado* (1773) de Jovellanos, y el sombrío soliloquio suicida de Amato, protagonista de un curioso y entonces muy representado drama prerromántico de Cándido María Trigueros, *El amante precipitado* (1774; primera impresión, Madrid, 1785), sobre el que últimamente he publicado un estudio en la *Hispanic Review*. Digo que no hay que olvidar nada de esto, porque el hecho de que viviendo en tal época y conociendo las modas literarias, Iriarte pudiese no obstante reírse de la melancolía y el suicidio en los mismos momentos en que a la temprana edad de los cuarenta años sentía aproximarse ya la muerte, es quizá el ejemplo más admirable de su entereza de ánimo.

Resulta claro que hay cierta correlación psicológica entre

el aspecto sereno que el Iriarte hombre procuraba mantener en medio del más agudo dolor y esa despejada perfección de la forma que es tan característica de las obras del Iriarte poeta; y ni tal perfección arquitectónica ni la reserva y ligera ironía que la acompañan en los versos del poeta canario son efecto de la frialdad o la trivialidad de un talento secundario, como más de una vez se ha dicho con gran injusticia. Son, por lo contrario, una de las caras públicas que el afligido poeta enseñaba al mundo, y como tal son un elocuente testimonio de la profundidad de este espíritu por propia elección antirromántico; quien de la relación entre su sufrimiento y su obra habría podido decir lo mismo que en la Fábula LXV afirma acerca del parentesco entre el proceso creativo y la poesía, a saber, que el hacer poesía de alta calidad "requiere/que se oculte en los versos el trabajo". También se habría adherido nuestro poeta a lo que ese otro espíritu clásico, Quintana, diría de los poetas tristes, en su romance *A Somoza*, de 1826: "Canten los que son dichosos;/pero el infeliz que llora,/ guarde para sí el gemido/y sus lástimas esconda;/que las orejas del mundo/son esquivamente sordas/al lamentador poeta/que en vez de cantar solloza". Ha pasado ya la época de esa fácil seudocrítica que no encontraba nada humanamente admirable sino en la angustia de los escritores barrocos o en los tormentos de los románticos.

II. VIDA Y OBRAS DE IRIARTE

"No pudo persuadirse su tío fuese de él aquella composición —apunta Pignatelli—, hasta que por varias preguntas que le hizo, a las que el muchacho dio las adecuadas respuestas, se convenció por fin de que era realmente autor de los versos" (220). El muchacho, que acababa de llegar a Madrid, aún no tenía catorce años, y si vaciló al enseñar a su pariente unos dísticos latinos que compusiera para despedirse de la isla de Tenerife, donde había vivido desde su nacimiento en el Puerto de la Cruz en 18 de septiembre de 1750, no había que extrañarse, pues su tío Juan era académico de la Española y de San Fernando, oficial traductor de la primera Secretaría de Estado, bibliotecario de la Real Biblioteca, encargado por ésta de la compra de libros y la catalogación de manuscritos griegos, un distinguido helenista, y junto con Mayáns uno de los dos latinistas más renombrados de toda España. Pero como el muchacho descubriría al punto, no había motivo alguno de temer, porque el temperamento del tío era tal, que según el padre Enrique Flórez, había que alabar a Dios porque "le hizo tan bueno y tan amable".[14] Además, el generoso tío solterón de sesenta y un años ya había llamado a su lado, para educarlos, a otros dos hijos de su hermano Bernardo y su cuñada Bárbara de las Nieves Ravelo y Hernández de Oropesa: el mayor, tocayo de su padre, y el tercero, Domingo. Ahora recibía al quinto y menor de sus sobrinos, a cuya esmerada educación humanística iba a dedicar los siete años de vida que le quedaban.

No obstante tan largo traslado el muchacho apenas cambió de forma de vida. En Tenerife su hermano fray Juan Tomás de Iriarte, dominico y hombre muy docto en filosofía, teología y literatura antigua, había puesto la mayor atención en enseñarle la lengua latina, y Tomás incluso "vivía dentro del convento y en la celda de su hermano y maestro".[15] La vida retirada de la isla se substituyó en Madrid por "el grande recogimiento, quizá ex-

---

[14] Carta del padre Enrique Flórez dirigida a Bernardo de Iriarte, autor de la "Noticia de la vida y literatura de don Juan de Iriarte" contenida en las *Obras sueltas* de éste, Madrid, 1774, t. I, nota 28 a dicha "Noticia", cuyas páginas no están numeradas.
[15] "Apuntaciones que un curioso pidió a don Tomás de Iriarte, acerca de su vida y estudios, escritas en 30 de julio de 1780", *Obras poéticas de don Tomás de Iriarte*, manuscrito, Biblioteca Nacional, signatura MS 10.460 (pp. 1-17), p. 2. Comparando las "Apuntaciones" del *curioso* con la "Noticia" de Pignatelli, se ve que éste se aprovechó de aquéllas para los primeros años del biografiado. Por ejemplo, Pignatelli (219) copió sin alteración alguna la frase del manuscrito que acabo de citar. Existe la posibilidad de que el *curioso* sea el mismo Iriarte; pues al copiar una de las frases del manuscrito de 1780, Pignatelli, aludiendo al fabulista, explica parentéticamente que "es expresión suya" (222). Pignatelli, estrecho amigo de Iriarte, tenía que saber si éste era o no el *curioso*. Cotarelo creía perdida la "Noticia" de Pignatelli, y tampoco parece haber conocido las "Apuntaciones" del *curioso*; y entre los especialistas más recientes, quien ha conocido una de estas biografías no ha conocido la otra.

cesivo, en que le tuvo su tío durante sus estudios" (Pignatelli, 222). No obstante Tomás iba poco a poco conociendo el mundo literario de Madrid merced al "trato de diversos literatos que frecuentaban aquella casa", según nos dice el ya mencionado *curioso* (4). Aunque alguna de las famosas "academias" o tertulias literarias de mediados del siglo ya había desaparecido, hacía muchos años que el tío Juan asistía a varias, entre ellas las de Montiano y fray Martín Sarmiento; y habiendo en otros años llevado consigo a sus sobrinos Bernardo y Domingo, entonces todavía muy jóvenes (Cotarelo, 20), parece probable que ahora Tomás le acompañara a alguna de esas gratas y francas academias que se reunían en casas particulares y que, según Montiano, eran "conversación de amigos, junta de discretos y corona de hombres sabios... siendo cada uno discípulo de todos, y de todos maestro".[16]

También existía en casa del tío Juan otra importante ventaja para la instrucción de Tomás, cual era "la proporción de tener dentro de ella una buena librería", según apunte del *curioso* (4). Varios años después de la muerte del tío, el *curioso* (suponiendo que éste es el propio Tomás) describe la biblioteca del tío, en una epístola poética dirigida a un amigo, en la que también enumera las pinturas y los grabados que adornan "más de siete cuartos" en su "quieta residencia": "Conservo en mi mansión.../la biblioteca rara y numerosa/que recogió, con elección curiosa,/ el anciano Iriarte/... Encierra, sí, un tesoro de ciencia/que al humanista docto pertenece,/que el ingenio deleita e ilumina/...Junta las ediciones más correctas/de griegos y latinos oradores,/y las obras selectas/de poetas también e historiadores;/apreciables escritos castellanos,/ muchos de los que Francia ha producido,/con algunos ingleses e italianos,/y ofrece, a breve espacio reducido,/lo mejor de la crítica y buen gusto/... En esta retirada librería/... tu ansioso numen hallaría/la erudición de amenas facultades,/ciencias de utilidad, antigüedades,/manuscritos,

---

[16] "Discurso sobre qué cosa es academia", *Don Agustín de Montiano y Luyando. Noticias y documentos*, ed. marqués de Laurencín, Madrid, 1926. p. 260.

estampas, diccionarios/y artes para aprender idiomas varios" *(BAE,* LXIII, 33ab).

Además de los idiomas clásicos, Tomás estudió todos los modernos mencionados en la célebre quintilla de su tío ("Silbido es la lengua inglesa,/Es suspiro la italiana,/Canto armonioso la hispana,/Conversación la francesa,/y relincho la alemana"). Don Juan, su maestro, había vivido en Francia por unos diez años durante su juventud, cursando artes liberales e idiomas en el Colegio de Luis el Grande, de París, y conocía también Londres. Así, en las mejores condiciones posibles, Tomás "se instruyó en la lengua francesa, se perfeccionó en la latina, leyendo casi todos los autores clásicos... leyó muchos buenos libros castellanos, se dedicó al inglés, de cuyo idioma traía ya algún conocimiento desde Canarias... y tradujo mucho de francés y latín en castellano, y vice-versa" (el *curioso,* 3-4). En los años inmediatos a la muerte de don Juan, el sobrino "se dedicó a la lectura de los buenos poetas italianos, y tomó alguna tintura de la lengua alemana, que después no ha continuado en estudiar aunque conserva algún conocimiento de ella" (el *curioso,* 10); con todo lo cual se completaron las bases del cosmopolitismo literario de Iriarte, que estudiaremos en otro capítulo.

Con el anciano Tomás también estudió la historia universal y española, la geografía, la filosofía, los principios generales de la física, lo más preciso de la aritmética y algunos cortos rudimentos de la geometría. Mas su preferencia por el estudio del "arte poética, que era su principal inclinación", le llevó a rebelarse contra "el de geometría, que su tío le aconsejó y a que sólo se dedicó algunos días, no adquiriendo más que algunas ligerísimas nociones, de lo cual le ha pesado después muchas veces" (el *curioso,* 4). Si no fuese por el hecho de que se siguen repitiendo ciertas ridículas nociones estereotipadas acerca de los poetas neoclásicos, no tendría interés subrayarse el de otro modo nada sorprendente detalle de que aquí un representante de ese movimiento que falsamente se supone guiado por una fría razón matemática, se rebela contra el estudio de una disciplina racionalista lo mismo que lo podría hacer un poeta de cualquier otra época.

"Desde Canarias —apunta el *curioso* refiriéndose a Tomás— tocaba el violín y el bandolín, sabiendo la música bastante para tocar un papel de pensado, bien que jamás había tenido maestro, ni le tuvo después más que los libros. Dedicóse a éstos, y por ellos aprendió como ciencia lo que sólo sabía como arte. Llegó al fin a saber la composición, y a tocar de repente el violín y la viola, sólo por libros y el ejercicio, y después con el beneficio de alguna instrucción que recibía más por vía de conservación que de lección con el maestro de la capilla de la Encarnación, don Antonio Rodríguez de Hita. En esta diversión de la música ha pasado siempre los ratos ociosos, o los que robaba al estudio y a sus obligaciones" (5-6). Así la música igual que la poesía debía competir por la atención del Iriarte adolescente cuando el tío procuraba reducirle con benévolos argumentos al estudio de materias prácticas aunque poco tentadoras como la geometría.

Cotarelo alude a un romance que Iriarte compondría a los quince años (50), mas su primera obra original de cierta extensión escrita en castellano es la comedia *Hacer que hacemos*, que terminó "antes de cumplir dieciocho años de edad", según testimonio de Pignatelli (223), aunque no se publicó hasta 1770. En esta obra, como en todo lo que Tomás escribió en verso en vida de su tío, éste se esmeró "en conducirle por la estrecha senda de las juiciosas y severas máximas de Horacio... Hacíale sacrificar a veces ciertas imágenes, ciertos pensamientos, que aunque brillantes no parecían oportunos, o no satisfacían del todo su delicado gusto. No perdonaba ningún ripio ni epíteto inútil, borraba sin compasión toda aprensión ambigua u obscura, e insensiblemente le acostumbraba a la conexión del estilo y a limar con sumo cuidado todas sus composiciones, desechando enteramente aquella poesía de hojarasca... que por desgracia tiene todavía no pocos apasionados" (Pignatelli, 223). Se refleja en las normas y las correcciones del viejo maestro la fuerte —y muy justificada— actitud antibarroca de la primera generación neoclásica que fue la llamada a combatir los rimbombantes floripondios de esos "vates" y "cisnes" que aún publicaban sus ultragongorinos

Ramilletes de poéticas flores en los primeros decenios del Siglo de las Luces; y en el crisol de estos ejercicios se empezó a depurar esa severa pero fecunda estética iriartiana de la "lima sorda y lenta" (Cotarelo, ap., 444), según el mismo Tomás la llamaría y que en su Epístola IX cifraría en los tres ejemplos de Horacio, Haydn y Mengs.

En la comedia *Hacer que hacemos*, se analiza el carácter del *fingenegocios*, o sea el que aparenta estar ocupadísimo aun cuando no se emplea en nada, hasta el punto en este caso de perder por su afectación la oportunidad de casarse con la joven de su elección. Esta obra de principiante es de un efecto más cómico que el que quiere concederle Cotarelo, que en todo caso se ha fijado en la naturalidad de la versificación y el lenguaje (78). Sin embargo, lo más interesante para los lectores de las comedias contenidas en el presente volumen es el hecho de que ya en el prólogo del *Hacer que hacemos*, Iriarte deja constancia de la fórmula neoclásica que había de verse coronada con tanto éxito en sus obras posteriores, así como en las de Leandro Moratín: "no deberá de aquí adelante dudarse en España que una comedia escrita sin afectación de lenguaje, con un enredo claro y consiguiente, en que se pinte y haga sobresalir un carácter seguido, sin más lances que los que basten a manifestar el mismo enredo y carácter, y que concluya premiando o dejando castigado al personaje principal de ella, puede quizá instruir y deleitar más que aquellas [de capa y espada] en que el vulgo aplaude la serie confusa y trama a veces inverosímil de lances puramente amorosos".[17] El tono profético del confiado joven había a la larga de justificarse; pues, según veremos, de su teatro maduro (y del de Moratín) arranca la moderna comedia de costumbres.

Entre 1769 y 1772 Tomás colabora en la reforma del teatro emprendida por el conde de Aranda. Bernardo de Iriarte ya se ocupaba de arreglar comedias aureoseculares para este fin, y ahora su hermano menor traduciría para los teatros de los Reales Sitios *El malgastador* de Des-

---

[17] [Tomás de Iriarte], *Hacer que hacemos*. Comedia. Por D. Tirso Ymareta. Madrid, 1770, p. 4.

touches, *La escocesa* de Voltaire, *El mal hombre* de Gresset,
El aprensivo de Molière, *El mercader de Esmirna* de Champ-
fort, *El huérfano de la China* de Voltaire, *El filósofo casado*
de Destouches y algún otro drama francés (véase Millares
Carlo, *Bio-bibliografía canaria*, pp. 259-261), no incluyén-
dose sin embargo entre sus *Obras* impresas, ni en 1787
ni en 1805, más que las dos últimas versiones mencionadas
aquí. Según Pignatelli, fue también en estos años en los
que Tomás "compuso además algunos dramas originales
que fueron preludio de otros que ha dado posteriormente
a luz de mucho más mérito y artificio" (223). Con este
curioso dato que Cotarelo ignoraba por no conocer la
"Noticia" de Pignatelli, se hace posible fechar aproxima-
damente la primera de las tres fases de la larga gestación
que tuvieron las deliciosas comedias que publico aquí; ya
aludiré a las otras dos fases de esa elaboración. Aquí desde
luego hago cierto hincapié en esos aspectos de la biografía
de Iriarte que se relacionan con su producción teatral, mas
el lector ya se irá dando cuenta de que también en el mismo
vivir del poeta canario el teatro ocupaba un lugar mucho
más importante de lo que se ha solido creer. Por ejemplo,
también data del período 1769-1772 la larga *catilinaria*
que Tomás compone en defensa de Moratín padre y en
contra de Ramón de la Cruz (Cotarelo, ap., 433-447).

Entretanto la salud del tío Juan iba decayendo; pues,
según Bernardo, "a principios del verano del año de 1771
se divisó la triste perspectiva de su cercano fin, y a 23 de
agosto falleció en Madrid... sin haberse postrado en cama,
aguardando el postrer instante con la tranquila resignación
de un hombre bueno y recto".[18] A la muerte del tío, Tomás
es nombrado oficial traductor de la primera Secretaría de
Estado, con 12.000 reales anuales, cargo en el que ya había
substituido a aquél durante su enfermedad. Según el *curioso* —quizá el mismo Iriarte, como queda dicho— éste
se ocupa durante los años 71, 72, 73 y 74 del "arreglo de la
biblioteca y papeles manuscritos de su tío... Cuidó de las

---

[18] "Noticia de la vida y literatura de D. Juan de Iriarte", *Obras sueltas*,
t. I, penúltima página de la "Noticia".

tres ediciones de la *Gramática [latina... en verso castellano, con su explicación en prosa*. Madrid, Imprenta de Pedro Marín, 1771, etc.] de su tío, que reconoció muy atentamente y de la recopilación y publicación de los dos tomos de *Obras sueltas* [Madrid, 1774] de aquel literato, traduciendo muchos de los epigramas [latinos] que allí se insertan, alguno de los poemas latinos y otros varios opúsculos" (9-10). Al repasar los epigramas de su tío, debió de llamarle la atención particularmente el que dice: "*Sese ostendat Apem, si vult epigramma placere:/ Insit ei brevitas, mel et acumen Apis*. A la Abeja semejante,/para que cause placer,/el epigrama ha de ser:/pequeño, dulce y punzante" (*Obras sueltas*, I, 77; *BAE*, LXVII, 496); pues en este epigrama de forma casi apológica, un insecto encarna un precepto literario, y he aquí un importante antecedente de las *Fábulas literarias* de Tomás, en las que a diferencia de lo que habían hecho todos los fabulistas anteriores, se comunican reglas referentes, no a la vida, sino a la literatura.

En 1772 se le encarga a Tomás la composición del *Mercurio histórico y político*, uno de los dos periódicos oficiales, en el que introduce reformas significativas, pero como no puede atraerle por mucho tiempo una tarea tan mecánica, después apenas de un año solicita el relevo. Como distracción se dedica en estos días a la composición de *Los literatos en Cuaresma*, obra ensayística que sale a luz en 1773. Esta obra, que consta de seis "sermones" de distinguidos literatos de varias épocas y naciones (Teofrasto, Cicerón, el Tasso, Cervantes, Boileau y Pope) sobre diferentes puntos de crítica literaria y que también en cierto modo es una imitación de *Los eruditos a la violeta*, de Cadalso,[19] contiene ideas muy iluminativas acerca del ejercicio de la profesión literaria en la España setecentista, como ya veremos.

Por los mismos años Tomás concurría a la célebre tertulia literaria de la Fonda de San Sebastián, en la esquina de la calle del mismo nombre con la plaza del Ángel, y en este establecimiento del fondista italiano Antonio Gippini,

---

[19] Véase mi libro *Colonel Don José Cadalso*, pp. 139, 170 (*Cadalso: el primer romántico «europeo» de España*, p. 240).

en compañía de amigos literarios como Moratin padre,
Cadalso, Cerdá, Ríos, López de Ayala, Pineda, Guevara,
Sedano, Pizzi, Napoli-Signorelli, Conti y Bernascone, Muñoz y Gómez Ortega, leía las obras poéticas y críticas en
que trabajaba, entre ellas ciertas observaciones sobre las
condiciones musicales de la lengua castellana que luego se
incorporaron a las notas que puso a su poema *La música*,
como aclaración de los versos "Pues si fuera de Italia me
desvelo/en buscar un lenguaje/que a todos para el canto
se aventaje,/en el hispano suelo/le encuentro noble, rico,
majestuoso,/flexible, varonil, armonioso", etc. *(Obras*, 1805,
I, 276-278, 314-327).

El año 1776 fue a la vez próspero, alegre y triste. Se
nombró a Iriarte archivero del Consejo Supremo de la
Guerra, cargo que desempeñó simultáneamente con el de
traductor de lenguas y que le valió otros 12.000 reales de
sueldo. Hacia el año ya dicho Tomasito empezó a frecuentar
la compañía de su grande amiga Manolita, como llamaba
a la duquesa de Villahermosa, y la de otros gratos jóvenes
del Madrid elegante también mencionados en el capítulo
primero. En 1776 Tomás se despide de su hermano Domingo,
que parte para Viena, donde serviría el puesto de secretario
de la Embajada de España ante la corte imperial. Bernardo
ya era oficial mayor de la primera Secretaría de Estado e
individuo de honor de la Academia de San Fernando, y al
año siguiente un *Discurso* suyo sobre un plan para la conquista de Portugal como medio de anular la influencia de
Inglaterra en la península atrajo sobre todos los Iriarte la
atención del nuevo primer ministro, el conde de Floridablanca. Merced al favor de éste se consiguió que se im-
primiese a expensas del Estado el ya mencionado poema
didáctico de Tomás, *La música* (Madrid, Imprenta Real,
1779), y no sólo que se editase, sino que también se adornase
esta preciada edición príncipe con seis bellos grabados de
Carmona, Ballester y Selma.

Mas salieron antes de la Imprenta Real otras dos obras
importantes de Tomás: *El arte poética de Horacio traducida
en verso castellano* (1777), versión muy superior a las de
Espinel (1591) y Morell (1684), que Iriarte analiza en su

Discurso preliminar, así como a la pedestre de Zapata (1592), de la que él no logró localizar un ejemplar; y el libro polémico *Donde las dan las toman* (1778), dirigido contra Juan José López Sedano, colector del *Parnaso español* (1768-1778), que en su tomo IX intentó ridiculizar la nueva traslación de la *Epístola a los Pisones* para vengarse de que Iriarte en su análisis de las diversas traducciones de ésta había aludido al "exagerado elogio" que el colector hace de la versión de Espinel. Estas dos obras, junto con *La música* (que fue objeto de las más calurosas congratulaciones del poeta Metastasio y se hizo célebre fuera de España, traduciéndose al inglés, francés, italiano y alemán) señalan la maduración del pensamiento y talento literario de Iriarte,[20] aunque no deja de haber ya en *Los literatos en Cuaresma* muchas observaciones finas, sesudas y muy bien expresadas.

Los cinco cantos de *La música* no podían menos de resultar en conjunto prosaicas por el carácter antipoético de la teoría musical, mas el canto segundo en el que se adapta la técnica pastoril a las finalidades didácticas de la obra, contiene algunos versos realmente bellos, según observa Merritt Cox en el artículo indicado en nota. Cabe extender este comentario diciendo que la mayor calidad poética del canto segundo respecto de los otros se debe a que en aquél Iriarte imita la versificación, algunos versos individuales ("Salicio juntamente y su Crisea" < "Salicio juntamente y Nemoroso"), el ambiente y algún otro detalle de la Égloga I de Garcilaso (nótese que el personaje del poeta dieciochesco se llama igual que el del poeta renacentista). He citado arriba una carta en la que Iriarte habla de la influencia de la duquesa de Villahermosa sobre *La música*, y sobre lo mismo se lee lo siguiente entre los apuntes del *curioso:* "Emprendió [Iriarte] aquel poema de resultas de una conversación que pasó en casa de los duques de Villahermosa sobre los poemas didácticos; Iriarte frecuentaba aquella casa, teniendo el honor de dar lección de

---

[20] Sobre esto véase el sugerente artículo de R. Merritt Cox, "The literary maturation of Tomás de Iriarte", *Romance Notes*, t. XIII, 1971, pp. 117-123.

lengua latina a la duquesa. Ésta, el duque y sus amigos animaron al autor a aquella obra, y oyeron con gusto los primeros tres cantos de ella" (13-14).

En 11 de agosto de 1779, cuando *La música* estaba concluida y se procedía a su impresión, el Santo Oficio de la Corte, en su audiencia de la mañana, dispone que "por delitos de proposiciones" y por haber solido don Tomás de Iriarte "leer libros prohibidos sin licencia, como también después de tenerla varios que con la general no pueden ser retenidos ni leídos, y asimismo otros que absolutamente no pueden leerse y por otros crímenes... abjure *de levi*, sea absuelto *ad cautelam*, gravemente reprehendido, advertido y conminado, haga unos ejercicios espirituales por el tiempo de 15 días, pudiéndolo ejecutar sin nota, y a lo menos por el de 8 con la persona docta que se le señalare, la cual le instruya y fortifique en los misterios y dogmas de nuestra sante fe católica, y al final de ellos una confesión general. Que por el tiempo de 2 años confiese y comulgue en las tres pascuas a lo menos y se le exhorte a que ejecute lo mismo y frecuente los Sacramentos en el resto de su vida. Que por el mismo tiempo de 2 años ayune todos los viernes y rece en los sábados una parte de rosario a Nuestra Señora y un credo los domingos... y lea cada día media hora en la *Guía de pecadores*, de fray Luis de Granada... y reteniéndosele las licencias de leer libros prohibidos, se le haga entender el grave delito que cometería si se arroja a leerlos".[21] Tomás tenía en su posesión, además de varias obras de Voltaire, *La vie voluptueuse des capucins et des nonnes, Les délices du cloître, L'académie des dames, Thérèse philosophe, La théologie portative, La raison par alphabet,* etc.[22] No obstante lo ligero de la penitencia que por fin se le impuso, el poeta pasaría algunos momentos de profundo terror, pues todo el mundo se acordaba de la severidad de

[21] Emilio Cotarelo y Mori [y Julián Paz y Espeso], "Proceso inquisitorial contra D. Tomás de Iriarte", *Revista de Archivos, Bibliotecas y Museos,* 3.ª época, t. IV, 1900, pp. 682-683. En su célebre libro sobre Iriarte Cotarelo se equivocó fechando el proceso hacia la mitad de la década de 1780 (306-311), porque todavía no conocía el documento inquisitorial.
[22] Marcelin Defourneaux, *L'Inquisition espagnole et les livres français au XVIIIᵉ siècle,* París, 1963, p. 148, n. 1; p. 151, n. 1.

la sentencia que la moribunda Inquisición había podido
emitir contra Olavide menos de ocho meses antes. Mientras
tanto se iba preparando para Tomás la agria confirmación
de ciertas limitaciones que él había previsto a su talento
literario.

De la ya citada carta de Iriarte a Enrique Ramos, Cotarelo (219) deduce que aquél tuvo intenciones de concurrir
al concurso poético abierto por la Real Academia el 10
de septiembre de 1778, para el cual el tema asignado fue
un romance heroico sobre *La toma de Granada* y cuyo
premio se adjudicó en mayo de 1779 a don José María
Vaca de Guzmán. Tomás pensaría vagamente en la posibilidad de presentarse, mas no fue al parecer en el concurso
de 1778-1779, sino en el anterior de 1777-1778, en el que
se desanimaría descubriendo que no tenía talento para el
género que tanto le había atraído desde sus primeras y
apasionadas lecturas de Homero y Virgilio. Esto se desprende de un pasaje de la *Noticia histórica* de Pignatelli,
que Cotarelo no conocía, sobre todo teniendo en cuenta
a la vez el hecho de que el asunto señalado para el concurso poético de 1777-1778 fue un canto sobre la destruc-
cion de las naves de Cortés. Pignatelli recuerda que su amigo
Tomás "se sintió con vivísimos deseos de ensayarse en la
epopeya; y encontrando en los faustos de nuestra nación
uno de los asuntos más felices para producir un poema
épico cual es el de la conquista del reino de Méjico por
Cortés, se ocupó algún tiempo en ello y llegó hasta bos-
quejar el plan del poema y a escribir algunos versos. Pero
convencido de la gran dificultad de la empresa y de lo arries-
gada que era, y desconfiando prudentemente de sus fuerzas,
abandonó aquel proyecto" (236).

El tema escogido por la Academia para su concurso
poético de 1779-1780 fue el de una égloga de 500 a 600
versos en alabanza de la felicidad de quienes habitan el
campo; y el premio y el accésit correspondieron respectivamente a Meléndez Valdés, por su égloga *Batilo;* y a
Iriarte por *La felicidad de la vida del campo,* basada en
parte en *La felicidad en el campo,* una composición que
Tomasito había presentado a cierta dama amiga suya años

antes (Cotarelo, ap., 484-494). No sorprende que la obra
de Iriarte no le valiera sino el accésit; porque aunque contiene algunos pasajes descriptivos caracterizados por una
auténtica moción poética, *La felicidad de la vida del campo*
tiende a ser filosófica y aun sermoneadora en la ya trillada
vena de la alabanza de aldea a lo Antonio de Guevara;
y en cambio, el *Batilo* de Meléndez, más bien que una
égloga de tipo tradicional, es un poema descriptivo, de
tema campestre, muy del gusto de su época, con una visión
dinámica, sensualista y sentimental de la naturaleza a lo
Thomson, Saint-Lambert y Parini.

Según las reglas de los concursos académicos de fines
del setecientos, el concursante remitirá su poema a la distinguida corporación "sin manifestar de ningún modo su
nombre, y al mismo tiempo remitirá separadamente al
secretario de la Academia una carta con dos sobrescritos;
en el interior pondrá la misma sentencia o señal que puso
en la obra, y dentro de la carta declarará su nombre y el
lugar de su residencia. Esta carta reservada no se abrirá
hasta después de haber adjudicado el premio";[23] mas ni
aun en este pliego cerrado puso Iriarte su verdadero nombre, dando en su lugar el seudónimo Francisco Agustín
de Cisneros, "para cuya ocultación —dice el *curioso*—
tuvo varios motivos" (15), es decir, además del de las reglas
del certamen. Aun antes de conocer este documento, yo
había sugerido en otro lugar que la *modestia* de Iriarte
al abstenerse de dar su nombre aun en la carta reservada
se motivaría por su conciencia del agotamiento de las formas pastoriles, así como de las limitaciones de su propio
talento.[24] La decisión de la Academia al concedérsele sólo
el accésit no pudo sorprenderle mucho porque en su carta
a Enrique Ramos, al confesar que no sentía en sí "los
impulsos del verdadero entusiasmo épico", Iriarte había
llegado a la conclusión igualmente válida aquí de que

[23] Debo este documento a la generosidad del distinguido moratinista
John Dowling, que me lo transmite en carta personal.
[24] Véase Russell P. Sebold, *Tomás de Iriarte: poeta de "rapto racional"*,
Cuadernos de la Cátedra Feijoo, núm. 11, Oviedo, 1961, p. 19; o en mi libro
El rapto de la mente, p. 151.

"sólo para la sátira tengo aquel numen que inspira versos dignos de pasar a la posteridad" (Cotarelo, ap., 463, 465).

En la década que rayaba, Tomás encontraría por fin las formas, más o menos satíricas —la fábula y la comedia—, con las que en efecto forjaría su reputación duradera. Se había desilusionado al saber el nombre del autor de la égloga premiada, pero ya "en el mes de mayo inmediato —apunta el *curioso*— se divirtió en componer algunas fábulas en verso, alusivas a varias cosas que ocurren en la profesión de las letras, y las intituló *Fábulas literarias*" (16). Desgraciadamente, durante esa misma década de 1780 Tomás había de pasar muchas horas amargas debido a su larga polémica con Forner. No obstante su acertado juicio acerca de su propio talento, Iriarte —cosa muy humana— se ofendió de no haber recibido el premio de la medalla, se dejó llevar por el deseo de defender el mérito de su égloga, y tomó la imprudente decisión de componer y circular en manuscrito unas *Reflexiones sobre la égloga intitulada "Batilo"* (no impresas hasta la edición póstuma de las *Obras*, 1805, VIII, 5-67). El entonces desconocido Forner salió luego en defensa de Meléndez con su *Cotejo de las dos églogas que ha premiado la Real Academia de la Lengua*.[25] Forner renueva su ataque a Iriarte publicando *El asno erudito, fábula original* (Madrid, Imprenta del Supremo Consejo de Indias, 1782), dirigida contra las *Fábulas literarias*, que habían aparecido el mismo año. Una vez más Iriarte cae en la inoportuna tentación de defenderse haciendo estampar su *Para casos tales, suelen tener los maestros oficiales. Epístola crítico-parenética o exhortación patética, que escribió don Eleuterio Geta al autor de las "Fábulas literarias" en vista del papel intitulado "El asno erudito"* (Madrid, Imprenta de Andrés de Sotos, 1782; *Obras*, 1787, VI, 327-403; *Obras*, 1805 VI, 319-396).

Al final del verano de 1782, Forner escribe su más larga diatriba contra Iriarte: *Los gramáticos, historia chinesca*, que siguió inédita hasta 1970. En esta obra Forner no se

---

[25] Para las ediciones modernas de ésta y las otras obras polémicas mencionadas a continuación, véase la *Bibliografía selecta* al final de esta Introducción.

contenta ya con arremeter contra una o varias obras de Tomás, sino que extiende su agresión a toda la obra literaria y vida de éste, así como a sus parientes, relatando la historia de la distinguida familia en forma satírico-alegórica chinesca. Por fin Iriarte aprendió a guardar silencio ante tan indignas provocaciones.[26]

La aparición de las *Fábulas literarias* (1782), cuya bella edición príncipe fue tirada por la Imprenta Real, representa la innovación más radical en la técnica del apólogo desde la antigüedad. Hasta Iriarte los fabulistas habían tratado cuestiones éticas; y aunque Esopo, Fedro, La Fontaine, Samaniego y otros han labrado en sus apólogos unas auténticas joyas del arte poético, en el fondo —según observa el primer editor de las *Fábulas literarias* en su *Advertencia*, y Martínez de la Rosa en las anotaciones a su *Poética*— se les han presentado menos problemas que a nuestro poeta; por cuanto ellos en los animales, que tienen pasiones, podían sin gran dificultad encontrar símbolos de las costumbres humanas, y en cambio él se veía obligado a buscar en unos seres que ni leen ni escriben unas características que pudiesen simbolizar las virtudes y los vicios literarios; dificultad que venció con la mayor ingeniosidad, según he demostrado estudiando el simbolismo naturalista iriartiano en el trabajo ya citado. Samaniego, que en sus *Fábulas en verso castellano* (Valencia, 1781) se había limitado en conjunto a adaptar apólogos de sus antecesores y que nunca había querido más arte, que el de buscar modelo en Iriarte —según dice en su libro III— se ofendió no obstante de que luego el editor de las *Fábulas literarias* llamara la atención sobre la distinción de éstas de ser "la primera colección de fábulas enteramente originales que se ha publicado en castellano" y así atacó al fabulista canario en unas *Observaciones sobre las fábulas literarias originales de don Tomás de Iriarte* (1782), impresas sin nombre de autor. (Samaniego leyó las *Fábulas* de Iriarte en manuscrito, antes que se estamparan.) Es irónico que

---

[26] Sobre la intransigencia de Forner en cuestiones literarias, véase mi ensayo "Menéndez Pelayo y el supuesto casticismo de la crítica de Forner en las *Exequias*", en *El rapto de la mente*, pp. 99-122.

Samaniego al atacar a su rival llegase a ser el primero en percibir el otro aspecto más original del arte de las *Fábulas literarias:* el uso de la versificación como otro sistema de símbolos para representar ideas y moralejas literarias, a lo cual he dedicado un capítulo del referido estudio.

Mientras Tomás compone sus *Fábulas*, redacta también, por mandato del conde de Floridablanca, el *Plan de una Academia de Ciencias y Bellas Letras*. De estos años data el principio de la ya mencionada amistad de Tomás con la condesa-duquesa de Benavente. También sería por esta época cuando Tomás se enamoró de una hermosa vecina llamada Narcisa Villalonga, a quien da el nombre poético de Orminta en ciertos poemas, pero no fue más afortunado en sus amores con esta "ninfa" que con otra anterior, cuyo "duro sepulcro" parece que visitó al estilo de Tediato, por espacio de dos años (Cotarelo, 237-240). En 1781 Iriarte compuso algunos versos para una sátira contra los vicios introducidos en la poesía castellana, al parecer con el propósito de participar en el concurso académico de 1781-1782, cuyo tema fue el indicado, mas abandonó tal intento, quizá por haberse enterado de que Forner concurría a ese certamen, y no dejó más que los fragmentos publicados por Cotarelo (244-245; ap., 517-518).

En 1782, en *Para casos tales* (*Obras*, VI, 385-386), Iriarte asegura haber emprendido ya la traducción de la *Eneida*, cuyos cuatro primeros libros puestos en romance heroico castellano por él ocupan el tomo tercero de cada una de las ediciones de sus *Obras*. Tal versión —nos dice— "ha sido fruto de tres meses de soledad, y sirvió de distracción o alivio en una convalencia que duró todo aquel tiempo" (*Obras*, 1805, III, xvii). Fue "la convalecencia de uno de sus frecuentes insultos de gota" —apunta el editor de otra obra de Iriarte, refiriéndose a la misma época.[27] Y teniendo en cuenta la aparente relación entre tales ataques y la "bilis" o irritación nerviosa de Tomás, así como el hecho de que se produjo este accidente durante la contienda con Forner,

---

[27] *Lecciones instructivas sobre la historia y geografía. Obra póstuma de D. Tomás de Iriarte*, 9.ª ed., Madrid, 1849, p. 1.

no parece hacer falta más explicación. Tomás examinó cuidadosamente las más conocidas versiones italianas, francesas, inglesas y españolas de la *Eneida*, y esperaba incluir, en otra edición de su traducción (que no llegó a completar), un estudio comparativo de todas esas versiones anteriores, así como unas extensas notas literarias. En fin —nos dice Pignatelli— el nuevo traductor se proponía comentar la *Eneida*, no como "gramático y erudito", sino como "filósofo y hombre de gusto" (239-240).

"Cuando en el año de 1782 se hallaba don Tomás de Iriarte... más empeñado en la traducción de la *Eneida*... y bosquejaba ya los primeros versos del [libro] quinto —explica el editor de la ya mencionada obra didáctica— se vio precisado a suspender de improviso una versión que le habría dado quizá no menos crédito que sus propias obras originales, para emprender y trabajar las presentes *Lecciones instructivas* en fuerza de superior precepto" (1). Según Pignatelli, fue el conde de Floridablanca quien, "deseando que a los libros que se ponían en manos de los niños en las escuelas se substituyes. una obra doctrinal compuesta por una mano docta y adecuada a la comprensión de la tierna edad, dio a Iriarte el encargo" (240); y aunque éste sólo con "suma repugnancia... se allanó a componer este compendio" *(Lecciones*, 2), la obra siguió utilizándose como libro de texto hasta muy entrado el siglo XIX.

Aludiendo a *El señorito mimado*, Cotarelo (345) dice que ya en 1783 Iriarte creyó haber hallado en la defectuosa educación de los jóvenes un tema muy aprovechable para la comedia. Cotarelo no explica de dónde ha tomado tal fecha, pero la deduciría de las datas de tres recibos de 916 reales 22 maravedís cada uno, firmados por Iriarte al pagársele el sueldo el 31 de enero, el 30 de abril y el 30 de junio de 1783, cuyas hojas el dramaturgo empleó luego para sus apuntes *(Planes de comedias*, Bib. Nac., MS 7922, fols. 22, 78, 81). Utilizó tanto la cara como el dorso del recibo correspondiente al 30 de abril en los apuntes para *El señorito mimado*. Mas habría que tomar en cuenta el hecho de que las hojas de los otros dos recibos de 1783 forman parte, no de las apuntaciones para *El señorito mimado* (folios 1-24), sino de las que sirvieron para la composición de *El don de gentes* (folios 27-81), la última de las comedias iriartianas en terminarse de escribir y que no se publicó hasta la edición póstuma de las *Obras*. Además, en una hoja de papel pegada al folio 76 del borrador de *El don de gentes* y que parece haber servido en otra época como faja para juntar todos los apuntes referentes a esta obra, aparecen escritas por otra mano que la de Iriarte las palabras: "Por los años de 1783". Recordará el lector que según Pignatelli, Iriarte compuso en los primeros años de la década de 1770 "algunos dramas originales que fueron preludio de otros que ha dado posteriormente a luz". Ahora bien, parece que 1783, más bien que sólo la fecha de los primeros apuntamientos para *El señorito mimado*, señala el momento en que Iriarte sacaría del cajón donde los tendría guardados los "preludios" o primeras versiones de todas sus comedias, para repasarlas y reanudar poco a poco el trabajo en ellas. Esto lo indica el hecho de que para el borrador de la última de las tres comedias, Iriarte aprovechó el dorso de documentos financieros de tipo corriente que no es probable estuviesen a mano siete años después cuando compuso la versión definitiva de *El don de gentes*, y mucho menos en Sanlúcar de Barrameda, donde realizó esta versión.

Así, para elaborarse, las tres comedias de *El señorito mimado*, *La señorita malcriada* y *El don de gentes* pasarían cada una por tres etapas: la primera, hacia 1771 ó 1772; la segunda, en 1783; y la tercera, en los meses inmediatos al estreno o publicación de cada obra. Esta interpretación también la favorece el que en 1787 Tomás volviera a usar para sus apuntes un documento corriente, mientras se dedicaba de lleno a *La señorita malcriada* (*Planes*, 82-106), luego de haber dado *El señorito mimado* a la imprenta en ese mismo año: Se trata esta vez de una esquela muy breve (fol. 99), fechada en Coruña a 25 de abril de 1787, avisando al comediógrafo de la llegada de un "cajoncito" enviado desde Canarias por su hermano José, y tal fecha es evidente que corresponde al período de la elaboración final de *La señorita*, que se publicó por primera vez en 1788. La hipótesis de que en cada uno de los tres casos el proceso creativo constó de varias fases, separadas por varios años y quizá no siempre realizadas con los papeles anteriores a la vista, se apoya, por fin, en el hecho de que en cada uno de los tres *Planes* la duplicación innecesaria es frecuente, habiendo a veces hasta tres o cuatro bosquejos casi idénticos del mismo aspecto de una comedia (véase la descripción de los *Planes* abajo en la *Noticia bibliográfica*).

En 1786, mientras Tomás medita sobre la forma que ha de dar a estas obras, de resultas en parte de su pretensión al cargo de Archivero del Consejo de Estado, cuyos papeles estaban en el mayor abandono, él y sus hermanos perdieron su favor con Floridablanca (Cotarelo, 305-306). Por estos años, cuando no antes, Tomás compondría su "drama en un acto", *La librería* (pieza costumbrista sainetesca, de muchísimo menos interés que las tres comedias ya mencionadas, pero no por eso menos interesante que la mayoría de los sainetes de Ramón de la Cruz), pues se imprimió al final del tomo V de las *Obras* de 1787. Tampoco se sabe precisamente cuándo Iriarte escribiría los breves fragmentos de su tragedia *Mahoma* que se conservan en la *Biblioteca Nacional*, en la misma caja que los *Planes de comedias* (fols. 25-26; o véanse algunos de estos fragmentos en Cotarelo, ap. 515-516).

En 1787, en la madrileña Imprenta de Benito Cano, se publican los seis tomos de la primera COLECCIÓN/DE OBRAS EN VERSO Y PROSA/DE D. TOMÁS DE YRIARTE, en cuyo tomo cuarto aparece impresa por vez primera la comedia *El señorito mimado*. Se hace esta edición de las *Obras* por subscripción, un procedimiento que hasta entonces sólo se había utilizado en España muy contadas veces, señaladamente para las *Obras* de Torres Villarroel (Salamanca, 1752) y la ya mencionada edición de las *Obras sueltas* de don Juan de Iriarte. La publicación de la *Colección* no deja de motivar unas cuantas sátiras de Samaniego y otros enemigos de Iriarte (véase Cotarelo, 325-330), pero la reacción general no podría haber sido más entusiasta. Entre los casi setecientos subscriptores aparecen los nombres de muchas de las más relevantes figuras de los mundos

político, social y literario de la España setecentista, que así
significaban su adhesión al elegante y popular escritor
canario: los duques de Alba, el duque de Almodóvar, la
condesa-duquesa de Benavente, el conde de Cabarrús, el
conde de Campomanes, Antonio de Capmany, José Clavijo y Fajardo, el conde de Fernán-Núñez, Martín Fernández Navarrete, Gaspar Melchor de Jovellanos, el conde
de O'Reilly, el conde de Peñaflorida, Juan Sempere y Guarinos, la duquesa de Villahermosa, etc.; y entre los nombres
extranjeros hay dos que es especialmente grato para un
hispanista norteamericano encontrar en tal lista, pues su
presencia en ella es indicio del confiado y bienintencionado
cosmopolitismo de los hombres "ilustrados" de Europa y
América en el siglo XVIII: los distinguidos subscriptores de
la nueva República son Benjamín Franklin y Tomás Jefferson, que se subscriben cada uno por dos ejemplares.[28]

Tomás mismo dirigió los ensayos de *El señorito mimado*,
que se estrenó en el teatro del Príncipe el 9 de septiembre
de 1788, por la compañía de Manuel Martínez. La obra
produjo en su primera representación 5.074 reales (en
contraste con los rendimientos de las representaciones de
los días anteriores en el mismo teatro, que poco habían
pasado de 2.000 por día); siguióse representando por nueve
días, y quedó de repertorio, volviéndose a poner de vez
en cuando hasta 1822. El dato quizá más curioso referente
a la historia teatral de esta comedia es el de que en el mismo
coliseo entre el 15 y el 26 de febrero de 1791 fue interpretada
sólo por mujeres. Aunque Forner y algún otro envidioso
quisieron atribuir el gran éxito de la obra enteramente a
los actores (véase Cotarelo, 349-353), las reseñas, que luego
citaremos, fueron favorables en el extremo.

Iriarte terminó y publicó *La señorita malcriada* en 1788.

---

[28] Sobre esto véase el curioso artículo de mi antiguo alumno R. Merritt
Cox, "Thomas Jefferson and Spanish: 'To every inhabitant, who means
to look beyond the limits of his farm'", *Romance Notes*, t. XIV, núm. 1 (otoño), 1972, pp. 116-121. Para un hombre de su país y época las compras de
libros y los conocimientos de Jefferson en el terreno de la literatura española
eran verdaderamente notables. España, Hispanoamérica y lo hispánico para
el estadista de la joven república eran símbolos de lo cosmopolita, según se
desprende de la cita que forma parte del título del artículo de Cox.

El estreno de esta comedia se fue aplazando por varios motivos ajenos a la voluntad de su autor hasta que pudo escenificarse el 3 de enero de 1791, en el último año de la vida de Iriarte. En su primera representación produjo una entrada de 7.336 reales, o sea casi 2.300 más que *El señorito mimado* en su estreno, y duró siete días en el cartel, a pesar de que no le cupieron tan buenos actores como a la primera comedia. (Sobre el elenco inferior de la primera producción de *La señorita malcriada*, véase Cotarelo, 363-365.) Para apreciar el éxito de las comedias de Iriarte en el teatro, hace falta tener presente que en la misma época las comedias aureoseculares solían desaparecer del cartel después de sólo dos o tres días, con rendimientos de sólo unos 2.000 reales por día. [29]

Hacia 1789 la habitual enfermedad de Iriarte se agravaba ya tanto, que él se veía obligado a guardar un retiro casi absoluto. Publicó en ese año su traducción libre o adaptación de *El nuevo Robinsón, historia moral, reducida a diálogos para instrucción y entretenimiento de niños y jóvenes de ambos sexos*, del alemán Joaquín Enrique Campe, que en la versión de Iriarte seguía usándose como libro de texto en algunas escuelas españolas a fines del siglo XIX.

Buscando el alivio de su dolencia, Tomás fue a pasar casi todo el año de 1790 en Sanlúcar de Barrameda, como ya se ha dicho; y allí compuso su deliciosa comedia sentimental *El don de gentes, o la habanera*,[30] que tiene por tema el carácter de la mujer perfecta; y para fin de fiesta de la misma, la zarzuela o sainete *Donde menos se piensa salta la liebre*. Estas obras no se imprimieron hasta 1805 *(Obras*, VIII, 69-315); y que yo sepa, no se han representado nunca sino en casa de la condesa-duquesa de Benavente. Con otra obra que escribió en Sanlúcar y que fue estrenada con gran éxito por el famoso galán Antonio Robles en 26 de febrero de 1791, durando en el cartel del Príncipe hasta el 8 de marzo —el *Guzmán el Bueno*— Tomás vuelve a in-

---

[29] John A. Cook, *Neo-Classic drama in Spain*, Dallas, 1959, p. 231.
[30] Román Álvarez, un alumno mío, está preparando una edición y estudio de *El don de gentes*, que presentará como tesis doctoral en la Universidad de Pensilvania y que luego espera publicar.

troducir en España un nuevo género: el llamado melólogo, soliloquio, o "escena trágica unipersonal", que suele tener acompañamiento musical entre las partes habladas por el solitario actor. Esta forma dramática gozó de enorme popularidad, llegando a representarse en teatros y casas particulares, a fines del siglo XVIII y principios del XIX, por lo menos sesenta y cinco diferentes melólogos.[31]

Combatiendo los horribles dolores descritos arriba, Tomás expiró el 17 de septiembre de 1791.

III. IRIARTE: LITERATO ESPAÑOL Y COSMOPOLITA

Profundo conocedor de la herencia literaria grecolatina común a todos los países de Occidente, el neoclásico Iriarte no puede ocultar la alarma que siente al ver en España "la tierra donde creen/que el arte y sus preceptos verdaderos/son invención moderna de extranjeros" (BAE, LXIII, 26a). Tomás quisiera que ciertos compatriotas suyos abandonasen su actitud cerrada ante lo literario, para abrazar otra más histórica y más cosmopolita pero no por eso menos española (la tradición occidental no puede ser antagónica a la literatura de ningún país europeo). El patriotismo implícito en la postura crítica occidentalista de Iriarte no resultará ya muy sorprendente para el lector, porque hoy va desapareciendo por fin esa extraña actitud africana que cuando se trataba del siglo XVIII producía anatemas contra el mismo concepto grecolatino de la· poética que se consideraba haber llevado en el Siglo de Oro a la creación de obras cumbres de la poesía española.[32]

---

[31] El número citado es el de los analizados por José Subirá, en el libro indicado en la Bibliografía selecta.

[32] Esto ya estaba escrito cuando llegó a mis manos un ejemplar del tomo III (Madrid 1972) de la Historia de la literatura española de Juan Luis Alborg. Es difícil que quien ha vivido hasta los sesenta años con los viejos prejuicios antineoclásicos tan típicos de la crítica española evite del todo sus efectos, aun al intentar expresar opiniones más modernas. Pero es realmente increíble que Alborg vea un intento de "situar a Feijoo dentro del más estricto redil del clasicismo" (174-175) en mi confrontación de la noción feijoniana de que

Mas lo que a primera vista sí sorprende es el hecho de que Iriarte, en quien no hace mucho los xenófobos aún veían un "seudoclásico a la francesa", condena al que suele ser tenido por el más castizo de los dramaturgos dieciochescos, don Ramón de la Cruz, no por ser demasiado español, sino por estar insuficientemente versado en la lengua y la literatura españolas: "Don Ramón, además de tener acreditado que entiende poco la lengua latina —escribe Iriarte, en su *Carta sobre Moratín y don Ramón de la Cruz*—, no da muestras de haber leído las buenas poesías escritas en la nuestra, pues apenas hay entre sus versos alguno que se parezca a Garcilaso, Lope, Ercilla, etc." (Cotarelo, ap., 444). Luego, dos páginas más abajo, Iriarte reprende en Cruz el defecto de "no observar pureza y propiedad en el lenguaje". He aquí que el "afrancesado" censura al "castizo" por su españolismo deficiente. No es que el mundo ande al revés; no se trata sino de otro dato para añadir a los

---

el artista llega a la originalidad "por su valentía" con la de Pope de que muchas veces sólo se llega a ser original procediendo "with brave disorder" (*El rapto de la mente*, 47-48, n. 25). ¿Desde cuándo es *estricto* el "brave disorder"; desde cuándo confina, limita y sofoca la "valentía", aun llamándose clásico o neoclásico tal desorden o valentía? Si es verdad que Pope o Feijoo "fue padre de románticos" —son palabras de Alborg—, esto no quiere decir que ninguno de los dos fuese romántico en su propia obra. Vengo diciendo desde hace muchos años que la libertad creadora inherente a la auténtica estética clásica permite que la literatura evolucione en la dirección del romanticismo, pero no por esto cabe decir que los clásicos liberales —Iriarte, por ejemplo— sean en realidad prerrománticos. Aludiendo al prólogo de *El rapto de la mente*, Alborg escribe: "enfrenar la inspiración, meter en cintura lo espontáneo, aguzar la técnica, volver una y cien veces sobre lo escrito para pulir y perfeccionar cada pieza de la obra... ¿qué tiene que ver todo esto con las reglas clásicas?" (243). ¿Es posible que un historiador de cualquier literatura occidental (especialmente quien ejerció en otra época de profesor de literatura latina) ignore que fue precisamente el poeta latino Horacio, autor de preceptos comúnmente considerados como *clásicos*, quien, en su *Arte poética*, habló por vez primera de la necesidad de que el "arte" (el estudio, la técnica) templase la "naturaleza" (la inspiración)? ¿Puede un antiguo profesor de literatura latina haber olvidado que fue el mismo Horacio quien dio a las repetidas correcciones que los poetas realizan sobre sus obras, el nombre *clásico* de "poetarum limae labor" por el que tal procedimiento es conocido desde siempre? La ignorancia de Alborg en estos aspectos es tanto más sorprendente cuanto que estos lugares de Horacio están citados en el prólogo que es objeto de su mal fundada crítica. Tan supersticioso miedo ante la palabra *reglas*, tal falta de serenidad en un historiador antes reputado por sus tomos I y II, hace evidente la enorme necesidad de que se prosiga la polémica "contra los mitos antineoclásicos españoles", y a esta luz parece doblemente justificado el presente apartado de esta Introducción al teatro de Iriarte.

muchos con que en los últimos años he demostrado la falsedad de esos criterios historiográficos que se venían aplicando al neoclasicismo desde la época romántica.

La citada crítica del célebre sainetero también me interesa por ser a la vez un claro indicio de la armonía que existe entre el españolismo y el cosmopolitismo de Iriarte. Al aludir a los buenos modelos que echa de menos en los versos de don Ramón —Garcilaso, Ercilla, Lope—, Iriarte menciona a cultivadores españoles de géneros cosmopolitas renacentistas, de tradición grecolatina, como la égloga y la epopeya erudita, junto con el creador de un género tan español como la comedia aureosecular (que pese a la idea vulgar tampoco deja de atenerse en algún aspecto a la poética aristotélica).[33]

En otros lugares Tomás vuelve a referirse a Garcilaso, Ercilla y Lope, junto con otros poetas y prosistas españoles de clases muy diversas, como Quevedo, Rebolledo, Villegas, Cervantes, los Argensolas, Solís, Góngora, Saavedra Fajardo, Villamediana y doña María de Zayas y Sotomayor (por ejemplo, en Cotarelo, ap., 487-488; *Obras*, 1805, VIII, 151, 260, 273-274). No cabe duda alguna de la lealtad iriartiana a la tradición literaria española. Pues allí precisamente es donde los escritores de la nueva época irán a buscar sus principales modelos; porque la auténtica tradición *española*, la de las mejores obras renacentistas y aureoseculares, no solamente tiene una orientación cosmopolita occidental, a diferencia del localismo vulgar de Ramón de la Cruz, sino que también se caracteriza, en la mayoría de los casos, por un estilo grato, fácil y perfectamente cortado a la medida de lo expresado, esto es, en una sola palabra, clásico.

Mas entre esa gloriosa época y la neoclásica medió la desgraciadísima del ultrabarroco de los postreros y peores

---

[33] En *Los literatos en Cuaresma*, Iriarte relaciona de modo semejante al autor del *Arte nuevo de hacer comedias en este tiempo* con los más conocidos autores antiguos y modernos no españoles de artes poéticas, afirmando que "ni Aristóteles, ni Horacio, ni Lope de Vega, ni Boileau, ni otro maestro alguno hicieron más que exponer con método lo mismo que aprobará cualquier entendimiento sano" (*Obras* 1805, VII, 73), según ya señalé en *El rapto de la mente* (173).

imitadores de los Góngoras, los Paravicinos y los Gracia-
nes, época durante la que el estilo literario español se hizo,
"no gloriosamente majestuoso, sí asquerosamente entu-
mecido", según un apunte de 1726 debido a Feijoo;[34]
época del "gusto gótico, que estragó todas las ciencias y las
artes", según Isla (1758).[35] Todavía en 1782, Iriarte cree
oportuno reiterar las observaciones de sus ilustres antecesores en la reforma literaria, y afirma que "lo que así en la
literatura como en las bellas artes se llama goticismo...
cuando llega a lograr entrada en la república de las ciencias,
destierra el buen gusto, y con él la sana razón, a veces por
siglos enteros... Entonces el fárrago indigesto de toda especie ocupa el lugar de las humanidades. Introdúcese el
desorden; quebrántanse y desprécianse las leyes, con aboli-
ción de las más fundamentales, sabias y provechosas, y
sólo reina el necio y monstruoso antojo" (Obras, 1805, VI,
352-353). En efecto: en la esclarecida segunda mitad del
siglo XVIII el antojo ultrabarroco no ha dejado aún de producir unos cuantos Gerundios y "góticos doctores" como
los que nuestro poeta también satiriza en su Fábula LXV.[36]

El buen español y reformador que alienta en Tomás no
puede menos de entregarse alguna vez al "compasivo des-
consuelo/con que el atraso de las letras miro/y el estrago
infeliz que las espera" (BAE, LXIII, 24b). Mas estas des-
consoladoras palabras también revelan la modernidad dieciochesca del enfoque histórico de Iriarte —considera los
períodos literarios comparativamente en términos del progreso y el atraso—; posición a la que llegaría por haber
abrazado la mejor solución posible para los males literarios
de España, que era la solución de orientación cosmopolita
que venía proponiéndose con cada vez más frecuencia
desde la publicación de El hombre práctico del tercer conde

[34] "Paralelo de las lenguas castellana y francesa", Teatro crítico universal,
ed. Agustín Millares Carlo, Clásicos Castellanos, Madrid, 1951, t. I, p. 218.
[35] Fray Gerundio de Campazas, ed. Russell P. Sebold, Clásicos Castellanos, Madrid, 1960-1964, t. III, pp. 35-36. Véase en estas mismas páginas mi
nota sobre gótico = barroco.
[36] Manuel Silvela, en su "Disertación acerca de la influencia ejercida en
el idioma y en el teatro por la escuela clásica que floreció desde mediados
del siglo pasado", en Artes y ciencias, Madrid, 1890, pp. 483-536, que ahora
no está a mi disposición, da, según recuerdo, unos ejemplos muy tardíos.

de Fernán Núñez en 1684, durante el apogeo del ultrabarroco: se trata de la conveniencia del estudio profundizado
de la literatura universal basado en la idea, de este hombre
ilustrado de antes de la Ilustración, de que "Homero,
Virgilio, Horacio, Ovidio, el Tasso, Corneille, Boileau, los
Argensolas, Solís y otros griegos, franceses, italianos y españoles, imitadores de la antigüedad en la propiedad, claridad y concepto o sentencia son los maestros o regla de
esta república poética", y por ende los mejores ejemplares
en quienes buscar el remedio de la pobre y estragada "profesión poética, en que debemos despreciar toda la obscu-
ridad, equívocos y vulgarismos que en algunos modernos
la podían hacer poco estimable".[37]

Ya he indicado que Iriarte sabía francés, inglés, italiano
y alemán, sobre todo los dos primeros. Merced a ello devoró
libros extranjeros en las lenguas originales, miró en torno
suyo, comparó, meditó, conversó con otros españoles de
ideas semejantes, como Cadalso, y llegó a la conclusión de
que si un país de tan brillante literatura como Francia
también había pasado por épocas de atraso y decadencia
en lo literario, la España posbarroca podía de igual modo
restaurarse en su antigua gloria humanística, y quizá aun
más fácilmente que Francia, por cuanto los escritores del
país vecino no conquistaron su fama mundial sino después
de haber servido un largo aprendizaje con los renombrados
genios españoles.

En *Los literatos en Cuaresma (Obras, 1805, VII, 1-96)*,
en una serie de pasajes no tenidos en cuenta por quienes
ven en el autor de esa obra un espíritu anti-español, Iriarte
se basa en su ya mencionada teoría cíclica de la historia
literaria (según la cual alternan épocas de progreso y atraso)
para emitir unos curiosos juicios comparativos sobre la
literatura española y sus relaciones con las demás literaturas
occidentales. El tertulio que había de "predicar" el quinto
domingo de Cuaresma, en el estilo y desde el punto de vista
del inglés Alexander Pope, "tenía ya meditado aconsejar

---

[37] Francisco Gutiérrez de los Ríos y Córdoba, conde de Fernán-Núñez,
El hombre práctico, 2.ª ed., Madrid, 1764, pp. 87-88. Ya en *El rapto de la mente*
(91-93) llamé la atención sobre lo revolucionario de estas ideas para su época.

a nuestros ingenios que sin conceder a los extraños, especialmente franceses, la absoluta primacía en todos asuntos, como muchos hacen apasionada o inconsideradamente, y sin negarles tampoco lo que han adelantado en algunas materias, después de la restauración de las letras en Francia (porque antes fue su literatura una de las más atrasadas de Europa), depongan toda vanidad y vayan traduciendo a nuestro idioma algunas obras excelentes que hoy tiene aquella nación" (VII, 63-64). El sermón de don Justo, quien representa a Pope, iba a versar sobre la parcialidad del gusto, y a este efecto Iriarte cita en inglés los versos 394-395 del *Essay on criticism* del poeta británico: "Some foreign writers, some our own despise;/The ancients only, or the moderns prize" (VII, 9); pero lo más interesante es que Pope también resulta ser una de las fuentes de las nociones iriartianas: (1) de la oscilación entre el progreso y el atraso literarios; (2) de la competición en este aspecto entre países del sur y del norte; y así (3) de la necesidad, en ciertas épocas, en todos los países, de "la restauración de las letras". En sus versos 400-405, Pope habla de la rivalidad entre el "southern wit" y los "cold northern climes", así como del perenne talento poético de ambos, "Tho'each may feel increases and decays,/and see now clearer and now darker days".

Así cuando Iriarte se plantea el problema de las relaciones entre las literaturas española y francesa y considera los posibles efectos de las traducciones, no lo hace ni desde el punto de vista de esos serviles y estériles admiradores de lo francés, ni desde el de un mero celador de lo hispánico; sino que tal cuestión la enfoca como *patriota*, entendiéndose esta voz en el sentido dieciochesco que le daban Montesquieu, Goldsmith y Cadalso, esto es, que los cosmopolitas de cada nación eran sus mejores patriotas, o sea los que por sus amplios conocimientos y espíritu liberal estaban más capacitados para beneficiarla.[38] La literatura inglesa de fines del xvii y principios del xviii también se relacionaba

---

[38] Sobre la imparcialidad y la ciudadanía universal, véase mi libro *Colonel Don José Cadalso*, pp. 116-123 (*Cadalso: el primer romántico «europeo» de España*, pp. 199-213).

estrecha aunque polémicamente con la francesa; y teniendo ese ejemplo en cuenta como guía, se podía apreciar con mayor objetividad y justeza, por un lado, las ventajas y los peligros que podían seguirse de la traducción y la imitación; y por otro, el valor relativo de los diversos modelos extranjeros, franceses, ingleses, italianos, etc. Pero veamos ya otro juicio de Tomás en el que se refleja el mismo concepto de la alternación de períodos de auge y decadencia en lo literario, junto con los mismos criterios cosmopolitas y la misma justeza de comparatista: "El teatro francés ha sido defectuosísimo antes de llegar al estado en que hoy se halla. Nosotros sabremos también mejorar el nuestro, adoptando lo bueno de otras naciones, sin desechar lo bueno de España" (VII, 90).

Quiere decirse que los españoles han de fijarse en los ejemplos de varias "naciones"; mas incluso cuando se trata de préstamos concretos tomados de la literatura francesa, se justifican desde un punto de vista internacional, pues si los franceses "no han tenido sonrojo de tomar muchísimo de los españoles, de los ingleses, de los italianos, y aun de los alemanes, ¿por qué nosotros nos hemos de avergonzar de tomar lo bueno que ellos tienen?" (VII, 64). También en esas ocasiones en que Iriarte quiere defender cierta clase de crítica negativa contenida en sus propias obras, lo hace apoyándose en la práctica de "mis conciudadanos de todas las naciones", para usar una frase de Tomás Paine:

—¿Por qué no podré yo censurar los defectos de los españoles en mis sátiras? —Iriarte parece haberse preguntado en su interior—. ¿Por qué querrán mis compatriotas negar a un español la licitud de usar la sátira?

Y respondiendo a sus paisanos con ejemplos europeos no españoles, antiguos y modernos, exclama: "¡Cuán ignorantes viven, o cuánto se desentienden de la severidad filosófica con que Lucilio, Horacio, Juvenal y Persio en la antigua Roma, Quinto Sectano en la moderna, Pope en Londres, Boileau en París, Rabener[39] en Dresde reprehen-

---

[39] Se trata del escritor satírico alemán Gottlieb Wilhelm Rabener (1714-1771), que aunque hoy poco conocido, fue en su época muy querido y popu-

dieron ya la relajación de las costumbres, ya los extravíos de la razón!" (Obras, 1805, II, Prólogo, XIII).

De manera que no se presenta nunca en Iriarte una inclinación a acatar exclusivamente el ejemplo francés. Los buenos escritores españoles del setecientos veían con tanta zozobra como los historiadores actuales el peligro que se corría si se imitaba demasiado de cerca los modelos franceses, o si se los imitaba sin tener muy en cuenta unas normas exactas de la hispanidad; pues la literatura francesa brindaba sin duda más modelos aprovechables para los escritores españoles, que cualquier otra literatura, pero muchas veces donde las dos literaturas se aproximaban más en la forma, allí mismo diferían más en el espíritu. De ahí la amenaza que los modelos franceses parecían encerrar. Y no obstante, en una época en la que los destrozos del ultrabarroco habían privado a los escritores españoles de buenos ejemplos nacionales de cómo se podía hacer literatura acerca del mundo moderno, existía un poderoso argumento para justificar a quienes querían consultar los modelos franceses.

Ya he subrayado en otros lugares el hecho de que Cadalso, en las Cartas marruecas, cree "ver en el castellano y latín de Luis Vives, Alonso Matamoros, Pedro Ciruelo, Francisco Sánchez llamado el Brocense, Hurtado de Mendoza, Ercilla, fray Luis de Granada, fray Luis de León, Garcilaso, Argensola, Herrera, Alava, Cervantes y otros, las semillas que tan felizmente han cultivado los franceses de la mitad última del siglo pasado, y de que tanto fruto han sacado los del actual".[40] Quiere decirse que no obstante la antipatía hispano-francesa de que habla Feijoo y no obstante las infinitas y enormes diferencias que vienen inmediatamente a la memoria, la literatura francesa era, por las influencias recibidas del país al sur, la más *española*

lar; pues fustigando los vicios de modo muchas veces directo y personal, evitó no obstante ofender a nadie: *Sammlung Satirischer Shriften*, Leipzig, 1751; *Satirische Briefe*, Leipzig, 1752.

[40] *Cartas marruecas*, ed. Glendinning-Dupuis, Colección Támesis, Londres, 1966, p. 113. Véanse mis libros *El rapto de la mente*, pp. 34-36; y *Colonel Don José Cadalso*, p. 125 (*Cadalso, el primer romántico «europeo» de España*, pp. 215-216).

de todas las literaturas extranjeras. Ahora bien, esta misma idea la expresa Iriarte en *Los literatos en Cuaresma*, que se publicó en 1773, mientras Cadalso todavía escribía sus *Cartas marruecas;* por lo cual se sugiere que en sus conversaciones literarias los dos amigos cambiarían a menudo impresiones acerca de la enorme deuda de la literatura clásica francesa con la española, así como acerca de las ventajas que podían redundar en beneficio de "la restauración de las letras" en España si se *cobraba* esa deuda. Tal restauración se adelantaría, según Iriarte, en *Los literatos*, "traduciendo a nuestro idioma algunas obras excelentes que hoy tiene aquella nación... porque en trasladar sus escritos no haríamos algunas veces más que cobrar lo que es nuestro; pues bien sabido es que los extranjeros se han estado aprovechando de libros que nosotros tenemos bien olvidados" (VII, 64). En el pasaje de *El rapto de la mente* ya indicado, explico, con varios ejemplos, que los reformadores *neoclásicos* que querían renovar la tradición *clásica* nacional de antes del ultrabarroquismo, disponían de dos caminos para volver a ese glorioso pasado de las letras patrias: podían consultar directamente los textos españoles del Siglo de Oro; pero también en todas esas obras francesas que en la segunda mitad del siglo XVII y en el XVIII se habían inspirado en modelos españoles, se les ofrecían numerosos ejemplos de cómo esas antiguas "semillas" hispánicas podían cultivarse en terrenos modernos, esto es, de cómo podía ponerse al día la antigua literatura española.

Mas la traducción de obras inspiradas en antiguas fuentes españolas no daría modelos útiles a los escritores noveles que querían expresar las preocupaciones vitales de los españoles del setecientos, a menos que las versiones fuesen del tipo que se logra tan sólo por el proceso que Iriarte llama la *connaturalización*, que viene a ser un concepto muy moderno de la tarea del traductor: Según el autor de *Los literatos*, el buen traductor debe "connaturalizarse, digámoslo así, con el autor cuyo escrito traslada, bebiéndole las ideas, los afectos, las opiniones, y expresándolo todo en otra lengua con igual concisión, energía y fluidez.

Es cierto que traducir sin estas circunstancias puede ser ocupación de niños de escuela; pero traducir como se debe, es obra para quien en su lengua nativa posea ya un estilo fácil, claro, correcto y persuasivo" (VII, 94-95). *Connaturalizarse* es hacerse primero de una misma naturaleza con el escritor extranjero, para saber luego hacer que la obra de ese escritor *se connaturalice* con la literatura española.[41]

Supongamos que el aprendiz literario, al coger la pluma, tiene a mano sobre su mesa de trabajo cierta obra francesa que puede considerarse como modelo aprovechable para quien quiera hacer literatura *española* que esté a la altura de los tiempos nuevos. ¿Cómo ha de proceder tal aprendiz? ¿qué es lo que ha de *imitar* en el modelo francés? En primer lugar, no ha de hacer nada que lleve a "la corrupción de nuestro bellísimo idioma"; y si, por ejemplo, intenta escribir para el teatro, se le ha de exigir "sobre todo, un castellano correcto, sin versos duros ni arrastrados, y sin mezcla de galicismos, de que Dios nos libre por su amor y misericordia" *(Obras,* 1805, II, Prólogo, XXVI; VII, 79). El verbo *imitar* aparece impreso en letra bastardilla en este párrafo para recordarle al lector que su sentido para los neoclásicos es el de "emular", y no el de "copiar", cuando se habla de la relación entre un escritor y otro que aquél ha escogido como modelo.[42] Esta idea de la *imitación =*

---

[41] Las versiones de la comedia *Le philosophe marié,* de Destouches, y de la tragedia *L'orphelin de la Chine,* de Voltaire, debidas al propio Iriarte son *connaturalizaciones.* El editor, o Iriarte mismo hablando de sí en tercera persona, en la segunda hoja sin numerar de la advertencia "Al lector" estampada a la cabeza del tomo V de las *Obras* (1805), comenta la técnica utilizada para traducir las obras teatrales ya mencionadas: "Las trasladó [Iriarte] sin ceñirse muy rigurosamente a los originales, y añadiendo o quitando lo que le pareció conveniente, porque así lo requería ya la diferencia de nuestras costumbres y lenguajes, ya el justo miramiento de no dejar correr máxima o expresión que pudiesen ofender nuestra delicadeza". En *El filósofo casado,* por ejemplo, Iriarte cambia el lugar de la acción a Madrid, y españoliza los nombres de los personajes (Carlos, Luis, Esteban, Jacinta, Lucas, etc.), así como las alusiones puestas en boca de los personajes y otros muchos detalles. Los personajes se refieren a cosas tan españolas como el célebre manicomio de Zaragoza, don Quijote y Dulcinea, décimas y romances en lugar de formas métricas francesas, etc., y la misma versión de Iriarte está versificada en versos de romance asonantados, el metro más natural, según Luzán, para representar el tono de la conversación en una comedia escrita en español.

[42] Véanse *El rapto de la mente,* pp. 35-37; *Colonel Don José Cadalso,* pp. 50-51 *(Cadalso: el primer romántico «europeo» de España,* pp. 84-85); Die-

= *emulación* está implícita en las palabras de Iriarte cuando
refiriéndose a los franceses, recomienda a sus compatriotas
que "imitemos, por ejemplo, su poesía por lo que mira a la
claridad de los pensamientos, al modo de colocarlos, y a
la distinción y propiedad de los estilos; pero no en lo que
pertenece a la armonía, pues su lengua no la tiene, ni para
la poesía, ni para la música: verdad que confiesan y la-
mentan los más clásicos humanistas franceses" (VII, 64-65).
Con estas líneas de *Los literatos* Iriarte quiere sugerir que
el rasgo de la poesía francesa que había que emular era
justamente aquel que también había caracterizado a la
poesía española del primer siglo aúreo y que tanto urgía
resucitar como antídoto contra el floripondioso estilo del
ultrabarroco: la grata, fácil y ordenada naturalidad.

La idea de la emulación también resalta cuando Iriarte
recomienda como modelos para las obras de crítica los
escritos de esos franceses que habían tratado tan universalmente de las diversas ciencias y artes en tantas obras teó-
ricas: "Imitémoslos en la aplicación con que se dedican a
escribir sobre todos asuntos, de suerte que han llegado ya
a tener en su idioma tratados completos de todas las ciencias y artes inventadas; pero no los imitemos en la ligereza
con que censuran a las demás naciones" (VII, 65). Volveré
sobre el último punto contenido en este pasaje, después de
tomar nota del triste hecho de que en lugar de admirar
debidamente la moderación, cordura y serenidad de los
primeros españoles que se vieron obligados a plantearse
el modernísimo problema de qué extensión y límites debían
prescribirse para las influencias extranjeras que pudiesen
imprimirse en la literatura española, hemos solido censu-
rarlos del modo más superficial. He llamado *modernísimo*
al problema de las influencias literarias abordado por los
literatos españoles del setecientos, porque precisamente por
la misma época se ventilaban las mismas cuestiones en los
otros países de Occidente, y como corolarios iban naciendo

go de Torres Villarroel, *Visiones y visitas de Torres con don Francisco de
Quevedo por la Corte*, ed. Russell P. Sebold, Clásicos Castellanos, Madrid,
1966, pp. LVII-LIX; y Marcel Blanc, "La perfection classique ou l'aiguillon
de Dieu", *French classicism. A critical miscellany*, Englewood Cliffs, 1966,
pp. 166-168.

las primeras ideas un poco exactas sobre la originalidad y sobre la disciplina de la literatura comparada.[43] Conque el hablar Iriarte de las influencias extranjeras en la forma en que lo hace es lo que nos asegura, no de que sea un espíritu anti-español, sino de que es un escritor europeo cuya manera de pensar y expresarse está a tono con la de sus conciudadanos de la república literaria occidental en el momento histórico que le ha tocado vivir.

En el último pasaje citado, Iriarte alude a la ligereza con que los franceses juzgan a las demás naciones. A continuación de esas líneas da el ejemplo que más le afecta como español: "Principalmente de la [nación] española hablan con menos conocimiento que si trataran de los persas, de los chinos, o de otros pueblos más remotos. Desprecian nuestros libros, sin haber leído de ellos otro que el de don Quijote, y ése porque le hay traducido en francés, aunque mal. Ignoran totalmente nuestra literatura. Nos achacan costumbres que nunca tuvimos, o dicen que observamos en el día las que ha más de un siglo que se desterraron" (VII, 65). En tal momento la indignación incluso lleva a Iriarte a contradecir sus muy fundadas afirmaciones anteriores acerca de la enorme deuda de la literatura francesa con la española, pues quienes no conocían sino el *Quijote* escasamente podían haberse inspirado para tantas obras francesas en los dramaturgos, novelistas y moralistas españoles. Pero aun al reaccionar de modo defensivo contra el desprecio de los franceses, siempre tan insistentes a su modo en los criterios literarios recibidos de la antigüedad clásica, Iriarte tiene muy en cuenta la igual herencia grecolatina de España y así también el entronque de la literatura peninsular con la occidental.

Ya varios decenios antes, cuando el padre Isla planeaba su sátira contra los Gerundios, existía la costumbre de usar la frase *a la francesa* para designar los pocos sermones claros, sencillos y persuasivos que se podían oír en los púlpitos de la España ultraculterana. Tal frase, que luego se aplica al teatro, irrita a Iriarte; y subrayando la injusticia

---

[43] Véase Alejandro Cioranescu, *Principios de literatura comparada*, La Laguna, 1964, pp. 11-17.

que así se comete lo mismo con los antiguos que con cuantos españoles prefieren una literatura perspicua y despejada de forma, el sagaz neoclásico escribe, en *Los literatos en Cuaresma:* "hacemos poquísimo favor a los antiguos y a nosotros propios en suponer que los franceses son autores de lo que sólo imitan o mejoran. La buena oratoria y la poesía dramática ajustada al arte florecieron en Atenas y en Roma antes que en París; y no sé por qué un discurso escrito con método retórico se ha de llamar sermón *a la francesa*, y no *a la griega*, o *a la latina;* y una comedia que guarde los preceptos dictados por la luz natural, comedia *a la francesa*, y no *a la ateniense*, o *a la romana*" (VII, 68). Sobre todo en las palabras "hacemos poquísimo favor a los antiguos y a nosotros propios", se manifiesta la conciencia que Iriarte tiene de vivir en la comunidad histórica de Occidente, de la que Francia no es sino uno de varios miembros.

La exhortación iriartiana a que "alabemos las cosas útiles que hay en los países extranjeros, y sintamos que el nuestro no las tenga" (VII, 67) es un antecedente directo y muy curioso del procedimiento crítico anunciado por Larra: "para rivalizar en nuestros adelantos con los de nuestros vecinos... opondremos nosotros en algunos de nuestros artículos el bien de fuera al mal de dentro" *(En este país)*. Semejante occidentalismo intelectual, fuente de entusiasmo reformista para Larra y los noventayochistas, produciría a la vez en estos habitantes del país atrasado un profundo dolor ligeramente veteado de vergüenza; mas tal reacción emocional se manifiesta por primera vez en los españoles del XVIII, los auténticos antepasados de los hombres del 98 por haber sido los primeros en verse obligados a bregar todos los días en el fragoso conflicto entre "la nobilísima España antigua" y "la España moderna", para usar los términos del célebre periodista dieciochesco Francisco Mariano Nipho, en cierta sátira sobre los usos sociales.[44]

[44] Francisco Mariano Nipho, *Representación juiciosa de la nobilísima España antigua, hecha a los hombres juiciosos de estos reinos, contra los abusos de la España moderna.* Con superior permiso. En Madrid, en la Imprenta de don Gabriel Ramírez, año de 1764, 62 pp.

En el capítulo sexto de mi libro sobre Cadalso, hablo de la angustia que el "problema de España" causaba al autor de las *Cartas marruecas*. Y ahora quisiera subrayar el hecho de que en noviembre de 1774, cuando Cadalso acababa de poner los últimos toques a su obra, su buen amigo Tomás le dirigía una carta en verso, expresando su propio dolor ante la triste imagen de esa grande y soberana España del Renacimiento y el Siglo de Oro, reducida menos de dos centurias después a buscar modelos en el extranjero: "¡Qué mal, qué mal penetras,/oh mi Dalmiro, el lamentable estado/de la sabiduría en esta corte,/dos siglos ha maestra de las del Norte!/... Permite, amigo/que desahogue mi pesar contigo" (*BAE*, LXIII, 23b). Se suele mostrar preferencia por esos españoles dieciochescos que convierten su angustia patriótica en elemento principal de sus escritos (Cadalso, por ejemplo), a riesgo de no llegar nunca a entender bien a esos otros que sin dejar de sentir igual zozobra ante el dudoso destino nacional, logran reprimirla haciendo un esfuerzo para atenerse a normas universales, con la esperanza de dar a sus compatriotas los nuevos modelos literarios que tanta falta hacían. No es que un grupo sea más patriota y el otro lo sea menos; sencillamente se trata de diferentes maneras de expresar el patriotismo. Iriarte, por su tendencia a hablar de su "pesar" y pesimismo en torno a España sólo en cartas personales, o si es en sus obras más públicas, sólo en momentos de descuido, se parece al más universal y cosmopolita de todos los "ilustrados" españoles, el autor de ese ensayo de título tan sugerente, *Mapa intelectual y cotejo de naciones*, quiero decir, Feijoo, que no obstante su tranquilo y simpático intelectualismo, cede alguna vez a la congoja con que ve el atraso de España en ciertas ciencias y artes, y en una de esas ocasiones vierte su emoción en unas conmovedoras palabras de auténtico tono elegíaco —la oración causal es un endecasílabo— que quizá sean el primer antecedente de la expresión *Me duele España*, utilizada en épocas más recientes por quienes han enfocado problemáticamente el destino nacional: "El descuido de España lloro, porque el descuido de España me duele" (*Honra y provecho de la agricultura*). Es evidente por el tono elegíaco de ciertos versos de Iriarte que él a las veces sentía la misma congoja roedora ante el futuro de España. El lector ya ha visto algunos de estos versos en el presente capítulo, pero no deja de haber otros más conmovedores. Contemplando un ejemplar de la primera edición bilingüe de su versión del *Arte poética* de Horacio, Tomás ve un triste símbolo de la crisis de la lengua española en los versos a izquierda y a derecha, "unos en un idioma ya perdido,/y otros en el que ya se va perdiendo" (*BAE*, LXIII, 25a).

IV. FUENTES LITERARIAS DE "EL SEÑORITO MIMADO"
   Y "LA SEÑORITA MALCRIADA"

Sin tomar en cuenta el cosmopolitismo intelectual de Iriarte y el contexto social en que se movió —los temas de nuestros capítulos anteriores—, no sería posible entender la relación de la comedia iriartiana con sus diversos antecedentes litrarios, ni con sus prototipos en la vida española del XVIII. Mas dejando la cuestión de los modelos reales y el realismo para los capítulos VI y VII, quisiera en el presente dar una idea del vario abolengo literario, extranjero y español, de las obras editadas en este volumen.

Desde su habitual punto de vista cosmopolita Iriarte se refiere, en *Los literatos en Cuaresma*, al único modo posible de formarse un gusto certero en materia de teatro: "Sin leer obras dramáticas de varias naciones y de distintas edades, y sin oír representar a muchos cómicos de diversos modos, es caso poco menos que imposible que nadie juzgue con acierto" (VII, 91); y si pudiésemos preguntárselo, no cabe duda que continuaría diciendo que tampoco sin saber algo de todo esto es factible escribir con éxito para el teatro. Esto se desprende del hecho de que sus comedias, sobre todo *El señorito mimado*, tienen fuentes dramáticas no sólo seiscentistas sino también setecentistas, españolas a la vez que francesas, y lo mismo populares que cultas. En efecto: a partir del momento en que Iriarte compone sus comedias —el espíritu de criticismo cosmopolita de todo el movimiento literario dieciochesco contribuye a ello— el artista creador en literatura será casi siempre a la vez comparatista y leerá, con sentido crítico cada vez más fino, las producciones de los escritores recientes y contemporáneos, extranjeros y nacionales, en el mismo género que él cultiva, así como en géneros afines, hasta producirse por fin las típicas entrevistas periodísticas de nuestros días, en las que los literatos disertan sobre las influencias que han pesado sobre ellos con toda la erudición con que podría hacerlo un profesor de literatura comparada.

EL SEÑORITO MIMADO

Un antecedente del gracioso juego de los retratos idénticamente enmarcados, tan importante para la revelación del carácter del señorito mimado don Mariano, así como para la de los caracteres de las dos damas retratadas en ellos —la novia del señorito, doña Flora, y la embustera y falsa viuda doña Monica—, se halla en el juego semejante en el *Sganarelle, ou le cocu imaginaire* (1660), de Molière, por el cual los novios Lélie y Célie y Sganarelle y su esposa llegan a sospechar unos de otros toda suerte de infidelidades La mujer de Sganarelle admira la hechura del marco del retrato del novio Lélie, de igual modo que Mónica admirará la del marco del retrato de Flora en *El señorito mimado*.

En *Le joueur* (1696) de Jean-François Regnard, la más importante de las fuentes francesas, Valère, debido a su pasión por el juego, pierde la mano de su novia Angélique, que acaba por casarse con Dorante, rival y tío de su primer novio; y en *El señorito mimado* el juego será el principal de los vicios de Mariano que mueven a su novia a casarse, no con él, sino con su rival don Fausto. En la obra de Regnard, Géronte, padre del novio, desconfía en absoluto de que éste sea capaz de reformarse y le deshereda; en la obra de Iriarte, don Cristóbal, tío y tutor de Mariano, amenaza desheredar a éste a menos que se reforme. Angélique ha regalado a Valère "son portrait enrichi de brillants tout autour" (acto I, escena II), pero lo empeña el novio cuando necesita dinero para su vicio; en la comedia de Iriarte,

Mariano deja el retrato de Flora en manos de la estafadora Mónica, que lo vende. Angélique, enterada de la perfidia de Valère, le pide que enseñe a los presentes el retrato que dice que tanto venera y lleva siempre consigo. El criado de Valère inventa el pretexto de que "Voyant dans ce portrait madame si jolie,/je l'ai mis chez un peintre; il m'en fait la copie" (acto V, escena VII). En *El señorito mimado*, cuando Flora quiere ver el retrato que ha dado a Mariano, éste sin darse cuenta le da el retrato de Mónica, y luego explica la confusión producida por los dos retratos de marco idéntico: La coronela viuda, que "vio tu retrato en mis manos,/y la hechura tan perfecta/del cerco de oro y la caja/la agradó de tal manera/que me pidió, con el fin/de hacer otra como aquélla,/que la dejase la mía" (vv. 1405-1411). En *Le joueur*, Angélique dice proféticamente: "Quiconque a mon portrait, sans crainte de rival,/doit avec la copie avoir l'original" (acto V, escena VII). En la comedia iriartiana Flora se expresa en forma muy semejante, aludiendo en el acto I a la dádiva del retrato que había destinado a Mariano: "...desde hoy, yo lo juro,/para ninguno la guardo/que no haya de ser mi dueño" (vv. 1031-1033); y en el acto III: "...Ofrecí/que al fin sería mi dueño/quien tuviese mi retrato" (vv. 3161-3163). Naturalmente, en ambas comedias el retrato acaba en manos del rival del primer novio.

El señorito mimado tiene fuentes igualmente importantes en la literatura española. El hecho de que la falsa aristócrata doña Mónica de Castro vive de modo elegante en una casa de la que parece ser señora pero que en realidad es de la propiedad de la familia de Mariano, mientras intenta casarse de modo engañoso con éste, recuerda el personaje doña Estefanía de Caicedo, que en *El casamiento engañoso*, de Cervantes, se hace pasar por señora de dinero y vive en una casa prestada mientras persuade al alférez Campuzano a casarse con ella. A fines del XVIII las novelas suplían con frecuencia fuentes para el teatro (sobre todo para ciertas clases de obras de la escuela de Comella), según se desprende de las reseñas publicadas por estos años en el *Memorial literario*; y la fuente cervantina sugerida aquí

parece confirmarse en cierto modo cuando Mónica se refiere a su vida de embustera ejemplar —según la relata
don Alfonso— exclamando: "¡Qué novela!" (v. 2060).

Existen ciertos paralelos entre *La verdad sospechosa*, de
Alarcón, y *El señorito mimado*. El protagonista de cada
obra es mentiroso y jugador, aunque el vicio que predo-
mina en cada uno es diferente. Los dos juegan en una casa
vecina. Cada obra es una "comedia moral" en la que se
analiza el carácter del protagonista; aunque, por un lado,
en Alarcón se trata de un defecto psicológico al parecer
innato, y por otro, en Iriarte se propone la tesis de que la
mala educación ha pervertido el carácter del joven. En
La verdad sospechosa el criado Tristán informa al padre
de don García sobre la corrupción moral de su hijo, de igual
modo que en *El señorito mimado* el criado Pantoja informa
al tío y tutor de Mariano sobre las malas costumbres de
éste. En cada obra el futuro suegro ignora los defectos de
carácter del que ha de ser su yerno. En cada obra el galán
"ya está casado", García con la fingida doña Sancha, y
Mariano por la palabra de casamiento que ha dado a Mónica. En cada obra, por fin, las trampas del galán imposi-
bilitan su casamiento con la dama a quien quiere.

Pantoja recuerda alguna vez los graciosos de la comedia
aureosecular, mas se relaciona también con ciertos personajes dieciochescos. En la escena II del acto I de *El señorito
mimado* dos parlamentos (vv. 212-216; 220-236) de Pantoja
parecen inspirarse en el *Fray Gerundio* de Isla cuando,
obedeciendo al tío de Mariano, el leal criado se pone a
"...predicar un sermón/panegírico en aplauso/de la vida
y las hazañas/de aquel joven..." Pantoja, que ha "...estu-
diado un poco/de latín cuando muchacho", divide su
sermón en diferentes "puntos", con lo cual se recuerda la
circunstanciada arquitectura de los sermones del alatinado
fray Gerundio; y al dar principio a su *oración* tose y escupe
enfáticamente, trayendo a la memoria las desdeñosas sona-
deras de narices y otros gestos con que el frailecito de Isla
solía puntuar el exordio de sus sermones. En otro parlamento de la misma escena, para subrayar cierta idea Pantoja recurre a una típica expresión de predicador gerun-

diano: "...(aquí llamo/la atención de mi auditorio)/..." (vv. 330-331). Este remedo del estilo gerundiano es a la vez sintomático de la relación de técnica o visión literaria que existe entre el *Fray Gerundio* y *El señorito mimado*, pero de esto hablaremos después.

Los estudios de Mariano (o falta de ellos) y sus circunstancias vitales durante los años en que se intentaba reducirle a estudiar son casi idénticos a los del mal instruido caballerete de veintidós años que Nuño conoció en el camino de Cádiz, en las *Cartas marruecas*, que aunque todavía no se habían publicado al componerse *El señorito mimado*, serían conocidas de Iriarte, ya sea a través de la conversación con Cadalso en las tertulias de la Fonda de San Sebastián y la casa de la condesa-duquesa de Benavente, o ya a través de la lectura de una de las copias manuscritas que se circularon entre los amigos de Dalmiro. Preguntado por cosas de ejército, marina e historia, el mozalbete andaluz confesó desvergonzadamente no saber nada de disciplinas tan importantes para la formación de un caballero, y a la pregunta de Nuño de cómo le habían educado, respondió:

> —A mi gusto, al de mi madre y al de mi abuelo, que era un señor muy anciano que me quería como a la niña de sus ojos... Mi padre bien quería que yo estudiase, pero tuvo poca vida y autoridad para conseguirlo. Murió sin tener el gusto de verme escribir. Ya me había buscado ayo, y la cosa iba de veras, cuando cierto accidentillo lo descompuso todo... ya sabía yo leer un romance y tocar unas seguidillas; ¿para qué necesita más un caballero? Mi dómine bien quiso meterme en honduras, pero le fue muy mal y hubo de irle mucho peor...
> ...¿Así se cría una juventud [comenta Nuño] que pudiera ser tan útil si fuera la educación igual al talento?[45].

He aquí la descripción iriartiana de la educación de Mariano:

> D. CRISTÓBAL. Aun no tenía cuatro años / ese chico. Su buen padre / le encomendó a mi cuidado; / me nombró por su tutor; / soy su tío... Me era forzoso partir / a mi destino. Los llantos, / las plegarias de su madre / entonces

---

[45] Cadalso, *Cartas marruecas*, ed. cit., pp. 28-30.

me precisaron / a subtituir en ella / la tutoría... Desde allá
[Indias], cada correo, / ¿no escribía un cartapacio, / dando
mis disposiciones / para educar a Mariano / al lado de
unos maestros / hábiles, y de un buen ayo? / Usted los
buscó a su modo, / según veo: descuidados, / o necios,
o aduladores, / que la estaban engañando, / y me engañaban
a mí... / En fin, vuelvo de mi viaje / muy satisfecho; y lo
que hallo / es que ese caballerito / cumplirá presto veinte
años / sin saber ni persignarse; / ...que es temoso, afeminado, / superficial, insolente, / enemigo del trabajo; /
incapaz de sujetarse / a seguir por ningún ramo / una carrera
decente...

   D.ª DOMINGA. El estudio no le prueba. / Ni tampoco
es necesario / que un hijo de un caballero / lo tome tan
a destajo / como si con ello hubiera / de comer...

   D. CRISTÓBAL. ¿Conque sacamos / en limpio que un
caballero / no ha de ser hombre? En contando / con una
renta segura / de cinco a seis mil ducados, / ¿a qué fin ha
de afanarse / para ser buen ciudadano, / ni buen padre
de familia, / ni sabio, ni buen soldado? (vv. 58-146).

La interrogación final de don Cristóbal se inspira no sólo
en la de Nuño, sino en todo el concepto cadalsiano del
hombre de bien, que he explicado en el capítulo VI de mi
libro sobre Cadalso. Las referencias de don Cristóbal a
las obligaciones del buen ciudadano, del buen padre de
familia, del sabio y buen soldado parecen, por ejemplo,
un eco ideológico y estilístico del epitafio de Ben Beley:
"Aquí yace Ben-Beley, que fue buen hijo, buen padre,
buen esposo, buen amigo, buen ciudadano" *(Cartas ma-*
rruecas, ed. cit., 75).
   Ahora bien, la fuente más inmediata para *El señorito*
mimado, la encuentra Iriarte donde menos se habría pensado —en ese escritor cuya obra él ve como "la desvergüenza
pública y notoria/de la escuela (que llaman) de costumbres,/en el siglo (que llaman) ilustrado" (BAE, XLIII, 27b),
y de quien también dice: "Alguna leve disculpa pudiera tener
aquel autor en el modo indecente de representar las costumbres si... deleitase el entendimiento con el arte e invención... Mas ¿qué deleite puede resultar de unos dramas
sin enredo, interés ni acción, en que todo se reduce a sacar

al teatro el mayor número de personas que se pueda... y a ocuparlas en diálogos inconexos entre sí, que, además de no observar pureza y propiedad en el lenguaje, no tienen enlace con la solución? ¿Hay acaso alguna en la mayor parte de los sainetes de Cruz?" (Cotarelo, apéndices, 445-446). El sainete de Ramón de la Cruz en el que parece estar prefigurado el argumento de *El señorito mimado* es *El hijito de vecino* (1774). Escribiendo en el *Diario de Madrid* para sábado, 11 de octubre de 1788, un satírico anónimo afirma que Iriarte ha tomado de "Cruz el argumento" de su comedia, pero se equivoca al dar el título del sainete como *El hijito de Madrid* (núm. 285, p. 1034). Al responder a su contrincante en los números del *Diario* correspondientes al 18 y 19 de octubre de 1788 (núms. 292 y 293, pp. 1061-1062 y 1065-1066; *Obras*, 1805, VIII, 319-322), Iriarte no niega su deuda con Cruz, pero se queja de la injusticia de quienes no saben apreciar "todo lo que se añada" a una fuente al crearse una obra nueva.

El hecho de que el supuesto "galoclásico" Iriarte pudiese inspirarse en un sainete del campeón del "teatro popular y castizo", Ramón de la Cruz, a quien en otra ocasión había criticado severamente, demuestra la falsedad y excesivo rigor de las distinciones que caracterizan la historia literaria al uso. Afortunadamente, el proceso de la vida es mucho menos restrictivo que la historiografía con que se pretende explicarlo: Por sus coincidencias con algunas de las obras francesas analizadas aquí, también parece tener fuentes de esa procedencia *El hijito de vecino*, cosa que por otra para no sería nada sorprendente si no nos obstináramos en olvidar que en su juventud Ramón de la Cruz se sostuvo adaptando y traduciendo obras francesas e italianas y que en esa época el propio sainetero "castizo" reprendía, en términos *iriartianos*, por decirlo así, el "lastimoso espectáculo de los sainetes, donde sólo se solicita la irrisión, con notable ofensa del oyente discreto".[46]

Subrayo este en realidad muy natural entrelazamiento

---

[46] Ramón de la Cruz, *Sainetes*, ed. Emilio Cotarelo y Mori, Nueva Biblioteca de Autores Españoles, t. XXIII (t. I de los *Sainetes*), Madrid, 1915, p. VII.

de diversas tendencias literarias, porque volveremos a observar la influencia del género sainetesco en *La señorita malcriada*, aunque en esa comedia —cosa significativa— no se acusa el influjo de ningún sainete concreto. La noción de que los neoclásicos pudiesen alguna vez olvidarse de las corrientes populares de la vida y la literatura españolas es tan falsa como todo el concepto del "galoclasicismo". Porque clasicismo, neoclasicismo, romanticismo, realismo y otros tales términos se refieren a las técnicas con que se representa la realidad más bien que a los aspectos concretos de esa realidad que se escojan para representar. Y así pensaba el mismo Iriarte, como se ve por las ya citadas palabras referentes a los defectos de los sainetes de Cruz: el fabulista está reñido con "aquel autor en el modo indecente de representar las costumbres", y no con la elección de éstas como tema representable. (Las costumbres populares en que se inspiraban los saineteros también juegan un papel importantísimo en las *Fábulas literarias*.)

Aunque según Iriarte no hay "solución... alguna en la mayor parte de los sainetes de Cruz", *El hijito de vecino* no es de este número —así su argumento pudo resultar sugerente para nuestro comediógrafo—; mas había que volver a disponerlo de otra manera para que en su desenvolvimiento la acción "deleitase el entendimiento con el arte e invención" y para que tal deleite se comunicase a través de unos diálogos sencillos y naturales que tuviesen el tono de la conversación familiar entre personas cultas y en las que no se dejase de "observar pureza y propiedad en el lenguaje". Son muy notables los paralelos entre los argumentos de *El hijito de vecino* y *El señorito mimado*; pero no puede haber dos obras que en la lectura produzcan impresiones más discrepantes, porque el sainete adolece de sucesos mal preparados y excesivamente comprimidos, caracteres borrosos, relaciones confusas entre los personajes, estilo torpe, poco humorismo y escasa verosimilitud; y en cambio, la comedia iriartiana posee todas las virtudes que su autor echaba de menos en las piezas de Cruz; pues a medida que el neoclasicismo ha gozado de una prensa en extremo injusta, se ha sobreestimado el teatro cruceño.

resultando en este aspecto muy exacto el juicio de Valbuena Prat: "Suele confundirse el valor documental, histórico que el teatro de Cruz ofrece... con el plano estético del género cómico, en el cual para mi juicio ['esas piezas cortas'] son completamente inferiores".[47]

El petimetre don Felipe, personaje central de *El hijito de vecino* y un antecedente del personaje iriartiano don Mariano, es un "holgazán" pendenciero de treinta años en quien no puede sorprender que "...trate a cuatro mozas,/ que juegue y chupe un cigarro",[48] jolgorios en que el protagonista de *El señorito mimado* le había de seguir. Una de las "mozas" es doña Matilde, a quien Felipe ha "...dado/ palabra, y a la que dicen/que le diste tu retrato,/papeles..."; personaje femenino al que corresponde la doña Mónica iriartiana, a quien Mariano da un retrato (de Flora), junto con su palabra de casamiento y el papel firmado que contiene esa promesa. Al mismo tiempo Felipe tiene una novia "noble y rica", doña Bernarda, antecedente de la Flora de *El señorito mimado*. El tío de Bernarda, don Marcos, hombre maduro y sesudo, puede haber servido como modelo parcial tanto para el padre de Flora, don Alfonso, como para el tío de Mariano, don Cristóbal. En el carácter de doña Petra, madre de la novia en el sainete, se anticipa en parte el de doña Dominga, madre del novio en la comedia iriartiana, por ser también aquélla uña "dama loca" muy sensible a las "lisonjas dichas a tiempo,/una flor, un par de saltos", según se describe a sí misma en la pieza de Cruz. Porque Felipe "...les hace cuatro/ alaracas, madre e hija/le quieren, sin hacer caso/de otros más dignos", y si Bernarda se casa con él, "...llevarán buen petardo,/porque mayor calavera/no le hay en Madrid". Se salva Bernarda de tal destino, sin embargo, cuando un "mozo de talento"... [que] es cauto,/modesto, humilde, rendido", don Pablo, compañero de Felipe en el ramo de administración pública en donde ambos tra-

---

[47] Angel Valbuena Prat, *Historia de la literatura española*, 6.ª ed., Barcelona, 1960, t. III, p. 100.

[48] Para esta y las siguientes citas de *El hijito de vecino*, consúltese *Sainetes*, ed. cit., t. II (t. XXVI de la *NBAE*), Madrid, 1928, pp. 421-428.

bajan, es preferido a éste para una plaza vacante que el rey va a llenar. Pablo es el antecedente cruceño del Fausto iriartiano; y de igual modo que en *El señorito mimado* el padre de la muchacha favorece al nuevo pretendiente, ya antes en *El hijito de vecino* el tío de la comprometida había favorecido al segundo pretendiente en presentarse. Como Felipe ha dado su palabra también a "otros veinte" mozas, la madre de Bernarda tiene derecho a retractar su promesa de dar la mano de su hija a tal pretendiente; y Felipe, como Mariano después, acaba perdiendo tan buen partido a causa de sus desordenadas costumbres, que son efecto de su mala educación. Pues también la tesis de *El señorito mimado* referente a la educación está anticipada en el carácter de Felipe, cuyo padre "...más vano/que celoso, le crió/sin freno y afeminado,/y es despreciable..."

LA SEÑORITA MALCRIADA

Su fuente principal es *Le misanthrope* (1666), de Molière. Célimène, modelo parcial para la protagonista de la comedia española, doña Pepita, igual que ésta, es una chica encantadora, de modales y vida muy libres, que con su desenfadado humorismo corta una figura muy original en las funciones sociales y atrae a muchos pretendientes. En *Le misanthrope*, la gazmoña Arsinoé, echando en cara a Célimène sus libertades, se refiere a "Cette foule de gens dont vous souffrez visite,/votre galanterie, et les bruits qu'elle excite", así como a "ce nombre d'amants dont vous faites le vaine" (acto III, escena IV). El padre de Pepita dice orgulloso que "todas las gentes la alaban;/todo el pueblo la conoce;/y por conseguir entrada/en mi casa, hay mil empeños" (vv. 272-275). Don Eugenio, que pretende a Pepita, es un hombre de una honradez ejemplar que suele expresar sus opiniones del modo más franco, gusten o no gusten a los circunstantes, por lo cual se parece en parte a Alceste, el misántropo del que la comedia francesa toma su título; mas a diferencia de éste el personaje iriartiano no es un idealista desilusionado. Alceste y Eugenio reprenden más que cortejan a sus damas. Reaccionando ante las malhumoradas críticas de Alceste, Célimène dice: "En effet, la méthode en est toute nouvelle,/car vous aimez les gens pour leur faire querelle;/ce n'est qu'en mots facheux qu'éclate votre ardeur,/et l'on n'a vu jamais un amour si grondeur" (acto II, escena I). Pepita tampoco entiende a un pretendiente como Eugenio, "que con solemnes protestas/afirma gustar de mí", pero que a la vez "se disgusta; vitupera/mis palabras, mis acciones;/y en tono de que aconseja,/me va poniendo unas tachas/fatalísimas..." (vv. 1580-1581, 1590-1594). Alceste explica su actitud así: "Plus on aime quelqu'un, moins il faut qu'on le flatte;/à ne rien pardonner le pur amour éclate" (acto II, escena IV). Hablando con Pepita y casi haciéndose eco de las palabras de Alceste, Eugenio insiste: "Ese mismo proceder/mío con que usted contempla/la agravío, es un testimonio/de inclinación verdadera" (vv. 1629-1632). Entre los amigos y pretendientes de Célimène hay nobles y falsos nobles afectadísimos, como Acaste, Clitandre y Géralde, que pueden considerarse entre los posibles antecedentes del ridículo marqués de Fontecalda, novio de Pepita en La señorita malcriada, mas ninguno de los tres está tan desarrollado como éste. Por lo menos un rasgo de Fontecalda —su convicción de poseer un talento excepcional para la poesía— tiene un modelo directo en Oronte, otro amante de Célimène. Éste ha compuesto un execrable soneto de tema amoroso, y pide a su rival Alceste que exprese francamente su opinión sobre el triste poemón (acto I, escena II). El marqués de Fontecalda por su parte ha abortado en jerigonza galicista una octava real de igual tema (vv. 929-936) pero aun más idiota; y él tampoco vacila en pedir a su rival, Eugenio, una evaluación candorosa de su infeliz inspiración. En ninguno de los dos casos deja el honrado rival de complacer del todo al ardoroso poetastro. La gazmoña Arsinoé, intentando quitar Alceste a Célimène, revela la existencia de unas cartas comprometedoras de ésta, mas esto no constituye sino un antecedente muy vago de la ingeniosa táctica de las cartas falsificadas en La señorita malcriada. La adusta moralidad de la en realidad nada hipócrita doña Clara,

tia de Pepita, parece a primera vista recordar la beatería
de Arsinoé; pero en las intenciones se parece más a ésta
la por otra parte alegre viuda y vecina de Pepita, doña
Ambrosia, que intenta arreglárselas para poder casarse
con don Gonzalo, padre de la muchacha revoltosa. En realidad, doña Clara, a quien se aplica la voz *misántropa*
(v. 1091), viene por su carácter a ser como una versión femenina de Alceste, por lo cual este personaje de Molière
tiene dos descendientes en *La señorita malcriada*. Pese a
tantas semejanzas, el argumento y el desenlace de *La señorita malcriada* son muy diferentes de los de *Le misanthrope*, aunque en ambas obras la protagonista pierde la
oportunidad de casarse con el mejor de los rivales debido
a su libre conducta y esa "...faiblesse/où le vice du temps
porte votre jeunesse", según dice Alceste hablando con
Célimène (acto V, escena IV).

En *Le joueur*, de Regnard, el marqués de Fontecalda
tiene un antecedente más inmediato: se trata de "un marquis de hasard fait par le lansquenet;/fort brave, à ce qu'il
dit, intrigant, plein d'affaires;/qui croit de ses appas les
femmes tributaires;/qui gagne au jeu beaucoup, et qui,
dit-on, jadis/était valet de chambre avant d'etre marquis"
(acto I, escena VI). Este falso marqués, que intenta casarse
con una condesa, es por fin reconocido por su prima, una
prendera a quien debe cuatrocientos escudos desde hace
cinco años (acto V, escena IV); de igual modo que en el
último acto de *La señorita malcriada* el sobrino de Ambrosia reconoce en el marqués de Fontecalda al estafador
que arruinó al honrado comerciante de quien su tía luego
enviudó.

Para *La señorita malcriada* no conozco ninguna fuente
española que haya brindado a Iriarte tantas sugerencias
como *Le misanthrope*, lo cual desde luego no significa que
no exista tal obra entre las infinitas del teatro español que
no es dable conocer en su totalidad. Como antecedente muy
general del marqués de Fontecalda en la medida en que
éste es un galán afectado y vanidoso, se puede mencionar
el personaje aludido en el título de *El lindo don Diego*,
de Moreto. Mas el marqués de Fontecalda tiene varios

antecedentes en la literatura española en la medida en que funciona como instrumento satírico concebido para ridiculizar a esos españoles que seguían la moda (común a todos los países europeos durante el setecientos) de imitar a los franceses en su ropa, sus gestos y su manera de hablar, entretejiendo en su conversación toda suerte de extravagantes galicismos.[49] En el tomo I (1726) del *Teatro crítico*, Feijoo da como un bosquejo para tales personajes satíricos, escribiendo hacia el principio del discurso titulado *Paralelo de las lenguas castellana y francesa:* "Sólo en Francia... reinan, según su dictamen, la delicadeza, la policía, el buen gusto... Es cosa graciosa ver a algunos de éstos... hacer violencia a todos sus miembros para imitar a los extranjeros en gestos, movimientos y acciones, poniendo especial estudio en andar como ellos andan, sentarse como se sientan, reírse como se ríen, hacer la cortesía como ellos la hacen... sobresalen algunos apasionados amantes de la lengua francesa, que prefiriéndola con grandes ventajas a la castellana, ponderan sus hechizos, exaltan sus primores, y no pudiendo sufrir ni una breve ausencia de su adorado idioma, con algunas voces que usurpan de él, salpican la conversación, aun cuando hablan en castellano. Esto... puede decirse que ya se hizo moda" *(BAE, LVI, 45a)*. El modelo en este aspecto más inmediato al marqués es don Carlos, "cierto caballerete joven" que en el *Fray Gerundio* de Isla visita inesperadamente la casa de Antón Zotes para agradecer a cierto clérigo, primo y huésped de éste, algunas cartas de recomendación.[50] Don Carlos "hacía la cortesía a la francesa, hablaba el español del mismo modo,

---

[49] Antonio Rubio llama la atención sobre esta por otra parte evidente función satírica del marqués de Fontecalda, en *La crítica del galicismo en España 1726-1832*, México, 1937, pp. 114-115. Rubio también estudia, aunque no como tales, los antecedentes del marqués que doy a continuación en el texto.

[50] Ya Napoli Signorelli subraya la deuda de Iriarte con Isla al señalar un antecedente "del marqués, en el cual con mucha gracia se ridiculiza el pedantismo de aquellos que desconciertan el propio lenguaje castellano con vocablos y frases francesas, de cuyo carácter dio en España el ejemplo el celebrado autor del *Gerundio*" *(Historia crítica de los teatros antiguos y modernos*, citada en español por los redactores de *La Espigadera*, en su reseña de *La señorita malcriada*, núm. 14, vol. II, 1790, p. 67).

afectando los rodeos, los francesismos y hasta el mismo
tono, dialecto o retintín con que le hablan los de aquella
nación". El caballerete pregunta por el clérigo, declarán-
dose "reconocido a su gran bondad hasta el exceso", y
sorprende al buen Antón suplicándole "que se tome la
pena de conducirme ante todas cosas a su cámara, retrete
o apartamiento". Como el buen payo no podía saber que
don Carlos aludía a la *chambre, retraite* o *appartement*
de su huésped, condujo al caballerete a "un cuarto estrecho
y obscuro" donde tenía los "utensilios" indispensables para
despachar su aparente "urgencia natural".[51] En las *Cartas
marruecas* (XXXV), el marqués de Fontecalda tiene como
una prima en esa hermana archigalicista de Nuño que gasta
"bonete de noche", duerme en su "apartamento hasta
mediodía y medio", se extasía de su "nuevo jefe de cocina
[que] es divino [y]... viene de arribar de París", nos habla
de un pariente que "ha dejado a la joven persona que él
entretenía", etc., etc.[52]

Otra posible influencia de Cadalso sobre la figura del
marqués es la caracterización de éste como "charlatán
viajante" (v. 2819), o sea uno de "esos que tan sólo viajan/
para decir que han viajado;/y que en muy pocas semanas,/
corriendo la posta, adquieren/los principios que les faltan"
(vv. 640-644). En la lección séptima de *Los eruditos a la
violeta* y en la "Carta de un viajante a la violeta" que forma
parte del Suplemento a la misma obra incluso se dan consejos sobre cómo se puede "hablar de países extranjeros,
sin haber salido de su lugar, con tanta majestad como si se
hubiera hecho una residencia de diez años en cada uno".[53]
El tono de las observaciones que el sensato don Eugenio
dirige al marqués en los versos 1040-1056, en los que también se trata de viajes, recuerda los dos razonamientos de
ancianos padres a hijos viajantes a la violeta, contenidos
en las ya expresadas partes de la obra de Cadalso.

Una fuente dramática española más inmediata, aunque

[51] Véase *Fray Gerundio de Campazas*, ed. cit., t. II, pp. 146-169.
[52] Cadalso, *Cartas marruecas*, ed. cit., pp. 87-88.
[53] Cadalso, *Cartas marruecas* [y] *Los eruditos a la violeta*, Colección Crisol,
Madrid, 1944, p. 510.

no de la mayor importancia, es la malhadada comedia, *Los menestrales* (1784), de Cándido María de Trigueros. Los elementos de esta obra que se reflejarán de modo más o menos directo en *La señorita malcriada* son los siguientes: La acción de la comedia de Trigueros tiene lugar en un jardín mientras se hacen preparativos para una fiesta; aparecen en ella unos músicos y cantantes populares; y uno de los personajes, el barón de la Rafa, es un "viajante a la violeta" y noble fingido, de origen andaluz, que afecta saber italiano (aunque sólo rara vez entran palabras italianas en su conversación), que intenta sacarle los cuartos a un rico (en este caso, un maestro de sastre) pretendiendo a su hija, y que luego resulta estar ya casado. Sin embargo de estos paralelos, el carácter del barón de la Rafa es muy distinto del del marqués de Fontecalda; y el elemento de la sátira lingüística apenas si asoma en la obra de Trigueros.

Aunque *El señorito mimado* tiene su fuente más directa en la literatura española, y *La señorita malcriada* encuentra su modelo principal en la literatura francesa, la segunda es en cierto modo la más española de las dos comedias, porque si bien sea de otra manera, ella en realidad se relaciona más estrechamente que la primera con el teatro popular. Pues para *El señorito* Iriarte toma de Ramón de la Cruz ciertos elementos de una acción burguesa y por ende neutra o susceptible de un tratamiento, ya sainetesco popular, ya cómico culto; y en cambio, al componer *La señorita*, recrea en ella, sobre todo en las tres primeras escenas, el mismo ambiente sainetesco, introduciendo dos personajes típicos de la farsa popular: los dos simpáticos payos, el tío Pedro Fernández y Bartolo, éste medio tonto y aquél muy taimado. El mismo nombre del primero es sintomático de esta filiación literaria; pues, en su *Vocabulario de refranes y frases proverbiales*, el maestro Gonzalo Correas incluye el artículo siguiente, en el que he subrayado la frase que nos interesa aquí: "La flema de Pero Hernández. *Fue un personaje de entremés,* tan flemático, que de puro frío era gracioso, y se tomó su flema por refrán".[54]

---

[54] Correas, *Vocabulario*, Madrid, 1924, p. 258a. (Alternan en los dichos populares las variantes del nombre de este personaje, Pero Hernández o

La cuadrilla de majos y majas, que con sus guitarras y castañuelas vienen a alegrar la fiesta, son otras figuras típicamente sainetescas (sus mismos nombres son los típicos de personajes de sainete: Repulgo, la Amotinada, Curra, Arbolaria, etc. vv. 720-721, 728); y las seguidillas que tantas veces se les manda *no* cantar son quizá la música más característica de los sainetes de Ramón de la Cruz, pues se cantan y se bailan seguidillas en muchas piezas de éste, como *La junta de los payos, La avaricia castigada, Los majos de buen humor, La maja majada,* etc., y aun podría expresarse con un título de Cruz la frustración que experimentan los majos iriartianos y Pepita al no permitírseles cantar y bailar, pues lo que sienten es *El deseo de seguidillas.* Pepita y Ambrosia tardan en llegar a la fiesta porque esperan "ciertos vestidos de majas/que vienen hoy a lucir" (vv. 454-455). La acción en las primeras escenas de *La señorita malcriada* incluso refleja alguna vez la de aquellos sainetes que "acaban en palos", por ejemplo, cuando el tío Pedro amenaza al chismoso Bartolo, diciendo: "Mira... Si agarro una tranca" (v. 442). De hecho las primeras escenas de *La señorita malcriada* parecen un intento de incorporar al mismo texto de la obra principal algo de esos antiguos entremeses que solían representarse entre los actos (he aquí a la vez un elocuente ejemplo del carácter genuinamente español del neoclasicismo, así como de los insospechados lazos que existen entre éste y el romanticismo, pues la primera escena del *Don Álvaro* de Rivas en la

Pedro Fernández, por ejemplo: "El aliño del Pedro Fernández que vino el jueves y fuese el martes" [Correas, 31b].) Con la intención satírica de sugerir que cualquier rústico podía reconocer los errores de sus contrincantes, varios polemistas del XVIII ya habían usado *Pedro Fernández* como seudónimo: Isla, en sus *Glosas interlineales... del licenciado Pedro Fernández a las "Posdatas" de Torres, en defensa del Dr. Martínez y del "Teatro crítico universal"* (1726); el medievalista Tomás Sánchez, en su *Carta familiar al Dr. D. José Berní y Catalá... sobre la Disertación que escribió en defensa del rey D. Pedro el Justiciero... Envíasela... el bachiller Pedro Fernández* (1778); y el político y crítico literario Antonio de Capmany, en su *Comentario sobre el doctor festivo y maestro de los eruditos a la violeta... Por Pedro Fernández* (1773), obra referente a la aludida de Cadalso, publicada por primera vez por Julián Marías en *La España posible en tiempo de Carlos III* (1963), y cuya auténtica autoría fue demostrada después por Hans Juretschke (*Revista de la Universidad de Madrid,* t. XVIII, 1969, pp. 203-221).

que aparecen la sortílega Preciosilla, un majo y otros tipos populares es otro caso de un "entremés" incorporado a la obra principal). Por añadidura, Iriarte es fiel y minucioso en la reproducción de las formas y los giros del habla vulgar; pero de esto hablaremos en otro capítulo.

V. LA CRÍTICA ANTE EL TEATRO IRIARTIANO: IRIARTE Y MORATÍN

Para el lector no hay nada más enojoso que esas ediciones de olvidados "clásicos" que se hacen puramente por amor a la arqueología. He rehusado varias oportunidades de editar obras dieciochescas de esa clase por creer sinceramente que no encontrarían lectores. Me he guiado al tomar semejantes decisiones —y también al tomar otras positivas— por la tendencia general de la crítica relativa a los libros en cuestión; y entre las obras setecentistas que he editado, últimamente he dado a conocer dos (las *Visiones* de Torres Villarroel y la *Numancia destruida* de Ignacio López de Ayala) que aunque estaban totalmente abandonadas, no estaban olvidadas, pues seguían siendo objeto de alusiones muy favorables en los manuales —indicio no sólo de su perenne calidad literaria, sino de la probable recepción favorable que pudiesen tener unas ediciones nuevas.

He emprendido la presente edición con todavía más entusiasmo que las pasadas porque los críticos vienen hablando del teatro iriartiano con incluso más favor que de las ingeniosas *Visiones* de Torres. El siguiente resumen analítico de la crítica está pensado para esos lectores que tentados por el deseo de "descubrir" nuevas obras clásicas, continúan sin embargo preguntándose, entre dudosos y escépticos, qué comentarios podrán seguir suscitando dos comedias que llevaban más de siglo y medio sin ediciones nuevas. Los juicios más interesantes son: (1) los que se refieren al valor de las dos comedias en el contexto español y europeo de su época, o sea al papel que juegan en el desarrollo del moderno teatro cómico español; y (2) los que conectan a Iriarte con su ilustre sucesor en la comedia, Leandro Moratín.

Don Santos Díez González, que hacia el final de la década de 1780 sucedió a López de Ayala como corrector de comedias y catedrático de poética en los Reales Estudios de San Isidro, opina que el "conocido y delicado ingenio" que compuso *El señorito mimado* "puede salir al teatro en competencia de los más sobresalientes de toda Europa".[55] El mismo crítico halla que *La señorita malcriada* es "digna de contarse entre las primeras [comedias] que hacen honor al teatro español y a la lengua española" (Cotarelo, ap., 476). Casi el único juicio general sobre el valor de las dos comedias que no aluda también a su parte en la evolución del teatro es del marqués de Valmar, en el tomo I (1869) de su antología de *Poetas líricos del siglo XVIII*, en la *Biblioteca de Autores Españoles*. Es significativa esta valoración porque en ella se sugiere, con razón en mi opinión, una comparación de calidad con la obra más conocida de Iriarte: "La verdadera gloria literaria de Iriarte —escribe Valmar— se cifra en sus dos excelentes comedias *El señorito mimado* y *La señorita malcriada*, y singularmente en sus inimitables *Fábulas literarias*" (*BAE*, LXI, cliv). La misma comparación de mérito con las *Fábulas* reaparece en la *Historia de las ideas estéticas en España* (1883-1891), con la novedad de que allí se expresa en una forma todavía más favorable para las comedias. Citaré esta opinión de Menéndez Pelayo abajo al hablar de la relación entre Iriarte y Moratín. Mas por de pronto importa destacar lo siguiente: en el sentir de dos críticos decimonónicos tan importantes como Valmar y Menéndez Pelayo, Iriarte, aun cuando no se halle a la cabeza de su escuela dramática, escribe comedias que son de la misma alta calidad literaria que sus siempre populares *Fábulas*, género que nuestro poeta sí ha seguido presidiendo hasta hoy. Los hispanistas tendremos en gran parte la culpa de que no se ha apreciado justamente la contribución de Iriarte al teatro moderno, porque en cualquier siglo se dan pocos casos de escritores

[55] En Sempere y Guarinos, op. cit., t. VI, p. 212.

que hayan desempeñado una función determinante en dos géneros diferentes, y nos ha resultado más fácil ver en el canario sólo el fabulista por antonomasia, sin tomarnos el trabajo de mirar más lejos.

¿Cuál es precisamente el papel que corresponde a Iriarte en el desenvolvimiento de la comedia moderna? Si bien no sea el de cabeza de su escuela, es después de tal papel el más importante que cabe; papel sin el cual ni aun podría haber habido cabeza, porque a Iriarte se le ha solido considerar como inventor o inaugurador en España del género dramático que cultivó. Moratín, sin tomar en cuenta ni *La petimetra* de su padre, ni el *Hacer que hacemos* de Iriarte, ni ninguna otra obra neoclásica anterior, escribe lo siguiente sobre *El señorito mimado*, en el *Discurso preliminar* o prólogo a sus propias comedias: "Si ha de citarse la primera comedia original que se ha visto en los teatros de España, escrita según las reglas más esenciales que han dictado la filosofía y la buena crítica, ésta es" *(BAE, II, 319)*. Este juicio valorativo de Moratín se hace doblemente significativo cuando se recuerda que su propia primera comedia, *El viejo y la niña*, fue leída a la compañía de Manuel Martínez en 1786, esto es, dos años antes de estrenarse la obra de Iriarte. (Desde luego no se representó ni se imprimió la obra de Leandro hasta 1790.) En su *Apéndice sobre la comedia española*, Martínez de la Rosa reafirma este juicio moratiniano, pues ve en *El señorito mimado* "una comedia digna por cierto de no vulgar elogio, no sólo por el mérito que en sí encierra, sino por haber sido la primera que se hubiese representado con aceptación, mostrándose sujeta a las reglas del arte... puede con razón afirmarse que ese humanista hizo un servicio señalado al teatro español".[56]

Según Alcalá Galiano, con *El señorito mimado* puede "decirse con propiedad que empieza el buen teatro cómico castellano".[57] Todavía en 1924 Díaz de Escovar y Lasso de la Vega señalan entre los logros de Iriarte la distinción de que salió "de su pluma la primera comedia sujeta al

---

56 Francisco Martínez de la Rosa, *Obras completas*, París, 1845, t. I, p. 227.
57 Alcalá Galiano, op. cit., p. 260.

rigorismo artístico".[58] En su manual de 1961 Chandler y Schwartz dicen que Iriarte "wrote the first successful classical comedy".[59] Y en 1970 René Andioc sigue ateniéndose al juicio de Moratín sobre el ser de Iriarte la iniciativa para la fundación de la nueva escuela: hablando de diversas clases de comedias dieciochescas, dice que *El señorito mimado* fue "celle qui ouvrit la voie aux néoclassiques".[60] Por fin, recuerde el lector también el ya citado juicio profético del propio Iriarte, en el prólogo del *Hacer que hacemos*, sobre la nueva clase de comedia que él quisiera ver triunfar "de aquí adelante... en España".

La trascendencia de todo esto salta a la vista cuando se tiene presente que es de antecedentes como Moratín, Gorostiza y Bretón de quienes acostumbramos considerar derivadas la comedia de costumbres y la alta comedia tan características de todo el ochocientos. Por algo Narciso Alonso Cortés, en la primera página de su prólogo al *Teatro* de Bretón de los Herreros, en *Clásicos Castellanos*, tiene a bien recordar, con alusión al pasaje citado arriba, que "Moratín... atribuyó a don Tomás de Iriarte el mérito de cultivar antes que nadie en España la comedia de costumbres". Aunque Alonso Cortés no se propusiera hacer más que parafrasear la valoración moratiniana, ha formulado en realidad un juicio histórico muy innovador al que fue llevado por su mayor perspectiva temporal, pues Moratín no había usado del término *comedia de costumbres*. El valor objetivo de esta innovación crítica parece testimoniarse por la relativa inconsciencia con que se emite y por el hecho de que se debe a quien no iba a favorecer a Iriarte con elogios exagerados, pues a continuación el señor Alonso Cortés, haciéndose eco de los prejuicios antineoclásicos de hace cuarenta años, se refiere despectivamente a lo que parecía posible esperar del "autor de *La música*". He aquí que hemos tenido casi enterradas las comedias del inventor

[58] Narciso Díaz de Escovar y Francisco de P. Lasso de la Vega, *Historia del teatro español*, Barcelona, 1924, t. I, p. 300.

[59] Richard E. Chandler y Kessel Schwartz, *A new history of spanish literature*, Baton Rouge, 1961, p. 108.

[60] Andioc, *Sur la querelle du théâtre au temps de Leandro Fernández de Moratín*, Tarbes, 1970, p. 54.

de una forma que aún no ha dejado de tener ecos en el teatro de nuestros días. ¿Cómo con tales abandonos pretendemos los hispanistas explicar la evolución de la literatura? El papel de Iriarte como inventor de la moderna comedia· de costumbres se irá aclarando en las páginas siguientes.

Desde fines del XVIII cuantos críticos conocen directamente los textos de Iriarte vienen señalando en él, no sólo al inventor de la comedia moderna, sino también al indispensable antecesor de Leandro Moratín. En 1790 el reseñista desconocido de *La señorita malcriada* en *La Espigadera* exclama con entusiasmo: "¡Ojalá que en nuestro teatro se representasen muchas piezas tan arregladas y dignas de alabanza como ésta, y que los que proveen de farsas a la escena [¿Ramón de la Cruz, Juan Ignacio González del Castillo y su escuela?] se dedicasen a estudiar más la naturaleza, y a seguir el camino recto de la regularidad y del buen gusto por donde ha sabido conducirse este autor, y en sus primeros vuelos se ha remontado tanto el joven Moratín con su comedia *El viejo y· la niña!*" (núm. 14, t. II, p. 69). En su *Apéndice… sobre la comedia española* (1799), el traductor del abate Batteux, Agustín García de Arrieta, considera *El señorito mimado* y *La señorita malcriada* de Iriarte, *El viejo y la niña* y *El café* de Moratín, y *El delincuente honrado* de Jovellanos, como los cinco "únicos modelos que tenemos en el género cómico".[61] Para Mesonero Romanos, que utiliza de modo no muy exacto la terminología, el canario fue el antecesor inmediato e indispensable de Moratín, aunque no el fundador del nuevo teatro: "Brilló luego D. Tomás de Iriarte, hombre de gusto delicado,… el cual… hizo ganar al teatro clásico moderno gran pieza de terreno, hasta que, por último, apareció en él su verdadero fundador [¿príncipe, cabeza?], el célebre *Inarco Celenio*".[62] En Mesonero, contemporáneo de Bretón de los Herreros, Ventura de la Vega y Adelardo López de

[61] En Charles Batteux, *Principios filosóficos de la literatura: Curso razonado de bellas letras y de bellas artes*, trad. García de Arrieta, Madrid, t. III, 1799, p. 300.
[62] Ramón de Mesonero Romanos, "Rápida ojeada sobre la historia del teatro español", *Trabajos no coleccionados*, Madrid, 1903-1905, t. II, p. 414.

Ayala, el uso del adjetivo *moderno* en relación con Iriarte, en las líneas que acabo de citar, es significativo: Quiere decirse que para El Curioso Parlante, autor de una comedia de costumbres que nunca se estrenó, la forma de teatro "moratiniano" —así se lo llamaba— que seguía cultivándose en su época con tantísimo favor, había tenido su primer origen en las piezas de Iriarte. Tal juicio, al expresarse por un costumbrista, casi viene a ser un anticipo del de Alonso Cortés. Larra nunca se refiere concretamente al teatro iriartiano, pero sí en una ocasión alude de pasada al enlace entre las comedias del fabulista y las de Inarco: "Luzán, Montiano, Iriarte, abrieron el camino; vino después el autor de *La comedia nueva*".[63]

Menéndez Pelayo es el que más sucintamente describe la gran deuda de Moratín con Iriarte y la importancia del teatro en la carrera literaria de éste: "Iriarte fue el inmediato predecesor de Moratín en el cultivo de la comedia clásica, y ésta es su mayor gloria, juntamente con la de las *Fábulas*".[64] En 1918, Robert E. Pellissier, comentando el desarrollo del teatro neoclásico, dice lo siguiente acerca de la relación Iriarte-Moratín: "Tomás de Iriarte did more than any other man of his group to give neoclassicism a firm foundation in Spain... Iriarte was the best representative of the rules since Luzán and he prepared royally the road on which Moratín the younger was to triumph".[65] En el artículo *Comedia* del *Diccionario de literatura española* de la Revista de Occidente (ed. de 1964), Germán Bleiberg no menciona más comedias neoclásicas que *El señorito mimado* de Iriarte y *El sí de las niñas* de Moratín. Agustín del Saz, en la *Historia general de las literaturas hispánicas*, dirigida por Guillermo Díaz Plaja, ve en *El señorito* y *La señorita* de

---

[63] Mariano José de Larra, en su reseña del *Discurso sobre el influjo que ha tenido la crítica moderna en la decadencia del teatro antiguo español* (1828), de Agustín Durán, en *Artículos completos*, ed. Melchor de Almagro San Martín, Madrid, Aguilar, 1944, p. 731. (Durán no menciona el teatro de Iriarte en su *Discurso*.)

[64] Marcelino Menéndez Pelayo, *Historia de las ideas estéticas en España*, Santander, 1947, t. III, p. 300.

[65] Pellissier, *The neo-classic movement in Spain during the XVIII century*, Stanford, 1918, p. 115.

Iriarte "dos comedias que son el precedente de las moratinianas".[66] Ángel del Río comenta así la aportación de
Iriarte a la comedia: "En la historia del teatro neoclásico
ocupa un puesto de significación histórica por sus comedias...
no sin interés ni mérito. Son antecedente del teatro de costumbres que perfeccionó Moratín hijo".[67] Ruiz Ramón
escribe: "De destacar, como antecedente más inmediato
de la comedia moratiniana, son las piezas teatrales del
famoso fabulista Tomás de Iriarte".[68] Y en 1972, aludiendo
a la deuda de Moratín con Iriarte, Alborg dice: "Tomás
de Iriarte había intentado españolizar la comedia clásica
con obras merecedoras de una estima muy superior a la
que se le [sic] viene concediendo... Por este camino tenía
que seguirle Moratín".[69]

En fin, tanto por las fuentes estudiadas en el capítulo
anterior, como por las opiniones críticas examinadas en
el presente, es posible afirmar que Iriarte, y no Moratín,
es el primer "Molière español", para recurrir a un epíteto
que los críticos de otra época aplicaban a éste y que aunque
en realidad poco exacto, no carece enteramente de valor
calificativo. (Moratín, igual que su predecesor, se inspiraría
lo mismo en las comedias de Molière que en los modelos
nacionales, literarios y vivos.) Éste no es el mejor lugar
para estudiar las fuentes de Moratín; mas, en vista de las
opiniones que acabamos de citar, puede resultar útil explicar brevemente de qué modo se relaciona el teatro moratiniano con el iriartiano. Andioc señala un buen ejemplo:
"D. Mariano —fort proche du D. Claudio de *La mojigata*
[1791; 1804] mais que Moratín ne prit pas nécessairement

---

[66] *Historia general de las literaturas hispánicas*, t. IV, p^te 1.ª, Barcelona,
1956, p. 139.
[67] Del Río, *Historia de la literatura española*, ed. revisada, Nueva York,
1963, t. II, p. 48.
[68] Francisco Ruiz Ramón, *Historia del teatro español* (1.ª ed., 1967),
2.ª ed. Madrid, 1971, t. I, p. 352.
[69] Alborg, op. cit., t. III, p. 637. Véanse también las pp. 633-636. La proli-
jidad tan característica de Alborg tiene a veces la virtud de que trate con extensión adecuada de obras que otros historiadores despachan con meras
menciones. Mas, pese a los alardes de novedad tan frecuentes en su tomo III,
Alborg no dice nada nuevo sobre el teatro de Iriarte, y resulta evidente que
ni siquiera conoce los textos de las comedias iriartianas, pues se guía a cada
paso por los datos, los resúmenes y las opiniones de Cotarelo.

pour modèle car ce type d'adolescent était répandu— se
comporte de manière identique" (535). El tipo esparcido
al que alude Andioc ya lo hemos visto copiado de la realidad dieciochesca en el mal educado joven andaluz que
Cadalso nos muestra en la VII de sus *Cartas marruecas;*
lo hemos visto también en don Mariano, el señorito mimado, que Iriarte, inspirado quizá en parte en Cadalso,
copió en conjunto, sin embargo, de la misma realidad;
y de ésta también copiaría Moratín principalmente el carácter de don Claudio. Es análoga la relación entre el
marqués de Fontecalda y el también falso noble y estafador
barón de Montepino en la comedia *El barón* (1787; revi-
sado, 1803) de Moratín: Una vez más se trata, no tanto
de influencias literarias directas, como de costumbres humanas copiadas de la misma realidad inmediata; pues
Cadalso en las *Cartas marruecas,* Clavijo en *El pensador
matritense* y otros ensayistas dieciochescos también hablan
de la decadencia e inutilidad de los nobles hereditarios.

Quiere decirse que en conjunto lo que Moratín encontró
en Iriarte no fueron modelos para personajes concretos,
sino ejemplos de cómo se había de utilizar el procedimiento
de partir de la observación minuciosa de tipos reales representativos de la nueva burguesía dieciochesca, para
crear unas nuevas comedias de costumbres diferentes por
su enfoque de la comedia de carácter o figurón, que había
sido la forma más característica del teatro cómico grecolatino y del de Alarcón y Molière. A partir de Iriarte, el
comediógrafo seguiría todavía el consejo de Horacio: "El
sabio imitador con gran desvelo/ha de atender, si observa
mi mandato,/a la naturaleza, que el modelo/es de la humana vida y moral trato;/de cuyo original salga una copia/
con la expresión más verdadera y propia" *(Respicere
exemplar vitae, morumque jubebo/Doctum imitatorem, et
veras hinc ducere voces)* —según nuestro poeta traduce al
latino *(Obras,* 1805, IV, 44)—, pero no ya para escribir
comedias centradas en avaros, hipócritas, mentirosos, mi-
sántropos, etc. que fuesen personajes más o menos gené-
ricos y así meras personificaciones de conceptos eternos y
universales sobre el trato humano, sino para criticar unos

abusos sociales que se daban en ciertos tipos concretos representativos de un momento histórico y un lugar concretos. En fin, en *El señorito mimado* y *La señorita malcriada*, Iriarte se anticipó a la técnica moratiniana de *El sí de las niñas*, por lo cual también podrían aplicarse a cualquiera de aquellas dos comedias las palabras siguientes de Larra sobre la obra maestra de Inarco: "no es una de aquellas comedias de carácter, destinada, como *El avaro* o *El hipócrita*, a presentar eternamente al hombre de todos los tiempos y países un espejo en que vea y reconozca su extravío o su ridícula pasión; es una verdadera comedia de época, en una palabra, de circunstancias enteramente locales, destinada a servir de documento histórico o de modelo literario" *(Artículos*, ed. cit., 384). Comentando este mismo aspecto de la nueva comedia iriartiana, Menéndez Pelayo escribe: "Cuando abre uno el teatro de D. Tomás de Iriarte y tropieza con sus bien arregladas y bien escritas comedias *El señorito mimado* y *La señorita malcriada*... es la comedia de Molière, cayendo en manos mejor intencionadas y más *burguesas*".[70] Se verá la importancia de lo burgués en las comedias de Iriarte cuando hablemos de su realismo en los capítulos VI y VII.

¿Cómo han podido quedar en tal abandono unas comedias de tanta importancia histórica y artística? Al intentar contestar esta pregunta, hace falta tener en cuenta el hecho de que otros historiadores, lejos de expresar un juicio sobre el teatro iriartiano, ni aun recuerdan que el escritor canario cultivara el drama cómico: tales son, por ejemplo, Friedrich Bouterwek, en su *Geschichte der spanischen Poesie und Beredsamkeit* de 1804, Léonard Simonde de Sismondi, en su *De la littérature du midi de l'Europe* de 1813, Agustín Durán en su ya mencionado *Discurso* de 1828, Antonio Cánovas del Castillo en su *El teatro español* (Colección "Oro viejo y oro nuevo", IX, Madrid, s. a.), etc. Valbuena Prat, en las páginas dedicadas a Moratín en su *Historia de la literatura española* (primera edición 1937), alude a

---

[70] Marcelino Menéndez Pelayo, *Martínez de la Rosa. Estudio biográfico*, Colección Personajes Ilustres, núm. 10, Madrid, La España Moderna, s. a., p. 33. El subrayado es mío.

El señorito mimado y *La señorita malcriada* llamándolos "tibios ensayos",[71] pero ni aun los menciona en las páginas que en el mismo libro dedica a Iriarte. En su *Literatura dramática española* (1930), Valbuena cita cinco palabras de Menéndez Pelayo sobre las comedias de Iriarte,[72] pero —cosa sorprendente— en su *Historia del teatro español* de 1956, ni siquiera menciona tales obras. En algunos manuales como los de Cejador y González Palencia no se encuentran sino menciones tan escuetas, que no es posible formarse por ellas ninguna impresión concreta sobre el teatro iriartiano. Y otros autores de manuales, aun cuando aludan al papel de Iriarte en el desarrollo de la comedia moderna, a la calidad artística de su teatro, o a su interés temático, incluyen también alguna observación despectiva completamente contradictoria que de haber sido intencional no podría haber sido de tipo más idóneo para desanimar a lectores curiosos. Así Fitzmaurice Kelly: "Iriarte no sin fundamento estaba orgulloso de sus comedias *El señorito mimado* y *La señorita malcriada;* sin embargo, nadie se acuerda ya del consentido señorito ni de la joven mal educada".[73] Así Manuel de Montoliú: "Los tres ensayos dramáticos de Iriarte, *El señorito mimado, La señorita malcriada* y *El don de gentes,* son piezas de poca importancia consideradas en sí mismas, pero constituyen dentro de la corriente del prosaísmo [¿realismo?] aplicado al teatro un precedente de la manera dramática de Moratín".[74] Y así también Nigel Glendinning: "Iriarte's plays are all interesting thematically, but hardly broke new ground from the dramatic point of view".[75] ¿Quién se animaría a leer las comedias de Iriarte consultando tales manuales?

Mas aun esos historiadores que señalan el papel del teatro iriartiano en la evolución de la comedia han contribuido

[71] Valbuena Prat, *Historia,* ed. cit., t. III, p. 93.

[72] Valbuena Prat, *Literatura dramática española* (1.ª ed. 1930), 2.ª ed., Barcelona, 1950, p. 288.

[73] James Fitzmaurice Kelly, *Historia de la literatura española,* Madrid, 1926, p. 311.

[74] Montoliú, *Manual de la historia de la literatura castellana,* Barcelona, 1947, p. 801.

[75] Glendinning, *The eighteenth century* (t. IV de *A literary history of Spain),* Londres, 1972, p. 111.

en cierto modo a anublar nuestras impresiones sobre obras como *El señorito mimado* y *La señorita malcriada;* porque tantos juicios que apenas difieren en nada entre sí y que en la mayoría de los casos se expresan con excesiva brevedad, no han hecho nada para individualizar la comedia iriartiana para el estudioso. A esto hay que añadir la pobreza conceptual de las valoraciones de quienes se aventuran a decir algo sobre la técnica de *El señorito mimado* y *La señorita malcriada.* En las páginas de García de Arrieta, Alcalá Galiano, Ticknor, Sainz de Robles, Cook, etc. se nos dice, siempre sin verdadero análisis ni ejemplos textuales que una de las dos comedias es inferior o superior a la otra por la parte de la invención y la intriga; que los personajes de ésta están hábilmente definidos, que la otra sin llegar a una auténtica *vis cómica*, tampoco está desprovista de una placentera gracia y humorismo; que las unidades están bien conducidas en ambas; que el estilo de ambas es fácil, natural y puro, etc. En fin, se trata de juicios que, por muy certeros que sean, también podrían ser referidos por su carácter general a otras muchas obras de la misma escuela dramática.

Lo más probable es que ciertos factores de índole política también contribuyeran a la desaparición de las comedias de Iriarte del cartel. Hacia 1805, en la *Noticia* sobre Iriarte escrita para ser incorporada a la edición de las *Obras* impresa en ese año, Pignatelli comenta la entonces perenne popularidad de "la comedia del *Señorito mimado*" con los espectadores: "fue recibida del público con gusto [1788] y ha continuado siempre en representarse con aplauso" (243). Siguió poniéndose esta comedia de vez en cuando entre 1805 y 1811; y se repuso por cuatro días en 1822,[76] merced en parte sin duda al ambiente liberal del "trienio constitucional" de 1820-1823, durante el cual también se volvió a poner *La mojigata* de Moratín, que la Inquisición había prohibido en el decenio anterior. Ello es que las comedias de Iriarte parecen haber corrido la misma suerte que *La mojigata* y *El sí de las niñas*, que, según Larra, se

---

[76] Cook, op. cit., p. 255.

pusieron en olvido por algunos años debido a "la censura parcial y opresora con que un partido caviloso y débil ha tenido en nuestros tiempos cerradas las puertas del saber". *La mojigata* llegó a ser casi desconocida por "la crasa ignorancia que la envolvió por tantos años en la ruina de una causa momentáneamente caída. —Y Fígaro continúa preguntando—: ¿Tan hipócrita es el partido que tiene por enseña el fanatismo, que se creyó atacado en *La mojigata?*" Refiriéndose al reestreno de *El sí de las niñas*, Larra escribe: "hemos reverdecido con nuestras lágrimas los laureles de Moratín, que habían querido secar y marchitar la ignorancia y la opresión" *(Artículos*, ed. cit., 381, 386).

Ahora bien, René Andioc, al hablar de la severa censura eclesiástica y política que sobre todo en el segundo decenio del xix perseguía las comedias moratinianas, introduce también el ejemplo del teatro de Iriarte: A diferencia de las comedias de magia y otras formas del gusto del vulgo, que producían "un salutaire abrutissement" —dice—, "*El viejo y la niña*, ou *El sí de las niñas*, ou bien encore *El señorito mimado*, invitaient au contraire à la réflexion" (607) cosa peligrosa para "el partido que tiene por enseña el fanatismo". Conocida también es la enorme popularidad durante la invasión napoleónica y los primeros años de la restauración borbónica, de la tragedia patriótica de tipo quintaniano, a la que otras formas antes populares cedieron las tablas por algunos años. El hecho de que las piezas de Iriarte se repusieran durante el "trienio constitucional", como las de Moratín, pero que a diferencia de éstas, no se volvieran a poner en 1834, después de la muerte del rey absoluto, cuando Larra hizo las reseñas ya citadas, se deberá quizá sólo a la decisión arbitraria de un empresario.

VI.   EL PERSONAJE Y SU MEDIO EN "EL SEÑORITO MIMADO"
      Y "LA SEÑORITA MALCRIADA"

Debido a su tesis común, de que la mala educación echa a perder a los jóvenes, debido a títulos tan semejantes y a alguna otra semejanza, *El señorito mimado* y *La señorita malcriada* solían con cierta injusticia mirarse como obras gemelas, o como si la segunda no fuese más que una extensión o adaptación de la primera. Alcalá Galiano fue el primero en advertir que no meramente por ser la segunda iba la *Señorita* a ser inferior al *Señorito* y que en algunos aspectos es, en efecto, superior a éste (op. cit., 260-261). Quiere decirse que cada una de estas comedias tiene ciertas características y atractivos propios que la distinguen de la otra —su argumento, sus caracteres y temas secundarios, etcétera—; hecho artístico importante que yo no quisiera obscurecer hablando juntamente de las dos. Y sin embargo, las principales técnicas de ambas —las únicas que cabe analizar aquí— son tan semejantes, que resulta más iluminativo estudiar las dos obras juntas.

Ya he citado la observación de Menéndez Pelayo, de que las obras editadas aquí son una nueva interpretación de la comedia clásica debida a "manos burguesas". También he dicho que las palabras de Larra sobre la comedia moratiniana pueden con igual razón aplicarse a la iriartiana, porque ésta aun antes que aquélla se concibe como "una verdadera comedia de época, en una palabra, de circunstancias enteramente locales". Es decir, que no se entenderían las comedias de Iriarte sino interpretándolas en términos del contexto vital en que se inspiraron. Mas una cosa aun más *de época*, aun más dieciochesca, es el hecho de que tampoco se entiende a los personajes principales del teatro iriartiano sino examinándolos en términos de *su* contexto vital, o sea las circunstancias que han influido de modo inmediato en la formación del carácter de cada uno de ellos. El primer escritor español del setecientos en haber enfocado a su personaje como resultado de las circunstancias físico-humanas que la suerte le deparó fue Isla, quien recibió la influencia de la teoría determinista implícita en la filosofía sensualista de Locke, según he demostrado en la Introducción a mi edición del *Fray Gerundio*. Es sintomático el interés de Moratín por la novela de Isla, para la que escribió un prólogo;[77] pues, por ejemplo, en *La mojigata*,

[77] Véase en Moratín, *Obras póstumas*, Madrid, 1867-1868, t. III, pp. 200-210.

sobre la que tengo bosquejado un estudio, se nos presenta la detallada "historia clínica" de la formación de una hipócrita por la influencia del medio en que se mueve (cosa muy diferente del abstracto símbolo moral que tenemos en el personaje Tartuffe de Molière). Parece igualmente sintomático el que el antecesor de Moratín en la nueva "comedia de circunstancias locales" también se hubiese interesado en su día por la que Isla llama la "circunstanciada historia" de fray Gerundio (ed. cit., III, 91): Ya hemos visto un reflejo de este interés en las alusiones iriartianas a los sermones del célebre predicadorcillo; y el haber llamado Iriarte Pedro Fernández a un personaje suyo también puede indicar que pensaba en las obras de Isla, según queda dicho. En todo caso, Iriarte, antes que Moratín, "documenta" minuciosamente las circunstancias ambientales que han pesado sobre la evolución psicológica de sus protagonistas.

Mariano, igual que fray Gerundio, es un alma en blanco, tabla rasa en la que fácilmente se trazará la imagen de cualquier persona, costumbre o suceso con el que tenga contacto; los personajes de Isla e Iriarte son, como el pícaro clásico, personajes casi desprovistos de voluntad —por lo menos para cualquier cosa buena—, juguetes del destino, pero con la importante diferencia de que su "destino" no radica ya en el nexo de conceptos morales y metafísicos contrarreformistas más o menos abstractos que componían el del pícaro, sino que consiste en la suma de las impresiones casi imborrables que su medio humano y físico estampa directamente en sus almas.

Todas las circunstancias de Mariano —su edad, el ser huérfano de padre, el carácter de su madre, la ausencia de su tío, los malos maestros, los malos compañeros, el ser naturalmente dócil, etc.— se combinan para echarle a perder. Cuando "aun no tenía cuatro años/ese chico", su tío, a quien su difunto padre había encomendado su educación nombrándole tutor suyo, partió a desempeñar un cargo de gobernador en Indias; y la ausencia del tutor que no se creía durase más de cinco años se fue prolongando hasta "quince largos", durante los que se substituyó en la madre la tutoría (vv. 57-76). Doña Dominga, que contempla a su hijo en todo, buscó otro ayo y otros maestros para reemplazar a los "hábiles", "severos", y "formales" que el primer tutor había traído, y dio con unos "descuidados,/o necios, o aduladores/que la estaban engañando"; y al chico tales preceptores le dejaron "temoso, afeminado,/superficial, insolente,/enemigo del trabajo;/incapaz de sujetarse/a seguir por ningún ramo/una carrera decente" (vv. 81-121, 237-268). No solamente no aprende nada de latín, francés, equitación, baile, música, esgrima, dibujo, ni "otros estudios abstractos" en que se le intenta instruir (vv. 89, 92, 280-282, 294-302); sino que en la centuria en que toda suerte de escritores desde Feijoo en su *Teatro* hasta Cadalso en su *Noches lúgubres* han insistido en lo infundado de tan vulgares supersticiones (el mismo tío de Mariano pregunta: "¿En qué siglo estamos?"), nuestro señorito sigue creyendo en los duendes y la alquimia (vv. 375-376, 440-445). Tan mal formado por la perjudicial atmósfera de que su madre medio tonta y mimadora le ha rodeado en casa, es natural que Mariano empiece también "desde muy temprano" a regirse por un círculo creciente de influencias aun más nocivas: unos "amigotes" que le habitúan "a frecuentar las insignes/aulas de Cupido y Baco,/cafees, mesas de trucos,/nobles garitos, fandangos/de candil y otras tertulias/perfumadas del cigarro", así como "el trato/de la célebre señora/doña Mónica de Castro,/en cuya mansión se pasan/los más divertidos ratos" (vv. 313-337).

Desde este momento, a través de toda la obra, se le recuerda al lector, con una serie de alusiones muy claras, que el carácter de Mariano obedece a su "mala educación", o sea a la totalidad de las influencias ambientales que han venido a dejar su impronta en él. Don Alfonso, padre de Flora, no había sospechado que tan noble joven "anduviese distraído,/*cercado* de amigos falsos,/de locos, de estafadores" (vv. 647-649; el subrayado es mío); y el mismo Mariano confiesa que "Me va muy bien con la gente/del bronce" (vv. 895-896). El tío, refiriéndose a la influencia de Mónica y quienes frecuentan la casa de ésta, dice en sentido irónico: "Su casa es famosa escuela/de la mocedad" (vv. 1500-1501).

Mariano, hablando con don Cristóbal, explica cómo llegó a firmar contrato matrimonial con Mónica: "Fue después de una merienda/espléndida. Los amigos/que alborotaban la mesa,/me levantaron de cascos/... si usted, tío mío,/... se viera/como yo, metido en broma/y aturdida la cabeza/con los brindis, echaría/ —no digo una firma— treinta" (vv. 1882-1910). No es así Mariano, sino los circunstantes —el medio de Mariano— quienes firman el contrato.

Creyendo doña Dominga que se remediará todo con tal que la justicia venga por Mónica, se reitera, en sus palabras, aunque desde otro punto de vista, la idea de que son las todopoderosas circunstancias las que han determinado los actos de Mariano: "No tendría ya Mariano/malas compañías, juego,/deudas, ni otros lastimosos/peligros en que hoy le veo" (vv. 2901-2904). Flora ve en su novio "un mozo acostumbrado/al trato libre y grosero/de gente indigna" (vv. 2909-2911). Con alguna de las referencias a la relación causativa entre el medio de Mariano y sus actos, casi se insinúa que se trata de una determinación irreversible de su carácter. "Cuando el árbol/es tierno —comenta don Cristóbal expresándose en refranes—, se le endereza./Al enhornar se hacen tuertos/los panes. Vasija nueva/conserva *siempre* el olor/de lo que se ha echado en ella" (vv. 1951-1956; el subrayado es mío). Este último refrán referido a Mariano trae a la memoria un verso de *Le joueur* de Regnard, en el que se alude al destino del protagonista de esta obra: "Et quiconque a joué, toujours joue, et jouera" (acto V, escena I).

Las palabras más frecuentemente usadas por Isla para describir el carácter de fray Gerundio son *dócil* y sus sinónimos, y en virtud de su docilidad el predicador es cada vez más inexorablemente regido por su medio poco propicio. Semejante disposición neutra permite que las circunstancias de Mariano le influencien de modo idéntico. Entre los apuntes del *Plan* de *El señorito mimado*, Iriarte anota que Mariano es "dócil en dejarse engañar de cualquier embustero" (BN MS 7992/8), y se confirma tal docilidad en la misma obra cuando la simplona de doña Dominga excusa el comportamiento de Mariano en cierta ocasión porque "como criatura y dócil,/incurrió en una flaqueza/perdonable" (vv. 2011-2013). La prueba de que el esquema de tipo determinista usado en la explicación de la conducta de Mariano es intencional en Iriarte se halla entre los mismos apuntes: "Lo que se imprime en la tierna edad, dura *siempre*" (BN MS 7922/12; el subrayado es mío). Bien es verdad que tanto en el borrador como en el texto definitivo, don Cristóbal expresa la esperanza de que aislando a su sobrino de ciertas influencias sea posible reformarle; mas teniendo en cuenta el sesgo que su medio ha dado a su carácter, cabe preguntar si Mariano no daría, en cualquier ciudad o provincia, con otros influjos iguales. Flora, que le rechaza, cree al parecer que así sucedería.

Tal patrón determinista se repite, en *La señorita malcriada*, en el carácter de Pepita. La primera circunstancia que puede haber contribuido a la determinación de la disposición voluntariosa de Pepita es el carácter de su difunta madre, que sobresalió "en lo seria,/en lo encogida, celosa/y amiga de tomar cuentas/que fue" (vv. 2478-2481). No sabemos qué edad tendría Pepita al morírsele tan antipática progenitora, pero cabe imaginarse a chica tan briosa como ella rebelándose ya en sus años más tiernos contra tan irascible inquisidora, afirmándose en su impetuosidad con cada acto de rebelión. Luego en años posteriores le falta de tal madre (recuérdese la ausencia del padre de Mariano) permite que Pepita dé rienda suelta a sus inclinaciones; e —"Hija de padre por fin" (v. 739)— la graciosa joven entre petimetra y maja se adapta a maravilla al "Buen humor y buena vida" (v. 187) de su padre juerguista y despreocupado. Éste la anima a seguir la moda de la regocijada y libre sociedad madrileña de su tiempo, actuando en las funciones teatrales que se organizan en las casas elegantes y participando en cualquier otra diversión que le llame la atención. "Que Pepita se divierta/—dice— cuanto la diere la gana;/que baile, que represente,/que juegue, que entre y que salga;/que aprenda trato de mundo/en una tertulia diaria,/y se porte como todas/las que en Madrid hacen raya" (vv. 261-268). He aquí que Pepita se va a moldear por cuanto ve en torno suyo, y a la vez se revela en estos versos el procedimiento más importante que Iriarte usa al crear sus personajes: Se basa cada uno de éstos en la reunión de muchos datos de observación sobre diferentes individuos reales que pertenecen a la misma especie —"y se porte como todas/las que en Madrid hacen raya". Técnica realista tan moderna (todavía hoy vigente) proviene en un principio de la aplicación en el XVIII del llamado procedimiento de la "imitación de lo universal", de derivación aristotélica, a la nueva novela y comedia de costumbres, así como a la recreación en éstas de realidades, no ya fantásticas, sino concretas, cotidianas; todo ello influido a la vez por la epistemología sensualista, o de observación, según he demostrado en el ya citado estudio sobre el *Fray Gerundio*.

Por algunos pasajes de *El señorito mimado* que he dado arriba y por otros que el lector verá en el texto, resulta evidente que para el carácter de Mariano Iriarte ha observado del mismo modo a muchos jugadores reales en los garitos "perfumados del cigarro"; pero tal señorito ofrece la particularidad de ilustrar a la vez la transición entre la manera antigua de "imitar lo universal" y la nueva; pues en sus apuntes, Iriarte dice: "En el carácter del hijo [de doña Dominga] entran todos los vicios que hay esparcidos en caracteres de varias comedias, cuales son los del jugador [¿*Le joueur* de Regnard?], del malgastador [¿*Le dissipateur* de Destouches*?], del supersticioso, ignorante y preocupado, cobarde, etc." (BN MS 7922/12). Es que antes del setecientos, al crear un nuevo personaje, el escritor solía buscar sus modelos principalmente en los habitantes ficticios de epopeyas, tragedias, comedias o novelas anteriores. La "imitación de lo universal" en aquel tiempo no significaba las más veces sino la reunión de lo más utilizable que se hallase esparcido en diversos libros, salvo en el de la Naturaleza. Por ejemplo, en 1602, Luis Alfonso de Carballo escribe: "Y cuando supiere el poeta la cosa que ha de describir, para que salga la descripción perfecta enterarse ha muy bien de lo que ha de describir y representarlo ha en su fantasía como si con los ojos lo hubiera visto, y luego conforme la figura que dello ha concebido lo irá diciendo

por las más propias palabras que hallare".[78] El escritor
había de describir el objeto de la imitación *"como si* con
los ojos lo hubiera visto" —es decir, sin embargo, *no* ha-
biéndolo visto necesariamente. De ahí que la literatura
anterior al primer gran siglo de la observación —el xviii—
fuese en conjunto una literatura de convención.

En cambio, la influencia del medio real ("local", según
la palabra de Larra) sobre Pepita se explica así: Don Eugenio opina "que en ella/no son nativas las faltas,/que todas
son *adquiridas*/y ya casi *involuntarias;*/y que caprichos,
errores,/vivezas, extravagancias/*por hábito se contraen,*/no
por índole viciada" (vv. 539-546; los subrayados son míos).
Si la docilidad de Mariano es lo que le lleva a copiar los
malos modelos de que siempre se halla rodeado, el "corazón benigno" (v. 549) de Pepita parece ser el que le permite fiarse de todos los que quieren influirla para mal.
Se nos recuerda que tales influjos son los decisivos cuando
Pepita repite dócilmente una de las lecciones que le ha dado
Ambrosia, su maestra en lo que entonces se llamaba *marcialidad:* "Yo tendré mis tertulianos./Entre ellos no es
regular/me falten aficionados;/y tomaré mis medidas/para
no descontentarlos./Manejándonos con maña,/... a los que
a solas/trate con más agasajo,/pondré en público mal gesto;/
y también será del caso/reñirles... y aun hacer que me
reconvengan/sobre lo mal que los trato" (vv. 3162-3178).

René Andioc fue el primero en llamar la atención sobre
la *marcialidad* de la figura de Pepita (op. cit., 534-535),
según se define esta cualidad en la *Óptica del cortejo* (1774)
de Manuel Antonio Ramírez y Góngora; mas el distinguido
hispanista francés, que habla de Iriarte sólo por incidencia,
no ha señalado todos los paralelos que existen entre dicho
concepto y el carácter de la libre y mal educada hija de don
Gonzalo. De la larga definición puesta en boca de cierta
"ninfa", personaje de dicha obra de Ramírez y Góngora,
entresaco tan sólo los detalles que se reflejan más claramente en la personalidad de Pepita: "Marcialidad es hablar

---

[78] Carballo, *Cisne de Apolo*, ed. Alberto Porqueras Mayo, Madrid, 1958,
t. II, pp. 72-73.

con desenfado, tratar a todos con libertad y desechar los melindres de lo honesto... tratamos gentes y nos comerciamos con frecuencia y marcialidad, conocemos los ardides de los hombres, y aun en tal disposición los barajamos, que aun ellos no se entienden con nosotras... la marcialidad (basa fundamental de la majeza) es hacer cada una lo que le acomoda, vivimos conforme nuestra voluntad... motéjannos algunos hipocritones necios de resueltas, descaradas e hijas de una mala educación, porque hablamos con despejo en las visitas, tratamos con farsantes en los estrados y defendemos los ajamientos".[79] No solamente parecen estar anticipados en estas líneas el carácter, la educación y las costumbres de Pepita, sino que en las últimas citadas incluso parecen estar previstos otros personajes de *La señorita malcriada*, como don Eugenio y doña Clara ("hipocritones") y el marqués (un "farsante" frecuentador de "estrados"), así como ciertas situaciones de la comedia iriartiana. La *Óptica del cortejo* podría haberse estudiado entre las fuentes de *La señorita*, mas su posible interés como tal es lo de menos. La semejanza no deriva principalmente de una deuda directa de la obra de Iriarte con la de Ramírez, sino del hecho de que los trozos citados de ambas se basan en el mismo aspecto de la realidad dieciochesca española; y así más bien que indicio de un enlace literario, tal semejanza es prueba de la historicidad o realismo documental de las costumbres atribuidas a Pepita, así como del ambiente por el que Iriarte nos la muestra rodeada y motivada. El paralelo señalado, en el capítulo IV, entre el protagonista de *El señorito mimado* y el mozalbete descrito en la VII de las *Cartas marruecas*, ambos basados en el mismo aspecto de la realidad, es otro ejemplo del procedimiento iriartiano de documentarse sobre tipos reales como primer paso hacia la creación de los personajes.[80] De ahí la "autenticidad"

---

[79] Cito por la edición de Barcelona de 1790 (en cuya portada se atribuye la *Óptica* a Cadalso), pp. 4-7. O puede consultarse la reimpresión moderna: Madrid, Compañía Iberoamericana de Publicaciones, s. a., pp. 23-26.

[80] Véase José Clavijo y Fajardo, "Vida ociosa de algunos caballeros", *El Pensador Matritense*, Barcelona, s. a. [1762-1767], t. II, pp. 157-182, artículo con el que también se confirma el valor "documental" del personaje Mariano.

de que aparecen revestidos ambos protagonistas y todos esos actos suyos que son producidos por el medio.

Tal "documentación" es imprescindible para la nueva especie de tesis cómica referente a las costumbres de un lugar y momento determinados, mas con ella también gana mucho el interés humano de la comedia: el personaje Pepita, por ejemplo. representa la primera ocasión en que aparece en la literatura española una señorita frívola de gran mundo con todas sus graciosas faltas y el aire seductor de su soberbia y voluntariedad. Parece ya muy decimonónica esta figura, que muy bien podría ser personaje de ciertos cuadros de costumbres de Mesonero y Larra, o de ciertas comedias de Bretón y Adelardo López de Ayala.

La mayoría de los personajes secundarios de *El señorito mimado* y *La señorita malcriada* (don Cristóbal, don Alfonso, don Fausto, doña Flora, doña Clara, don Eugenio, don Basilio, y aun doña Mónica y doña Ambrosia) se relacionan de modo menos evidente con la realidad contemporánea, como por otra parte suele ocurrir con tales personajes, y así ofrecen menos rasgos que los distingan de sus antecedentes literarios, aunque en el caso del tío y tutor de Mariano quedan señalados en el capítulo I ciertos paralelos psicológicos con el propio Iriarte. (El marqués, precisamente por estar basado en la realidad, se parece a sus antecedentes literarios, que tenían la misma intención satírica, como ya hemos visto.) En fin, los personajes secundarios son en conjunto de mucho menos interés para una apreciación de la técnica de Iriarte, que el lenguaje y los detalles descriptivos referentes al medio ambiente que se interpolan en los parlamentos de todos los personajes, así como en las acotaciones; elementos que estudiaremos, después de una ojeada a los dos personajes secundarios —doña Dominga, madre de Mariano, y don Gonzalo, padre de Pepita— que se relacionan de modo más estrecho con los protagonistas y las circunstancias que determinan a éstos.

Iriarte, que estaba muy relacionado con la alta sociedad, tendría muchas oportunidades de conocer y observar a las madres de hijos únicos y mayorazgos mimados. Mas lo

cierto es que se copió directamente de la realidad —de
numerosas madres reales— la figura de doña Dominga,
que Iriarte describe en sus apuntes de manera más completa
que en el reparto impreso al frente de la obra: En el *Plan*
manuscrito, la madre de Mariano aparece descrita como
"contemplativa, bonaza, ignorante y llena de preocupaciones (mujer de unos 36 años)" (BN MS 7922/8). De la descripción impresa han desaparecido los calificativos *ignorante*
y llena de preocupaciones, que, junto con *contemplativa*,
son muy útiles como claves para penetrar el velo de falso
amor materno detrás del cual doña Dominga procura por
instinto autoprotectivo ocultar su egoísmo y veleidad, su
irresponsabilidad como gobernadora de su casa y tutora,
y su falta absoluta de las luces y aun del sentido común
que harían falta para enderezar los pasos de un hijo hacia
el buen éxito. Doña Dominga tiene de la maternidad y sus
obligaciones el mismo concepto que podría tener una niña
consentida de diez años: dulzura, caricias y la satisfacción
inmediata de todos los caprichos del hijo. Doña Dominga
ha llegado a la madurez (física) durante el período de la
Ilustración, pero es un caso único el de la ilustrada joven
del reinado de Carlos III, doña María Isidra Quintina de
Guzmán la Cerda, hija del conde de Oñate, que se doctoró
por la Universidad de Alcalá y fue nombrada socia de la
Real Academia Española a los dieciséis años.

No se había conocido otro período de tanto progreso
científico y filosófico, mas en la mayoría de los hombres,
para no decir nada de las mujeres, la "ilustración" era una
tintura bastante leve, como se ve por *Los eruditos a la*
violeta de Cadalso y las sátiras de Clavijo, Juan Antonio
Mercadal, Beatriz Cienfuegos, Cristóbal Romea y Tapia
y otros costumbristas del setecientos. Concretamente, la
educación de doña Dominga debió de conducirse como la
de cierta dama que escribe al autor de *El Pensador Matri-*
tense: Además del aya, sus padres le habían dado maestros
de baile, música, lengua francesa, etc., pero "todo el mal
procedió de que mis padres me señalaron maestros, no
con el fin, como debían, de darme unos bienes más sólidos,
más dignos y más durables que las riquezas, la calidad y la

hermosura, sino para seguir la moda y hacer vanidad de su opulencia... Nuevos maestros ocupaban las horas de los primeros, y yo seguía consentida en mis necedades... andaba muy derecha, cantaba y bailaba; y en fin... hicieron de mí una muñeca muy linda —según todas decían—, pero con la cabeza de cartón, vacía de sentido y llena de frioleras, embelecos y necedades".[81] Ahora bien, esta clase de educación defectuosa es precisamente la que Iriarte tiene en mente al describir a doña Dominga como "ignorante y llena de preocupaciones", según se desprende de la entonces nueva acepción de *preocupación* (utilizada por Moratín en frases semejantes), de "ofuscación del entendimiento causada por pasión, por error de los sentidos, *por educación o por el ejemplo de aquellos con quienes tratamos*".[82] Quiere decirse que el medio —la moda y las costumbres de la alta burguesía— han determinado también la mentalidad de doña Dominga.

Y en consecuencia, sus intentos de solucionar los problemas causados por su hijo son precisamente los que se esperarían de "una muñeca con la cabeza de cartón"; son nulos. Por las para ella radicales medidas que toma hacia el final de la obra, se ve que su aparente bondad, su pretendida fe en el carácter de su hijo ("en mi chico,/.../no veré, ni creeré/defecto alguno" vv. 545-548) y su pretendida disposición a defenderle contra toda injusticia ("en tocando a mi Mariano/soy una sierpe, una furia" vv. 670-671) tampoco son más que otros conatos de una mujer impráctica, irresponsable y de cabeza vacía, de negar la misma existencia de una situación para ella fea e incómoda y de evitar así la necesidad de ensuciarse las manos buscando el remedio. Típica viuda lela "de mediana edad" (según el reparto), locuaz siempre que hay gente debido sin duda a la falta ya de un compañero constante; la buena señora confía inmediatamente sus más secretos temores a un des-

[81] Clavijo, "Carta de una señora sobre su educación", op. cit., t. I, 172-175.
[82] El subrayado es mío. Véase Federico Ruiz Morcuende, *Vocabulario de D. Leandro Fernández de Moratín*, Madrid, 1945. Martín Alonso, en su *Enciclopedia del idioma*, Madrid, 1958, también fecha esta acepción como del "s. XVIII al XX". Pero la Academia no la recoge hasta muy entrado el siglo XIX.

conocido —el cómplice de Mónica disfrazado como notario—; y reaccionando como niña consentida que cree posible salir de cualquier dificultad con el dinero, se arroja desde el primer momento en brazos del estafador: "Por no verme en tal conflicto,/desde ahora me convengo/a entrar en cualquier ajuste,/y que lo pague el dinero" (vv. 2783-2786). Todo por eludir la necesidad de tomar una postura firme, a pesar de que Mariano ha complicado la vida a toda la familia firmando el contrato matrimonial con la falsa dama doña Mónica.

Pero es que doña Dominga viene contemplando a su hijo en todo desde hace muchos años por evitar, no en una sola ocasión, sino todos los días, las molestas responsabilidades de la maternidad: No le importaba nunca qué maestros tuviese su hijo, qué conocimientos se llevase de sus lecciones, ni qué amistades trabase con tal que no la estorbara. Teniéndole fuera de vista, todas son unas meras "flaquezas perdonables" en que, "como criatura y dócil", no puede menos de "incurrir" (vv. 2011-2013). Porque, en cambio, tenerle delante con todos sus líos es para ella un martirio intolerable, según revela, por ejemplo, con las quejumbrosas palabras que siguen: "No he logrado en todo el día/un instante de sosiego./Rendida estoy... Este niño/tiene a la verdad un genio.../¿Qué se ha de hacer?" (vv. 2715-2719). Una vez más, momentos antes del telón final, al ver cómo todo le ha salido tan mal a su "niño", nuestra pobre mártir se escapa de la realidad al parecer desmayándose, pues "se deja caer en una silla *como* postrada del dolor", según se lee en la acotación correspondiente al verso 3216 (el subrayado es mío).

En el nivel subconsciente, sin embargo, doña Dominga parece percibir en parte la casquivana inconsecuencia y egoísmo de cuanto dice y hace, y como compensación psicológica para justificarse a sus propios ojos, colma a su hijo de palabras cariñosas. Al saber de labios de su cuñado que se ha de castigar a Mariano desterrándole de la Corte, la buena señora increpa así a aquél: "¿Yo vivir sin mi Mariano?/¿Y cómo no te has opuesto,/hermano, a tanto rigor?" (vv. 3055-3057). Pocos momentos después, hablando primero con su cuñado, don Cristóbal, y luego con Mariano, dice en falso tono abnegado: "Yo he de seguir a mi hijo,/ aunque se vaya a un desierto/... Si con mis ruegos/no consigo tu perdón,/bien dirás que no merezco/me llames madre" (vv. 3101-3113); en donde la voz *desierto* vuelve a sugerir la imagen que doña Dominga quisiera tener de sí misma, de sufrida madre martirizada por unas circunstancias injustas. Por otro lado, entre ingenua y egoísta, negando la complejidad de la situación, parece que doña Dominga quiere justificarse al no haber intentado hacer nada decisivo para reformar a su hijo: En las escenas XII a XIV del acto III, en todo caso, sigue afirmando su fe en la eficacia de las soluciones fáciles, reiterando varias veces en esas escenas la idea de que la mera devolución del contrato matrimonial firmado con doña Mónica pondrá orden en todo. La caracterización de doña Dominga constituye, en fin, un maestral retrato psicológico de la inmadurez emocional y la inutilidad para todo lo práctico de muchas mujeres de las clases acomodadas.

Otro clarísimo indicio de la fidelidad de este retrato a la vida es el hecho de que la psicología de doña Dominga parece anunciar en parte la de la también casquivana, locuaz y egoísta viuda y madre que aparece en *El sí de las niñas*, doña Irene, sobre cuyos antecedentes reales existen documentos de los que los críticos no han sacado todo el partido posible para la explicación del arte realista de Moratín: Si bien doña Dominga quiere sacrificar cualquier cantidad de dinero por evitar la incomodidad que le ocasionan los líos en que siempre anda metido su hijo, doña Irene intentará sacrificar a su hija (casándola con un viejo) por conseguir el dinero necesario para evitar las incomodidades de la viudez. Si bien las más veces doña Dominga no se acuerda para nada de su hijo; doña Irene, que antes se quejaba del insomnio, creyendo tener ya asegurado el casamiento de su hija con el viejo acomodado, duerme como un poste mientras gritan ante su puerta y tiran objetos por las ventanas.

Además de su valor intrínseco como retrato de un tipo psicológico todavía universalmente reconocible, el carácter de doña Dominga ofrece el interés de ser una representación de precisamente la misma clase de inepto ser femenino en el que con los años acabaría convirtiéndose Pepita, en *La señorita malcriada*, merced también en su caso a su mala educación; y he aquí el aspecto quizá más curioso de la técnica unitaria que produce la innegable relación de pareja que, pese a todas las diferencias, existe entre las obras editadas aquí: el más importante de los personajes secundarios de cada comedia (la madre en *El señorito mimado* y el padre en *La señorita malcriada*) es la vera efigie de lo que, "por sus pecados", llegará a ser el protagonista de la otra. El propio don Gonzalo se retrata subrayando en su carácter la misma inclinación a los jolgorios y el despilfarro que caracteriza a Mariano: "El mismo soy, a Dios gracias,/hoy que el que era a los veinte años./Hay envidiosos que rabian/de verme siempre de fiesta;/pero de aquí no me sacan/... teniendo renta sobrada/para reírme de todos./... Mira, yo soy un perdido/que en dos días malgastara/mi caudal. Le tengo en manos/del señor [don Eugenio], puesto a ganancias,/y parte liberalmente/conmigo cuantas ventajas/le produce en Cataluña/la fábrica celebrada/de que es dueño.../y tengo mi capital/asegurado" *(Señorita*, vv. 182-191; 591-602); y el hortelano de don Gonzalo dice de él que "anda/divirtió como un mozo" (vv. 154-155). Igual que Mariano, don Gonzalo se dedica con devoción al vicio del juego (v. 234); y no le importa cómo se cuide a su hija y su casa con tal que no se le moleste con los detalles (vv. 393-409); y cuando se quiere hablarle en serio acerca de los desórdenes de su casa, quiere escaparse al monte con su escopeta (vv. 1304-1328). (En estos últimos aspectos se parece también a la escapista doña Dominga.) Aunque doña Ambrosia no es embustera de oficio, vive de los dispendios de don Gonzalo de igual modo que doña Mónica vive de los de Mariano: cada una de estas señoras, debido a la mal considerada generosidad de su vecino, tiene mesa, diversiones y coche gratuitos.

Esta relación de jaranero joven - jaranero viejo que existe entre Mariano y don Gonzalo, por la cual éste nos brinda como una visión anticipada de lo que aquél será, se confirma con unos textos que a la vez revelan el trasfondo real de estos personajes y la faceta autobiográfica del realismo de Iriarte. Ya en el capítulo I he citado unos versos satíricos de la *Epístola* III de Iriarte en los que habla de esas diversiones suyas que han llegado a causarle tedio. Ruego al lector que repase esa cita para la completa comprensión de la comparación que sigue, porque se trata, no sólo de comparar lo que Mariano dice de sus diversiones con lo que don Gonzalo dice de las suyas, sino de establecer el paralelo entre los dos trasuntos literarios, por un lado, y su común antecedente real, por otro, esto es, la descripción autobiográfica en la Epístola III, de 1777. He aquí las palabras de los dos jaraneros, Mariano y don Gonzalo:

MARIANO

No, señor; la libertad.
Por eso, cuando ha dicho algo
mi madre sobre buscarme
destino, se lo he quitado
de la cabeza. La vida
es corta. Se pasa un rato
de paseo, otro de juego;
cuatro amigos, el teatro,
algún baile, la tertulia,
tal cual partida de campo;
y uno gasta alegremente
lo poco que Dios le ha dado.
Ociosidad llaman esto
algunos críticos raros...
pero a los hombres de modo
nunca los prenden por vagos.

Señorito, vv. 855-870)

DON GONZALO

Donde hay gente, allí estoy yo,
clavado como una estaca.
Voy lo mismo a una comedia
que a ver una encorozada.
Viene algún predicador
famoso, no se me escapa.
Que hay ópera nueva, a verla.
Una boda, a presenciarla.
Un gigante, un avechucho,
un monstruo a tanto la entrada,
volatines, nacimientos,
sombras chinas y otras farsas,
el primerito. En el Prado,
mi silla por temporada.
Si hay concurso en el café,
allí fijo como el alba;
y finalmente en la Puerta
del Sol, mi esquina arrendada.
¿Las tertulias? Así, así.
¿Fiestas de campo? Como agua.
¿Academias? Más que hubiera.
¿Conmilitonas? ¡No es nada!
Nunca deshago partido.
Que hay juego, tomo las cartas.
Que van a bailar: minué,
seguidillas, contradanza,
y a poco que me lo rueguen,
bailo también la guaracha.

(*Señorito*, vv. 211-238)

Por la misma forma de estas descripciones (frases cortas, palabras aisladas, etc.) se sugiere que ellas se han trasladado directamente de unos apuntes —ya sea escritos, ya sólo mentales— sobre la vida real. (Prueba de ello es el hecho de que el antecedente autobiográfico en la *Epístola* III también se caracteriza por un estilo sencillo como de lista.) Andioc dice en su libro sobre Moratín (535) que no sabría "apprécier avec assez de précision le degré de réalisme du personnage de D. Gonzalo", pero con un documento como el ya indicado pasaje de la *Epístola* III no queda lugar a duda. Por la extensión de la descripción de don Gonzalo (no citada aquí íntegramente) y por su detallismo, se sugiere el refinamiento que el mozo envejecido ha ido introduciendo en la ciencia de las juergas, y tal descripción de las costumbres de los ociosos acomodados es a la vez uno de los muchos elementos de alta comedia ya casi decimonónica que las dos piezas contienen.

VII. AMBIENTACIÓN REALISTA Y ALTA COMEDIA
      EN EL TEATRO IRIARTIANO

Volviendo nuestra atención a otro aspecto del realismo iriartiano, veamos ahora los curiosos aunque por otra parte pedestres detalles con que el antecesor de Moratín logra esbozar ante los ojos del lector un ambiente físico, humano, económico y social tan nuevo, que todavía a dos siglos de distancia no parece sino de ayer. En la Introducción a mi edición del *Fray Gerundio* de Isla he estudiado la influencia de Locke sobre la descripción detallada y realista en la novela dieciochesca; en el capítulo cuarto de mi libro sobre Cadalso y en mi ensayo sobre la "Enlightenment philosophy and the emergence of spanish romanticism",[83] he demostrado cómo la epistemología sensualista de Locke y Condillac influyó en la poética de abolengo grecorromano restituyendo su carácter empírico u orgánico —de mímesis directa— del que se había privado casi del todo

`` En el libro *The ibero-american enlightenment*, Urbana, 1971, pp. 111-140

Hic licet é Græcè doctus, doctusque Latinè,
    Et Musis carus, Iane Iriarte, jaces;
Librorum Custos, Librorumque optimus Auctor
    (Bibliotheca instar namque loquentis eras)
Cantâsti moriens Linguæ præcepta Latinæ;
    Dulciùs heu! moriens sic quoque cantat Olor.

Don Juan de Iriarte
(Biblioteca Nacional)

Don Domingo de Iriarte
(Biblioteca Nacional)

en el seiscientos bajo la influencia de las filosofías deductivas o idealistas de tipo cartesiano. En su censura de *La señorita malcriada*, Santos Díez González destaca el elemento de realidad observada contenido en esta obra afirmando que "su autor ha estudiado y *observado* con reflexión y juicio verdaderamente *filosófico* las *costumbres* de los hombres, y por eso pinta *vivamente* sus caracteres. Es de alabar su *conocimiento* del lenguaje *payo* o *rústico* y del puro y propio castellano" (Cotarelo, ap., 477; los subrayados son míos). Se trata de un escritor cuyos materiales, en muchos casos, son los datos de la experiencia, según sugiere Díez González utilizando, entre otras voces significativas, varios términos que son frecuentes en la filosofía sensualista.

Ya en el prólogo del *Hacer que hacemos*, Iriarte descubre su adhesión al nuevo empirismo con que en el setecientos se interpreta de modo más fiel la preceptiva de Aristóteles y Horacio: "deben ya los escritores modernos tomar, como algunos de los antiguos, por asunto de sus comedias *caracteres... copiados de los originales que se ven en la vida humana*", y deben "representar las *costumbres* de ella" (5; los subrayados son míos). Subráyense una vez más las palabras *se ven;* y recuérdese, por contraste, el ya citado pasaje del *Cisne de Apolo*, de 1602, según el cual el escritor había de describir el objeto de imitación "*como si* con los ojos lo hubiera visto". De *El señorito mimado* Díez González dice, en su censura, que es un "ejemplo en confirmación de las reglas y preceptos de Horacio".[84] El precepto más importante aludido tanto por Iriarte como por el censor es naturalmente el ya mencionado de Horacio, de "atender... /a la naturaleza, que el modelo/es de la humana vida y moral trato". Pignatelli, íntimo amigo de Iriarte, que conocía sus procedimientos creadores, subraya el mismo elemento de la observación en el arte de las *Fábulas literarias*, esto es, su "gracia y sal adquirida de resultas de mucha y fina observancia [por *observación*], de un gran trato del mundo y de los literatos" (234).

---

[84] En Sempere y Guarinos, op. cit., t. VI, p. 211.

El aspecto más interesante de las *Apuntaciones sueltas*
de Moratín sobre sus viajes de Inglaterra e Italia, por lo
menos para el estudio de la técnica moderna de las comedias realistas de Inarco, es el hábito moratiniano de la observación de lo menudo. Los veintiún trastos usados en Inglaterra para servir el té, los enormes pies de las inglesas;
las batas, las escofietas y los sombreros de las criadas, las
ruinas artificiales erigidas en los jardines de ciertos ingleses
que cultivaban el nuevo gusto romántico por la melancolía,
los números de las habitaciones en que se alojaba ("yo
estuve alojado en el núm. 60"),[85] y otros muchos detalles
están descritos y apuntados en los diarios de sus viajes de
1792 a 1796; lo cual nos permite ver en acción los procedimientos prácticos que han llevado al notable realismo de
las comedias de Moratín y a tantas encantadoras innova-
ciones en los aspectos a primera vista más insignificantes de
la ambientación de la comedia, como, por ejemplo, el
hecho de que *El sí de las niñas* es quizá en toda la historia
del teatro la primera obra en la que sabemos los números
de habitación de los huéspedes de una posada, y también
las señas del domicilio permanente, en Madrid, de algunos
de los personajes: "calle del Lobo [ahora Echegaray], número siete, cuarto segundo" (acto II, escena XIV). De
Iriarte no tenemos diarios como los de Moratín, mas de él
sí existe alguna carta en la que se acusa la mismísima inclinación a observar y apuntar esos pequeños detalles costumbristas sin los que la literatura española (y universal)
de dos siglos a esta parte sería de otro carácter muy diferente. Los trozos siguientes son de una carta de 1781,
dirigida desde el pueblo de Gascueña al marqués de Manca:
"En Aranzueque hay mesón nuevo con buenos cuartos,
pero no que comer... [En la escuela] se bajan los calzones
a los muchachos y se alzan las faldas a las niñas para zu-
rrarlos cada y cuando es menester... El mesonero es viejo,
cojo y horrible. La mesonera morena y hombruna... Hay
en el pueblo más de 60 telares, y en él se teje el paño ordinario que gastan los labradores y el lienzo para sus camisas...

---

[85] Moratín, *Obras póstumas*, t. I, p. 286.

El cura es hombre muy franco, alegre y correntón, y tenemos buenos ratos... Por las noches se junta lo mejorcito del lugar, y hay un mediano bailoteo" (Cotarelo, ap., 467-473).

Merced a la influencia de Locke, un aluvión de estos humildes detalles irrumpe en la descripción novelística con el *Fray Gerundio* (1758) del padre Isla, aunque ya antes se había preparado el camino para ello con la autobiografía novelística (1743) de Torres Villarroel, influida en su detallismo realista por la filosofía de Bacon, según he demostrado en un estudio impreso hace poco. Mas tales detalles descriptivos, que antes del setecientos sólo habían estado presentes en la literatura en número corto, en función de algún sistema moral (en la picaresca, por ejemplo), y sin la nueva "inmediatez" que tienen en el XVIII, tardan algunos años más en manifestarse en el teatro. El teatro clásico español se reputa con razón por mucho más realista que el francés, pero aun así aquél nos brinda una visión muy abstracta de la realidad cotidiana en comparación con la que logramos en la nueva comedia de costumbres que los españoles empiezan a cultivar hacia fines del setecientos. En la comedia del Siglo de Oro se acostumbraba mencionar las ocupaciones y los pertrechos de la existencia diaria con mucho menos frecuencia, y no solían ser menciones de las que podríamos llamar desinteresadas, esto es, que se debieran exclusivamente al interés que esas facetas vulgares de la vida ofrecieran en sí, o al que pudieran tener sólo por existir en el espacio vital en el que se suponía situados los personajes.

En el teatro de Lope, Moreto, Calderón, etc. no se nombran las más veces ni se exhiben quitasoles, calcetines, despabiladeras, manteles, arados, bastidores de bordar, escopetas, periódicos, matasellos, libros de cuentas, calles concretas, etc., a menos que alguna parte de la acción gire en torno de uno de esos objetos, o uno de ellos sea símbolo de algún punto de doctrina. En todo caso, en las obras seiscentistas no acostumbran juntarse gran número de estos detalles prosaicos, como no sea en una de esas deslumbrantes descripciones barrocas en las que de cuando en cuando los dramaturgos aureoseculares intentan emular a Góngora amontonando infinitas pequeñas circunstancias que aun cuando sean de las triviales de todos los días, pierden toda su inmediatez, ya sea por el estilo conceptista con el que se las concadena, ya por las circunlocuciones culteranas con las que se alude a ellas, en vez de nombrarlas: verbigracia, la larga y complicada descripción de una merienda y fiesta en las orillas del Manzanares que se pone en boca de don García, en el acto I de *La verdad sospechosa;* o, en *El burlador de Sevilla,* la descripción que don Juan hace de los pies de la villana Aminta y los zapatos que ésta calzará en sus bodas con él: "Mañana sobre virillas/de tersa plata estrellada/con clavos de oro de Tíbar,/pondrás los hermosos pies,/y en prisión de gargantillas/la alabastrina garganta,/y los dedos en sortijas,/en cuyo engaste parezcan/transparentes perlas finas".[86]

Es en la por otra parte fracasada comedia de *La petimetra* (1762), de Moratín padre, en la que se dan los primeros atisbos de la nueva ambientación "privada y vulgar" de la comedia neoclásica, para usar una forma de adjetivación característica de la crítica de esa época. Voy a dar ahora varios ejemplos tomados de esta comedia, de *El viejo y la niña* de Moratín hijo, y del *Hacer que hacemos* y *El don de gentes* del propio Iriarte; pues tales ejemplos de la nueva tendencia dentro de la que se producen las obras editadas aquí podrán servirnos de guía para el examen de los detalles vulgares en que se apoya la visión realista del mundo que se nos brinda en éstas. En *La petimetra*, una de las hermanas manda que la criada prepare la casa para una visita: "Quita de allí aquella jarra/y eso que emporcó la perra,/llévate ese candelero/y las despabiladeras" *(BAE*, II, 69b). Se hará cada vez más frecuente en el teatro la mención de oficios burgueses. "De mi tío/el catedrático traigo/esta carta, que a vos mismo/dijo que se la entregara" —dice un personaje de *La petimetra* dirigiéndose a otro *(BAE*, II, 79c). Se ve a don Rodrigo, tío de las muchachas, abogado de profesión,

[86] Tirso de Molina, *Comedias*, I, ed. Américo Castro, Clásicos Castellanos, Madrid, 1948, p. 227.

en su despacho consultando sus autoridades jurídicas y preparándose para acudir al tribunal— detalles que ilustran tanto más claramente la nueva orientación realista del teatro cuanto que no se relacionan en manera alguna con la acción de la obra: "Este caso, por vida mía,/—dice don Rodrigo— me ha de perder la cabeza./No le ha habido semejante/en consejos ni en escuelas;/ni el Vinio me da razón,/ni Cujacio, ni Valencia,/ni toda la turbamulta/de los autores que llenan/los estantes de mi estudio;/y quiero ver si en Ortega/que me le dejé olvidado,/hallo algo de esta materia" *(BAE*, II, 71bc).

"La acción es... en el cuarto de don Gil" en el *Hacer que hacemos* del propio Iriarte, y "sale don Gil en bata" (ed. cit., 8, 9). El mismo personaje lleva consigo una "lista de lo que he de hacer"; y también parece de hoy, por su naturalidad vulgar, el siguiente trozo de diálogo entre don Gil y su criado sobre un molesto olvido de aquél: "¡Ir a ver a doña Elvira,/y encontrarme sin tabaco!/¡Que esto a un hombre le suceda!/Infame, dame esa caja.../Cuando salgo, alguna alhaja/siempre en casa se me queda" (18, 53). La manía burocrática u oficinesca del "fingenegocios" don Gil todavía tiene una notable actualidad, por ejemplo, cuando se le oye leer un papel con los cálculos siguientes: "De escribir el memorial/con todos sus requisitos,/cuatro reales de vellón./Al notario don Mauricio,/ocho y seis maravedís./Al relator, ciento y cinco./¿También esto?... Al abogado/por la petición que hizo... /¿Qué dice aquí?... ¿Veinte?... Sí./Más por los gastos precisos/de tinta, papel y plumas/en los dos autos que ha escrito,/lo que el señor don Gil diere" (78).

En *El viejo y la niña* de Leandro Moratín se dan notas caseras como las que hemos visto en la comedia de su padre. "Y si Bigotillos ladra,/ —advierte don Roque hablando con su criado— bajarás al instante" (acto I, escena I). (Nombre de perro tan vulgar y afectuoso hace recordar a la perrita Clú, que en la novela ya muy moderna de Montengón, de los mismos años, saludaba a sus amos "dando saltos, zaradeándose y comiéndoselos a fiestas".)[87] Incluso

[87] Pedro Montengón, *El Eusebio*, Madrid, 1786-1788, t. I, p. 137.

se dedica toda una escena de esta primera comedia moratiniana (acto I, escena VIII) a hablar de la limpieza de la
casa y la necesidad de poner "las cosas/siempre en su
lugar".

Al lado de ejemplos tan vulgares del prosaísmo diario
se empiezan a introducir otros no menos nuevos en el
terreno de las representaciones literarias de la realidad
cotidiana, pero que reflejan el lado más "poético", por
decirlo así, de la vida de todos los días; pues se trata de
detalles menudos referentes a la forma de vida habitual
en la alta burguesía y aristocracia y que así en la historia
del teatro deben reconocerse como los primeros casos del
tipo de ambientación que caracterizaría a la "alta comedia"
ochocentista. El nuevo ambiente comercial del xviii se
refleja en *El viejo y la niña* de Moratín al mencionarse al
"cajero/de monsieur Guillermo", las "cartas de nuestros
amigos/de Hamburgo", y el hecho de que "a las nueve en
punto/en su escritorio" aguarda al viejo don Roque y le
entregará "el dinero/del importe de las granas/el inglés
Anson" (acto I, escena VII). "Vendrá conmigo al estanque/
—insiste un personaje femenino en *El don de gentes*, hablando con su galán—. Yo me muero por la pesca." No
habla una pescadora de las que aparecían a menudo en la
comedia aureosecular, ni se trata de una actividad impuesta
por la necesidad económica (como ya se ve por la forma
coquetona en que se expresa la "viuda moza"), sino de una
de las típicas diversiones de las damas elegantes del xviii,
quienes, influidas por las ideas rousseanianas, se vestían
como campesinas, tejían cestas, ordeñaban vacas e imitaban
en el estilo de sus casas de campo el de las humildes viviendas
de los labradores. "Gutiérrez,/¿están las cañas dispuestas,/y
los anzuelos?" —pregunta el galán al criado. Y se van,
dejando que la otra pareja allí presente "revuelva/los es-
condrijos del puro/amor platónico, mientras/acá pasamos
el tiempo/ —dice alegre la viuda— en pescar lo que se
pueda" *(Obras*, 1805, VIII, 92). El nuevo turismo, estimu-
lado en parte por libros de viaje como los de Antonio Ponz
y sobre el que ya se había hablado en las obras de Cadalso
y otros ensayistas, se refleja ahora en las páginas de Iriarte

en forma más íntima, más directa, en el mismo vivir de uno de los españoles acomodados que podían dedicarse a tan instructivo lujo. El barón de Sotobello, en *El don de gentes*, "sentándose y sacando un libro de memorias, en que va escribiendo con un lápiz" —según reza la acotación realista—, habla así consigo mismo: "Tengo tan mala memoria,/que si no hago apuntamientos,/todas las curio- sidades/de Sevilla me las dejo/por ver. En primer lugar,/la Giralda... el Monumento.../cuadros de Murillo... Alcázar"; y sigue mencionando otros muchos objetos de interés tu- rístico en la Hispalis moderna *(Obras*, 1805, VIII, 164). Parece mentira que página tan "actual" se escribiera hace casi dos siglos.

Se inclina, ya hacia el polo "prosaico", ya hacia el polo "poético" del vivir cotidiano, la visión realista del mundo que se nos concede en *El señorito mimado* y *La señorita malcriada;* y en consecuencia de ello don Tomás de Iriarte es el primer cultivador de la moderna comedia de costum- bres, así como el indispensable precursor de quienes culti- varían la alta comedia en el siglo siguiente. Veamos primero cómo se representa el aspecto "poético" del vivir diario en las dos obras contenidas en este volumen. Las altas finanzas son un tema frecuente de la alta comedia decimonónica: en una obra como el *Muérete y verás* (1837), de Bretón, que representa otra etapa en la evolución hacia la alta comedia, se alude a menudo a lo económico: legados, testamentos, dotes, deudas con usureros, el pago de ciertas misas, la destrucción de la hacienda de don Froilán, etc. En *El tanto por ciento* (1861), de Adelardo López de Ayala, se habla constantemente de acciones, subvenciones, usureros, contratos, pactos de retrovendendo, compras a carta de gracia, la Bolsa, grandes capitales, pagarés y algún que otro déficit, etc.; y un grupo de personas a quienes se suponía honradas intentan enriquecerse aprovechándose de la ban- carrota de un amigo para comprarle a precio ínfimo su última propiedad, cuyo valor se ha de doblar treinta veces cuando con la prolongación del Canal de Castilla sea po- sible regarla. No conozco antecedente más sugerente de temas económicos como el de *El tanto por ciento*, que la

estratagema concebida por el marqués de Fontecalda y doña
Ambrosia, en *La señorita malcriada*, para desacreditar a
don Eugenio a los ojos de don Gonzalo y Pepita fingiendo,
con cartas falsas, que ha quebrado la importante fábrica
barcelonesa de aquél, en la que padre e hija tienen invertido
el grueso de su capital, además de sugerir con las mismas
cartas que el dueño del establecimiento ni aun ha sido bastante leal para informarles puntualmente de tan sensible
ruina. Con tal ocasión también se alude, en la obra de
Iriarte, a la administración de las fábricas, las manufac-
turas, la malversación de sumas enormes, la ruina de los
propietarios, los principales interesados, etc. Al alzarse el
telón para el primer acto de *El señorito mimado*, don Cristóbal revuelve cuentas, inventarios y otros papeles referentes al antes considerable haber de su difunto hermano,
compara los gastos de la viuda con sus rentas, y calcula
en voz alta: "Nueve y seis, quince... dieciocho.../veintisiete...
treinta y cuatro.../llevo tres... y nueve, doce..." (vv. 1-3).
    Suele atribuirse la invención del término *alta comedia*
a George Meredith, en su libro sobre *The idea of comedy*,
de 1877; pero ya lo usa Larra en 1833, en su reseña de *Contigo pan y cebolla*, de Gorostiza, y pocos años después
Alcalá Galiano distingue en las comedias de Iriarte el ambiente social que luego sería típico de ese género cómico.
Refiriéndose primero a *El señorito mimado* y luego en forma
más general a todas las comedias de Iriarte, el crítico decimonónico comenta: "Reina en toda la composición cierto
tono de trato fino y culto... porque se distingue siempre el
autor [Iriarte], cuyos personajes suelen ser lo que en la sociedad los que se distinguen por su educación y noble porte"
(ed. cit., 260). Aunque Mariano estudia en casa con profe-
sores particulares, sus ya mencionados estudios (latín, francés, equitación, baile, música, esgrima, dibujo y "otros estudios abstractos") son precisamente los mismos que los
jóvenes aristocráticos solían cursar en el antiguo Seminario
de Nobles de Madrid, según las *Constituciones* de este centro.[88] Además de las palabras de don Gonzalo sobre sus

[88] Véase Mildred Boyer, "A note on 18th century aristocratic education",
Hispania (EE. UU.), t. XLII (marzo 1959), pp. 71-74.

elegantes diversiones, se habla de "las maneras/de la buena sociedad" y sus sofisticadas distracciones en diálogos entre don Gonzalo y el marqués y entre Pepita y doña Ambrosia (*Señorita*, vv. 1285-1303, 3157-3186). El marqués se llama *Holocosmo Girabundo* ("que se pasea por todo el mundo") entre los Árcades de Roma, con alusión a los extravagantes nombres griegos que los poetas usaban en esa elegante academia fundada con la protección de la reina Cristina de Suecia (v. 2897). Aludiendo a la comedia aureosecular, cuya popularidad estaba ya muy disminuida, sobre todo con las clases cultas y elegantes, Pepita se burla de una grave amonestación de don Eugenio diciendo: "¡Ay, ay! ¡Pobre don Eugenio!/¡Se nos ha vuelto poeta/del siglo pasado! ¡Vaya!/¿Sabremos de qué comedia/se sacó esta relación?" (vv. 1705-1709). En fin, tanto los detalles ambientales de tipo alta comedia como los ya estudiados caracteres representativos de la alta sociedad son realidad, materiales vitales inmediatamente observados en la España setecentista, filtrados a través de la experiencia viva y fina sensibilidad de un frecuentador del gran mundo madrileño.

Las comedias comentadas aquí no son las primeras en presentar esa otra región más humilde o "prosaica" del vivir cotidiano desde un punto de vista más *nuestro* que el de un Alarcón o Tirso, según hemos visto; mas son las dos primeras de valor artístico en haber conseguido la nueva inmediatez en lo prosaico. Lo mismo las acotaciones que las palabras de los personajes, en *El señorito mimado* y *La señorita malcriada*, se saturan de lo vulgar. Se buscaría en vano en las comedias clásicas españolas acotaciones como las que voy a citar ahora, porque en las obras del seiscientos las notas escénicas son escuetísimas y nada descriptivas; y por añadidura, buen número de las pocas que hay se deben, no a los autores de las obras, sino a editores decimonónicos como Hartzenbusch. He aquí varias acotaciones realistas de *El señorito mimado*: "Toca una campanilla, que está sobre la mesa". "Tose y escupe". "Toma el sombrero, la espada y el bastón, que están sobre una silla". "D. Mariano llega vestido en traje de por la mañana, con un bastoncito de petimetre... Viene cantando entre dientes". "D. Mariano, vestido de majo y embozado con un capote a la jerezana" (vv. 168, 236, 692, 818, 2640). Y considérense también varias de *La señorita malcriada*: "Entrega la escopeta al tío Pedro, y a Bartolo dos o tres pajarillos". (Aun cuando sea posible encontrar un arma nombrada en una comedia seiscentista, la nota de los "dos o tres pajarillos" es innegablemente mucho más moderna.) "Sentándose y limpiándose el sudor". "Dejando el quitasol sobre una silla". "D. Carlos, vestido de camino, con botas y un sable o cuchillo de monte" (vv. 173, 175, 449, 3467). La "actualidad" de estas y otras muchas acotaciones iriartianas salta a la vista sin la necesidad de ningún comentario.

De repente, en el setecientos, según observa Jovellanos, las obras literarias "están llenas de descripciones de objetos y acciones naturales y morales que encantan por su verdad".[89] Intentando averiguar la procedencia de una carta que se le entrega en cierto momento de la acción de *La señorita malcriada*, don Gonzalo se fija en que "no tiene marca/del correo en la cubierta" (vv. 1353-1354). Es una nota típica del XVIII el que el trapalón don Tadeo, en *El señorito mimado*, dé sus señas: "Vivo en la calle del Perro/para lo que usted me mande" (vv. 2854-2855); calle auténtica del Madrid antiguo, ahora desaparecida, según se explica en las notas, y cuyo nombre especialmente prosaico parece subrayar la pedestre naturalidad de lo que el personaje hace. También una de las majas de la cuadrilla que viene a bailar en casa de don Gonzalo descubre sus señas al replicar al tío Pedro: "Que nos lo venga a icir/en la calle de la Palma" (vv. 15-16).[90]

Arriba, al hablar de la caracterización de Mariano, he citado unos versos en los que aparecen mencionados cigarros, cafés donde la gente del bronce se reunía en tertulia,

---

[89] Gaspar Melchor de Jovellanos, *Obras*, t. V (*BAE*, LXXXVII), Madrid, 1956, p. 379b.

[90] La literatura como disciplina poco exacta sufre excepciones a todas sus reglas (quizá las proverbiales que comprueban éstas): En *La verdad sospechosa*, que influyó en *El señorito mimado*, Alarcón, que es por otra parte el más *dieciochesco* de los dramaturgos seiscentistas, hace que don García se refiera de pasada al paseo de Atocha (acto II, escena IX). Pero, además de ser rara en el seiscientos la mención de una calle por su nombre, no se trata en Alarcón de una cosa tan prosaica como el dar las señas de la casa en que se vive.

etcétera —motivos que luego serían típicos del cuadro de costumbres, la novela y el teatro decimonónicos. Otro detalle de un realismo inconfundiblemente moderno, no por responder a una idea en realidad nueva, sino por la naturalidad con que se introduce y porque en la literatura anterior no había sido frecuente aludir a un truco como el que Pantoja piensa usar para sonsacar al paje de doña Mónica, o a la bebida concreta con que intenta hacerlo, es el siguiente: "le llevo a beber cerveza./¿Quién no averigua un secreto/a costa de una botella?" (*Señorito*, vv. 2145-2147). Iriarte también alude a la cerveza en su *Epístola jocoseria a la condesa de Benavente*, en un pasaje citado en nuestro capítulo I, pero en los diccionarios de Covarrubias, Franciosini y *Autoridades*, se menciona la cerveza sólo con alusión a países extranjeros; y aunque ya se venía fabricando en Madrid por lo menos desde 1758, ni aun Moratín, en sus comedias realistas, se refiere a la nueva costumbre de beberla; pues en las obras de éste aparece mencionada tan sólo en la traducción del *Hamlet* y en un pasaje de las *Apuntaciones sueltas de Inglaterra*, sobre la vida de los marineros ingleses.

Resulta modernísima y vulgar por lo burguesa la antigua vivienda de doña Ambrosia, en *La señorita malcriada:* "mi esposo/tenía en el cuarto bajo,/como suelen otros muchos/ negociantes, su despacho;/y yo vivía en el piso/principal, sin tener trato/con los que iban a negocios/de comercio" (vv. 3455-3462). La cualidad de realidad observada que esto tiene se revela por la frase "como suelen otros muchos/ne- gociantes". No tan sólo la casa de la nueva burguesía hace su aparición en el teatro, sino que sus más humildes enseres salen ya a primer término. Mandado traer el bastidor de bordar de Pepita, Bartolo no está seguro de reconocer tal mueble y pregunta si es "¿...como aquello en que se pone/la ropa para enjugarla?" (vv. 809-810). Si bien en *La petimetra* y *El viejo y la niña* se limpia la casa, en *La señorita malcriada* se nos ofrece a los ojos una escena igualmente casera; pues —para volver a las acotaciones estampadas al principio de la obra— "la acción empieza por la mañana temprano", esto es, en lo más íntimo del horario de casa, mientras los criados preparan el jardín para una fiesta: "el tío Pedro Fernández va colocando en fila a un lado algunas sillas que le van trayendo... Bartolo en el lado opuesto riega el suelo". Esto lo mismo podría hallarse entre las acotaciones de una obra de nuestra época que entre las de una comedia de hace dos siglos.

El más dieciochesco de los pormenores vulgares quizá sea el de la pérdida u olvido en Madrid de Jazmín, el perrito de Pepita, que tiene "unas lanas/como la seda, una cola/ tan larga, tan enroscada" (vv. 1150-1152). Hemos visto (casi olido) la porquería de la perra en *La petimetra*, hemos oído ladrar a Bigotillos en *El viejo y la niña*, y ya conocemos a la amistosa perrita Clú en la novela *Eusebio*. El amor de Pepita por su Jazminito también refleja el nuevo sentimentalismo dieciochesco ante los animales (¿por qué no ver en esto otra influencia de Rousseau, cuyas ideas penetran profundamente en todos los sectores de la vida setecentista?); y varias alusiones al perrito en dos escenas diferentes ejemplifican de nuevo el interés dieciochesco en todo lo cotidiano; pero lo más curiosamente dieciochesco y moderno de este episodio es el plan de Pepita para recobrar al animalito. "Le haré poner en el *Diario*/—dice— dos veces cada semana" (vv. 1157-1158). No causa sorpresa ver leer el periódico a los personajes de *El tanto por ciento* de Adelardo López de Ayala y otras obras de la segunda mitad del ochocientos. Mas con *La señorita malcriada* se trata quizá de la primerísima ocasión en que el teatro toma en cuenta algo tan vulgar y por ende tan realista y moderno como la lectura de los diarios, sobre todo para un fin tan personal como la localización de un objeto perdido —servicio democrático humanitario que se había inicado sólo treinta años antes con el lanzamiento del primer periódico diario de Madrid, como se explica abajo en nota. Insisto tanto en estos aspectos a primera vista insignificantes; porque justamente sobre la artificiosa combinación de un gran número de tales detalles estriba el nacimiento del realismo moderno; y porque, lamentablemente, los historiadores de la literatura —especialmente los recientes, que han pretendido dar la debida atención al siglo XVIII— siguen mostrándose miopes y tardos de entendederas en cuanto (teoría y práctica) se relaciona con esas nuevas tendencias del proceso creativo que llevan en el setecientos a la primera formación de movimientos y técnicas que muy inexactamente vienen considerándose como invenciones del siglo XIX.

Para pasar a otro aspecto del realismo iriartiano, íntimamente relacionado con los ya comentados, conviene tener presente que nadie menos que Moratín, tan admirado por su manejo del español, señala con admiración por su parte, al hablar del teatro de Iriarte, en el ya citado *Discurso preliminar*, "la facilidad y pureza de su versificación y estilo" (*BAE*, II, 319). Ya en el prólogo al *Hacer que hacemos* Iriarte afirma que la meta del poeta cómico moderno debería ser "una comedia escrita sin afectación de lenguaje" (ed. cit., 4); y en un fragmento de una sátira literaria que al parecer pensaba remitir al concurso académico de 1782, exige que los personajes de la comedia "hablen como la *prosa*" (Cotarelo, ap., 518; el subrayado es mío).[91] Pero lo más interesante del estilo cómico iriartiano es su solidaridad artística con la representación en dos niveles de la realidad de todos los días en *El señorito mimado* y *La señorita malcriada*. El crítico anónimo que reseña esta última en el *Diario de Madrid* para 30 de abril de 1789, observa: "El estilo es sencillo y familiar en los actores[92] principales, y humilde y bajo en los domésticos" (núm. 120, p. 480).[93] Quiere de-

---

[91] Subráyese el hecho de que Iriarte no dice *en* prosa, sino *como* la prosa (pues, con la excepción de *La librería*, compuso todas sus comedias en verso, como lo hizo también Moratín en el caso de tres de sus cinco comedias). De igual modo que el reunir en una sola figura simbólica características recogidas de muchas personas reales dotaba a aquéllas de cierta ejemplaridad o trascendencia cómica, el hacer que tales figuras hablasen en verso parecía revestir sus palabras de una paralela ejemplaridad o trascendencia estilística; pero los poetas neoclásicos se cuidaban mucho de observar en el verso de sus comedias una "ejemplaridad" a tono con su afán realista, pues se limitaban al verso de romance, el más cercano a la prosa por su sencilla rima asonante y por el hecho de que en la prosa castellana se dan naturalmente con gran frecuencia los grupos fónicos de ocho sílabas. Luzán parece haber sido el primer neoclásico en asentar este principio: "Y en cuanto a los versos de romances con asonantes, me parece que son muy proprios de la comedia, por ser muy semejantes a la prosa" (*La poética, o reglas de la poesía en general, y de sus principales especies*, Zaragoza, 1737, p. 381).

[92] Esto es, personajes, porque se trata de una reseña del texto impreso, y no de una representación; pues queda dicho que *La señorita* no se llevó a las tablas hasta 1791.

[93] Diez González, en su *Censura* de *La señorita*, escribe: "Su estilo es fácil,

cirse que cada uno de los dos niveles vitales retratados tiene su voz, su forma expresiva. La reproducción, en boca de los personajes plebeyos, de voces y formas características del pueblo bajo de la provincia de Madrid, tales como *haiga, Madril, hogaño, desplicación, drento, endino, ¿no es verdá usté que...?, su mercé, cuñao, güeno, mormuración, jueran* y tantas otras, así como el mezclarse en el habla más culta del achulado don Mariano vocativos y tratamientos como *seó don Fausto, Florita mía, La Florita*, etc. y el oírse en boca de la señorita malcriada, Pepita, una palabra "de gente ordinaria" (v. 764) como *regana*, además de los pintorescos giros populares que se encuentran a cada paso, junto con alguna acotación como "arrastra lánguidamente las palabras" (*Señorito*, v. 50): todo esto acusa en Iriarte un hábito de observación lingüística igual al de Moratín y quizá bajo ciertos respectos aun más desarrollado que el de éste. Ya Díez González llama la atención sobre la importancia para la comedia iriartiana de la observación y conocimiento directo de lo lingüístico: "Es de alabar su conocimiento del lenguaje payo o rústico y del puro y propio castellano" (*Censura* de *La señorita*, Cotarelo, ap., 477). Alcalá Galiano tiene razón al afirmar que en el teatro iriartiano "los caracteres... son retratos bien hechos de clases de la sociedad de los días del autor" (op. cit., 260); mas la diferencia entre esas clases no resultaría tan viva sin la constante yuxtaposición del lenguaje culto de unos personajes y el plebeyo de otros.

Aunque en sentido general resulta sobradamente evidente la relación entre la observación de lo lingüístico y el realismo, ya de los personajes, ya de su medio, queda algún aspecto de ello que merece comentarse individualmente, como el lazo entre el habla vulgar y la psicología de ciertos personajes. Por ejemplo, Andioc ve así la conexión entre

natural y cual corresponde al diálogo con proporción a la diversidad de los interlocutores" (Cotarelo, apéndices, 476). Un juicio y otro son paráfrasis del antiquísimo precepto según el cual el habla ha de ajustarse a la condición social de cada personaje, el cual Luzán, por ejemplo, expresa así: "Las palabras y sentencias manifiestan las costumbres y genio de cada uno; con que no hay duda que así los pensamientos, como el modo de decirlos, han de responder a las mismas costumbres, y han de ser apropiados a las calidades y circunstancias de la persona" (*Poética*, ed. de 1737, p. 378; ed. de Madrid, s. a. [1789], t. II, p. 199).

el carácter de Mariano y el lenguaje que usa: "Systématiquement insolent et familier, il parle un langage volontiers vulgaire et fait fi de toutes les convenances. Car être *marcial*, c'est en fin de compte prendre le contre-pied de l'éducation imposée par les parents; il s'agit au fond d'un conflit de générations" (op. cit., 535). En el mismo lugar Andioc señala la relación entre la *marcialidad* de Pepita y "son insolence souvent proche du vulgaire". Cook, al hablar del estilo de *El señorito mimado*, dice: "The language of the play... at times descends almost to the level of a *sainete*, especially in the speeches of don Mariano" (op. cit., 253). Recuerde el lector lo dicho en el capítulo IV acerca de la relación entre las comedias de Iriarte y el género sainetesco.

El término *entremés*, ya que no *sainete*, se usó con referencia al teatro de Iriarte ya en la crítica dieciochesca. Analizando *El señorito mimado*, uno de los redactores del *Memorial literario* dice en octubre de 1788: "El asunto de esta comedia ni es encumbrado como muchas de las nuestras, ni es tan bajo como otras que pudieran pasar por *entremeses:* es medio, tomado de la vida civil, propia de las comedias" (266; el subrayado es mío). La insinuación de estas líneas no es que se haya de negar en *El señorito* la influencia de ninguna de las formas teatrales indicadas; la idea del crítico es que como dicha obra representa toda "la vida civil", participando de todos sus segmentos y siendo así una transacción ("medio") entre ellos, es por ende también una transacción entre las diversas formas cómicas con que se han solido escenificar las diversas caras de nuestra existencia. (Es evidente por el comentario citado que el crítico del *Memorial literario* percibió en la técnica de Iriarte la conjunción de lo que aquí hemos llamado la "prosa" y la "poesía" de la vida cotidiana.)

Aunque no en conexión con el autor de las obras estudiadas aquí, la idea de la moderna comedia de costumbres como transacción entre los géneros cómicos popular y culto sigue reiterándose, y ciertas palabras de Ángel del Río habrían podido aplicarse con tanta justicia a Iriarte como a Bretón de los Herreros, quizá con más justicia a aquél que a éste, por cuanto el comediógrafo dieciochesco se

anticipó al decimonónico en el logro artístico descrito por
el hispanista moderno: "Su mayor innovación consiste pro-
bablemente en haber incorporado al teatro personajes, tipos,
prejuicios y pequeños conflictos de la nueva clase media en
un diálogo que reproduce con fidelidad el habla usual de
esa clase. Se aleja por igual tanto del lenguaje, siempre
correcto y clásico de Moratín, como del popularismo vulgar
de Ramón de la Cruz. Crea, pues, Bretón el teatro de costumbres burguesas" (op. cit., II, 138). La originalidad de
Iriarte queda clara cuando se considera que él logró su
forma híbrida "bretoniana" aun antes de lanzarse en su
carrera dramática el gran Moratín (con quien el juicio de
Del Río no resulta enteramente exacto).

La documentación del habla de las clases bajas en boca
de personajes como la criada Felipa (que traviesa azuza a
Mariano), o Bartolo y el tío Pedro (que hablan de modo
alguna vez irreverente con don Gonzalo), ayuda en varias
escenas a representar el típico desparpajo del criado español
para con sus amos, que Moratín también pintaría maestra-
mente en la actitud de Rita hacia su ama, doña Irene, en
El sí de las niñas; pero otra ventaja artística aun más interesante que se apoya en los contrastados niveles de expresión
(amos y criados) y así en la presencia del elemento sainetesco o plebeyo, es cierto perspectivismo con el que se real-
za el por otra parte ya convincente desenfado de Mariano
y Pepita. A la vez, con las diferentes visiones del mundo
de señores y sirvientes, se logra persuadir de modo más eficaz la moraleja referente a la educación de los jóvenes.
El que incluso unos sencillos rústicos vean la corrupción
de las costumbres de Pepita (chica elegante, de esfera muy
diferente), subraya la gravedad del problema y da más
peso a la crítica que luego le hacen los personajes cultos como
doña Clara y don Eugenio. Por añadidura —y esto es lo
artísticamente importante— la comprensión de la peculia-
ridad psicológica de un prójimo, a través de la frontera entre
dos clases sociales, siempre tiene algo de descubrimiento
sorprendente; y de tal sorpresa (nosotros vemos por primera vez a Pepita por los ojos de los rústicos) depende en
parte la impresión de frescura, desembarazo y originalidad

que nos causa esa chica con su *marcialidad*. Sin el perspectivismo —la contemplación de un nivel de vida desde otro— hecho posible por la presencia de los payos en *La señorita malcriada*, sería a la vez menos eficaz la sátira lingüística que Iriarte consigue con el galiparlante marqués de Fontecalda, por cuanto es aun mayor el contraste entre el español rústico y el afrancesado, que entre el culto y el afrancesado (el padre Isla se había aprovechado del mismo contraste entre el lenguaje campesino y el galicoide para el ya mencionado episodio de la visita de don Carlos en el *Gerundio*).

El ambiente realista del teatro iriartiano se refuerza también por la manera innovadora en que el poeta maneja las unidades de tiempo y lugar. De las comedias ajustadas a la preceptiva de Luzán en lo que se refiere al manejo del tiempo, *El señorito mimado* y *La señorita malcriada* fueron las primeras en salir a luz.[94] La acción de *La petimetra*, de Moratín padre, no dura más de un día, mas no se indica el número de horas transcurridas. En cambio, *El señorito mimado* y *La señorita malcriada* llevan a su cabeza, respectivamente, las siguientes acotaciones: "La acción empieza a la hora de la siesta y concluye al anochecer". "La acción empieza por la mañana témprano, y concluye antes de mediodía". (En cada caso son unas cuatro horas, como se ve también por la misma acción.) En este aspecto como en otros Leandro Moratín seguiría el ejemplo de Iriarte, pues sus cinco comedias, todas impresas después de *El señorito* y *La señorita*, llevan las siguientes aclaraciones temporales: "La acción empieza por la mañana y acaba antes del mediodía" (*El viejo y la niña*).[95] "La acción empieza a las cuatro de la tarde y acaba a las seis" (*La comedia nueva*). "La acción empieza a las cinco de la tarde y acaba a las diez

---

[94] René Andioc, en la nota 4 a su edición (1968) de *El sí de las niñas*, en esta misma colección, dice: "El primero que puntualizó sistemáticamente los límites temporales de la acción fue Tomás de Iriarte (véanse *El señorito mimado* y *La señorita malcriada)*".

[95] Parece que las primeras ediciones de *El viejo y la niña* (1790 y 1795), que no he podido consultar, no llevaban tal acotación, pues no está incluida en la edición de Fernando Lázaro Carreter (1970), en la colección de Textos Hispánicos Modernos de la Editorial Labor, en la que se reproduce la de 1795. Tampoco tengo a mano la de 1825, pero la acotación en cuestión sí aparece en la conocida edición de la Academia de la Historia, de 1830.

de la noche" *(El barón)*. "La acción empieza a las diez de
la mañana y se acaba a las cinco de la tarde" *(La mojigata)*.
"La acción empieza a las siete de la tarde y acaba a las cinco
de la mañana" *(El sí de las niñas)*.

El principio de Luzán acatado por Iriarte y Moratín es
su recomendación de que "dure la acción tanto como la
representación; y como ésta se hace ordinariamente en
tres o cuatro horas, éste será el término establecido para la
duración de la fábula. No obstante —añade Luzán— podía
el poeta alargarse sin escrúpulo una o dos horas más;
porque el auditorio no mide tan exactamente el tiempo de
la acción, que ésta no pueda exceder, como no sea mucho,
a la representación" (ed. de 1737, p. 316; ed. de 1789,
t. II, p. 126). Al considerar el presente precepto de Luzán,
estamos ante una técnica que otra vez tiene gran actualidad;
pues el mejor dramaturgo español de nuestros días, Antonio
Buero Vallejo, en su *Madrugada* hace que el tiempo de la
representación y el tiempo dramático o imaginario de la
obra coincidan exactamente (como en *La comedia nueva* de
Moratín), además de observar la unidad de tiempo en otras
obras suyas. La doctrina de Luzán referente a la unidad de
tiempo, reiterada luego en parte por preceptistas como
Díez González y Sánchez Barbero, tiene desde luego como
propósito el de consolidar la ilusión de realidad que el
poeta intenta producir: "Siendo la representación dramática
una imitación y una pintura... es mucha razón que también
el tiempo de la representación imite al vivo el tiempo de la
fábula... [el público] ve con sus propios ojos los sucesos y
las personas de la fábula, como si desde una ventana estu-
viese mirando lo que pasa en una calle o plaza... y como
es imposible y absurdo que pasen por otros veinte y cuatro
horas, al tiempo que por mí pasan solamente cuatro horas
de igual medida; así es imposible y absurdo que las personas
finjan estar en acción más tiempo del que pasa por el auditorio" (ed. de 1737, 311, 315; ed. de 1789, II, 119, 124-125)
o por lo menos, *mucho* más tiempo, habría que decir, para
tener en cuenta lo dicho por Luzán en las otras líneas ya
citadas.

Se trata evidentemente de un afán marcadamente realista: se quiere hacer que la *ilusión de realidad* dependa en parte de los criterios de la razón extraliteraria, esto es, de la razón *real*. No se piense por esto, como ha dicho Ernst Cassirer y algún otro, que los dramaturgos y críticos dieciochescos careciesen de imaginación o fuesen incapaces de concebir la posibilidad de *creer* en una verdad poética. Porque precisamente lo que Iriarte y luego Moratín buscan es una ilusión temporal sostenida sobre los dos cimientos de la *razón* y la *imaginación*. Aprovechando la facultad imaginativa del espectador para una serie de proyecciones temporales hacia el pasado y el futuro, Iriarte sugiere la presencia o posibilidad de más tiempo del que textualmente transcurre en sus comedias, y por ende la impresión de que es sólo por no se sabe qué casualidad por lo que tienen lugar durante las tres o cuatro horas *poéticas* (y reales) todos los sucesos representados y que de haber pasado de otro modo alguno de ellos, la acción fácilmente habría podido prolongarse, sin limitarse por confines falsos ni arbitrarios.

Esto se consigue, por ejemplo, en *El señorito mimado* con alusiones a viajes que los personajes han realizado o van a realizar: al empezar la acción don Cristóbal acaba de llegar de las Indias; al final de la obra Mariano ha de hacer un viaje a Valencia, donde se le va a desterrar; y casi todos los demás personajes han viajado o van a viajar. Don Alfonso y doña Flora son de Granada, y se hallan en Madrid en viaje de negocios desde hace sólo un mes; doña Mónica tampoco es de Madrid, sino de Granada; y doña Dominga quiere acompañar a su hijo a su destierro valenciano. (Naturalmente, tales alusiones crean a la vez la ilusión de que podría extenderse el lugar de la acción, y ya veremos la importancia de esto.) Moratín, en algunas comedias suyas, como *La mojigata* y notablemente *El sí de las niñas*, también utilizaría referencias a viajes ya hechos y por hacer para sugerir la libertad temporal. Por otra parte, incluso las breves horas transcurridas en el mundo poético de la comedia iriartiana (como luego en el de la moratiniana) se miden, no por el reloj extraliterario —el espectador no ve ni oye las acotaciones citadas arriba—, sino orgánicamente, por llegadas de personajes durante cierta parte del día, por comidas anunciadas para tal hora pero no tomadas antes del final de la acción y por otros sucesos y circunstancias inherentes a la misma substancia *poética* de la obra: en cierto momento, en *La señorita malcriada*, un personaje saca, en la misma escena, un reloj (que naturalmente marca la hora), mas se trata de un reloj estrechamente relacionado con uno de los intereses amorosos de la pieza y que hace falta ver para confirmar o rechazar ciertas sospechas. En fin, el tiempo concreto de la "fábula", así como la aparente posibilidad de que pudiera naturalmente extenderse, dependen de circunstancias puramente artísticas, esto es, internas a la obra; pero tal tiempo microcósmico se concibe a la vez de tal modo que no se viola la razón natural del macrocosmos, pues para los escritores neoclásicos la literatura es siempre imitación de la naturaleza.

El realismo de la ilusión espacial en el teatro iriartiano también se consigue coordinando varios elementos puramente artísticos con la lógica de la naturaleza. Algunos críticos clásicos y neoclásicos autorizan mutaciones de escena a cualquier habitación de una misma casa, o a cualquier parte de una misma ciudad y sus aledaños (porque en tres o cuatro horas sería posible ir a varios sitios de éstos y volver); mas aun así —opina Luzán— "es absurdo inverosímil y contra la buena imitación que mientras el auditorio no se mueve de un mismo lugar, los representantes se alejen de él y vayan a representar a otros parajes distantes, y no obstante sean vistos y oídos por el auditorio" (ed. de 1737, 318; ed. de 1789, II, 128-129). Sin embargo, no es fácil que las cosas más privadas y también las más públicas sucedan siempre en un mismo lugar; y así Luzán favorece la sugerencia de cierto dramaturgo italiano, esto es, que "se podrían hacer en el teatro ciertas divisiones horizontales unas sobre otras, o perpendiculares contiguas, según la diversidad de los lugares que necesitase la representación" (ed. de 1737, 321; ed. de 1789, II, 131). Es decir, que el escenario presentaría más o menos el mismo aspecto que una casa de muñecas vista por la parte de atrás donde las paredes están cortadas.

La acción de *El señorito mimado* no se representa ni en una antesala, ni en un salón, ni en un comedor, ni en una cocina, ni en ninguna otra pieza de función tan específica, sino en una "sala de paso", según se ve por la descripción de la escena a la cabeza de la obra; y el término aquí encerrado entre comillas aparece luego en un parlamento de don Cristóbal al aludir éste al sitio donde dialoga con don Alfonso (v. 696). Así, aun cuando no veamos simultáneamente varios aposentos (según quería Luzán siguiendo al autor italiano), sí sentimos la presencia de todos esos aposentos; pues estando en una sala de paso siempre estamos simultáneamente encaminados hacia varios cuartos, y esto causa al espectador la impresión de que si no hubiera influido en contra la pura casualidad, la acción podría natural y fácilmente continuar en otras partes de la casa. Quiere decirse que existe la ilusión de una libertad absoluta, y por ende aquí como en el caso del tiempo la imaginación coadyuva a la razón en la mantención de la verosimilitud. Moratín usaría precisamente la misma técnica en *La mojigata* y *El sí de las niñas*, suponiendo la acción de cada una de estas comedias acaecida en una "sala de paso"; y en ésta lleva la técnica a la segunda potencia, por decirlo así, pues el teatro representa la sala de paso de una posada, tipo de establecimiento que es a su vez algo así como una sala de paso a otros pueblos y ciudades, por lo cual el espectador siente la presencia, no sólo de las otras habitaciones, sino de las otras poblaciones de donde han viajado y adonde van a viajar los diversos huéspedes de la posada.

En la escenificación de *La señorita malcriada*, "el teatro representa una parte de jardín", teniendo "a los lados varias calles de árboles", según se nos dice en las acotaciones al principio del acto primero. Con tales calles de árboles ya tenemos, a lo menos por los lados, un escenario con varias divisiones "perpendiculares contiguas", para usar las palabras de Luzán; ¿y cuál precisamente sería la decoración de esa "parte de jardín" que forma el centro de la escena? Pregunta cuya respuesta quizá revelara la existencia de otras divisiones por lo menos parciales, pues sobre todo en esa época los jardines elegantes se caracterizaban por tener por todas partes plazoletas y sendas separadas todas ellas por setos vivos, y de ahí la posibilidad de todavía más divisiones, todo lo cual facilitaría la representación simultánea que hace falta, por ejemplo, para esas escenas en las que ciertos personajes al dialogar en primer término, o al introducir cartas falsificadas en los bolsillos de otros, etcétera, son espiados por un tercero que está en escena pero que evidentemente los demás no ven. Iriarte, en el ya citado fragmento de una sátira literaria o arte poética, exhorta así al comediógrafo con respecto a las unidades y la relación de éstas con el conjunto de la comedia: "Píntame verosímil, divertido/e instructivo un suceso,/y más que nunca guardes unidades;/pero no es fácil eso" (Cotarelo, ap., 517).

No es fácil la exigente labor del escritor; mas si la realiza bien, sí le resultará fácil al espectador creer en la *realidad* de lo que ve en las tablas. En fin, pese a lo que suele creerse, ni las unidades ni los demás preceptos se oponen en modo alguno a la verosimilitud (al contrario, la apoyan), o a la colaboración de la imaginación en su consecución. Porque, según decía Alexander Pope, a quien Iriarte había leído en inglés: "Those rules of old discovered, not devised,/Are nature still, but nature methodized:/Nature, like liberty, is but restrain'd/By the same laws which first herself ordain'd" (*Essay on criticism*, I, vv. 88-91); y merced en parte a tal libertad, limitada tan sólo por la lógica eterna u orden natural de las cosas, un dramaturgo de signo clásico, espíritu moderno, afán observador y talento considerable —el autor de *El señorito mimado* y *La señorita malcriada*— ha llegado a ser el primer realista del moderno teatro español.

RUSSELL P. SEBOLD

NOTICA BIBLIOGRÁFICA

I. Apuntes, borradores y copias manuscritas

Plan de la comedia "El señorito mimado". Autógrafo de Iriarte. Sección de Manuscritos, Biblioteca Nacional, Madrid, signatura MS 7922, fols. 1-26.

Borradores del plan en prosa de "La señorita malcriada". Autógrafo de Iriarte. Sección de Manuscritos, Biblioteca Nacional, Madrid, signatura MS 7922, fols. 82-106.

(Se trata de dos legajos conservados en la misma caja, junto con el *Plan original de la comedia "El don de gentes"* [fols. 27-81] y borradores y apuntamientos relativos a otras obras de Iriarte. Los legajos referentes a *El señorito mimado* y *La señorita malcriada* se caracterizan por la mayor desorganización: la numeración de las hojas [que son de diferentes tamaños y formas] no corresponde a ninguna secuencia lógica de sus contenidos; pues se hallan, no sólo hacia el principio, sino también hacia la mitad y el final de ambos legajos, apuntes que se refieren a las primeras escenas, y lo mismo pasa con los apuntamientos relativos a las demás escenas. Tal falta de sucesión lógica se debe al hecho de que Iriarte trabajó en sus comedias en diversas épocas y lugares [en relación con esto he mencionado en la Introducción las frecuentes duplicaciones en los apuntes], y no a la intervención arbitraria de algún bibliotecario, como a primera vista podría pensarse. Los legajos contienen resúmenes en prosa de la acción, por escenas, por actos, por personajes y por personajes según los otros personajes con quienes se encuentran en escena en diversos momentos. Hay "ante-escenas", esto es, resúmenes de sucesos acaecidos a los personajes con anterioridad al principio de la acción. Hay listas de personajes, así como de escenas, importantes y menos importantes, borradores en prosa de algunas

123

escenas, algunos trozos breves en verso, listas de asonantes, cálculos del número de versos que harían falta para versificar ciertas escenas, y muy rara vez algún comentario autocrítico. No obstante el ya indicado desorden exterior de los papeles, existe en conjunto entre unos y otros, así como entre todos ellos y los textos impresos de las dos comedias editadas aquí, la mayor uniformidad artística: es decir, que en todos se refleja la misma intención respecto de los argumentos y las técnicas de las obras.)

El señorito mimado, o la mala educación. Comedia moral en tres actos. Por Don Tomás de Yriarte. "Existe un ejemp. ms., 4.º, con aprob. de 1811" (Carlos Cambronero, *Catálogo de la Biblioteca Municipal de Madrid*, Madrid, 1902, t. I, p. 457). En realidad, existen en la Biblioteca Municipal dos copias manuscritas de esta comedia, ninguna de ellas de la mano de Iriarte y ninguna muy fiel. La aludida por Cambronero es la segunda, realizada por dos manos diferentes y al final de la cual se lee: "Aprobada. Madᵈ 9 de Marzo de 1811"; a cuya fecha sigue una firma poco legible. Estas copias se conservan bajo la signatura 1-65-10 (Leg. 33, N. 20), junto con dos ejemplares impresos: de una de las ediciones de la Imprenta de Piferrer, el uno (véase II, D abajo); y de la tercera edición descrita en II, A abajo, el otro (aunque el ejemplar de la Biblioteca Municipal tiene una portadilla y reparto manuscritos). Se ve por las numerosas notas marginales escritas a mano que estos cuatro ejemplares fueron utilizados por los apuntadores y actores para diversas representaciones de *El señorito mimado.* Con alusión a tales funciones, se lee, por ejemplo, en la portadilla manuscrita del segundo de los ejemplares impresos: "Primer Apunte. Oy dia 26 de Enero de 1803. Y 12 de Sepʳᵉ de 1803. Y 28 de Abril de 1804" (cada una de cuyas fechas está escrita por una mano diferente).

II. EDICIONES DE "EL SEÑORITO MIMADO"

A. Consultadas en la preparación de la presente edición:

> *El señorito mimado, o la mala educación.* Comedia moral en tres actos. En *Colección de obras*, 1787 (véase abajo), t. IV, pp. 123-326.
>
> *El señorito mimado, o la mala educación.* Comedia moral en tres actos. En *Colección de obras*, 1805 (véase abajo), t. IV, pp. 125-318.
>
> *El señorito mimado, o la mala educación.* Comedia moral en tres actos. Por Don Tomás de Yriarte. S. 1. [¿Barcelona?]

n. a., 36 pp. a dos columnas. No mencionada por Palau en
su *Manual del librero hispano-americano* (2.ª ed.) ni por Millares Carlo en su *Bio-bibliografía de escritores de las Islas
Canarias*. Tipográficamente, se parece a la tercera de las ediciones de *La señorita malcriada* descritas abajo, y así existe
la posibilidad de que fuese impresa en Barcelona por la Viuda
de Piferrer. Esta posibilidad parece reforzarse por el hecho
de que tiene el mismo número de páginas que una de las ediciones de Piferrer que Millares Carlo describe (véase en C.
abajo).

(De estas tres ediciones existen ejemplares en mi biblioteca
personal.)

B. Otras descritas por Palau (t. VII, 1954), de las que existen ejemplares en la Biblioteca Nacional:

El señorito mimado, o la mala educación. Comedia moral. En
Madrid: En la Imprenta de Benito Cano, 1790, 148 pp.

El señorito mimado, o la mala educación. Barcelona: En la Oficina de Juan Francisco Piferrer, Impresor de S. M. Véndese
en su Librería administrada por Juan Sellent, s. a., 36 pp.

C. Otras descritas por Millares Carlo (pp. 261-262), de las que
existen ejemplares en la Biblioteca Nacional:

El señorito mimado, o la mala educación. Comedia moral en
tres actos. Por Don Tomás de Yriarte. Con licencia: Barcelona: En la Oficina de Juan Francisco Piferrer, Impresor de
S. M. Véndese en su Librería administrada por Juan Sellent,
s. a., 36 pp.

El señorito mimado, o la mala educación. Comedia moral en
tres actos. Por Don Tomás de Yriarte. Barcelona: Por la
Viuda Piferrer. Véndese en su Librería, administrada por
Juan Sellent; y en Madrid en la de Quiroga, s. a., 40 pp.

D. Otra, de la que existe un ejemplar en la Biblioteca Municipal
de Madrid:

El señorito mimado, o la mala educación. Comedia moral en
tres actos. Por Don Tomás de Yriarte. Barcelona: Por la
Viuda de Piferrer. Véndese en su Librería, administrada por
Juan Sellent; y en Madrid en la de Quiroga, calle de la Con-
cepción Jerónima; y otras de diferentes títulos, s. a., 36 pp.
Signatura: 1-65-10 (Leg. 33, N. 20).

E. Edición antológica moderna:

En *Teatro español del siglo XVIII*. Antología [contiene nueve obras largas y cuatro sainetes]. Ed. Jerry L. Johnson. Barcelona, Editorial Bruguera, 1972, pp. 613-731. *El señorito* es la única obra de Iriarte incluida. El texto dado por Johnson, que se basa en la edición de 1805, es completamente caótico, pues la ortografía y la puntuación no son ni antiguas ni modernas. No hay notas. La mitad de la "Presentación" (pp. 615-619) no es sino un resumen del argumento; y la falta de rigor que la caracteriza se revela por el increíble anacronismo que sigue: "En el segundo acto, Flora descubre que Mariano ha dado una foto suya... a doña Mónica" (p. 618). ¡Qué delicia para los anticuarios! ¡Una foto dieciochesca!

III. Ediciones de "La señorita malcriada"

A. Consultadas en la preparación de la presente edición:

La señorita malcriada. Comedia moral en tres actos. Por el autor del *Señorito mimado*. Madrid, Oficina de Benito Cano, 1788, 141 pp., lista de erratas en la última página, a continuación de los versos finales. He utilizado una fotocopia del ejemplar que se conserva en la Biblioteca Nacional, bajo la signatura T/14539.

La señorita malcriada. Comedia moral en tres actos. En *Colección de obras*, 1805, t. VII, pp. 97-317.

La señorita malcriada. Comedia moral en tres actos. Por Don Tomás de Iriarte [sic, con I]. Barcelona: Por la Viuda de Piferrer, véndese en su Librería, administrada por Juan Sellent; y en Madrid en la de Quiroga, calle de la Concepción Jerónima; y otras de diferentes títulos. S. a., 42 pp. a dos columnas.

(De la segunda y tercera existen ejemplares en mi biblioteca personal.)

B. Otra descrita por Palau (t. VII, 1954), de la que existe un ejemplar en la Biblioteca Nacional:

La señorita malcriada. Barcelona: En la Oficina de Juan Francisco Piferrer, Impresor de S. M. Véndese en su Librería. administrada por Juan Sellent, s. a., 44 pp.

IV. Ediciones importantes de otras obras[1]

"Colección de cartas originales inéditas de Moratín, de Iriarte, de Forner, del P. Flórez", *Semanario Pintoresco Español*, 1844.

Colección de obras en verso y prosa de D. Tomás de Yriarte, Madrid, Imprenta de Benito Cano, 1787, 6 vols. Publicada por subscripción.

Colección de obras en verso y prosa de D. Tomás de Yriarte, 2.ª ed., Madrid, Imprenta Real, 1805, 8 vols.

(Dos de las traducciones dramáticas de Iriarte y *La librería*, drama original en un acto, están contenidos en el tomo V de cada edición de las *Obras*. El melólogo *Guzmán el Bueno* está incluido en el tomo VII de la segunda edición; y la comedia *El don de gentes*, en el tomo VIII de la misma.)

Cuentos y poesías más que picantes. (Samaniego, Yriarte, Anónimos). Publícalos por vez primera un rebuscador de papeles viejos. S. l. n. a., tirada de cien ejemplares. Los versos debidos a Iriarte están contenidos en las pp. 227-252.

Fábulas literarias. Edición preparada por Sebastián de la Nuez. Biblioteca de la Literatura y el Pensamiento Hispánicos, t. II. Madrid, Editora Nacional, 1976.

Hacer que hacemos. Comedia. Por D. Tirso Ymareta [anagrama del nombre de Yriarte]. Madrid, Imprenta Real de la Gaceta, 1770, 116 pp. He utilizado en fotocopia el ejemplar perteneciente a la Biblioteca Nacional: signatura, Usoz/10237.

Lecciones instructivas sobre la historia y la geografía, Madrid, Imprenta Real, 1794, 3 vols. (Se tiraron muchas ediciones para el uso de las escuelas. Poseo, por ejemplo, un ejemplar de la novena edición de 1849, debida a la madrileña Imprenta de don Ignacio Boix.)

El nuevo Robinsón, historia moral, reducida a diálogos para instrucción y entretenimiento de niños y jóvenes de ambos sexos, escrita recientemente en alemán por el señor Campe, traducida al inglés, al italiano, al francés y de éste al castellano con varias correcciones, por D. Tomás de Iriarte. Madrid, Imprenta de Benito Cano, 1789, 2 vols. (Se hicieron numerosas ediciones en el siglo XIX, pues fue texto de lectura en muchos colegios y escuelas.)

[1] En esta sección doy ediciones de obras individuales tan sólo en esos casos en que tales obras (1) se relacionan directamente con el estudio del teatro iriartiano, (2) no están incluidas en ninguna de las dos ediciones de las *Obras*, o (3) han sido objeto de ediciones comentadas de cierta utilidad. En la bibliografía que acompaña una edición de obras teatrales de Iriarte, no tendría sentido, por ejemplo, recoger, aun cuando fuese posible, las incontables ediciones de las *Fábulas literarias*.

Poesías [*Fábulas literarias*, etc.]. Ed. marqués de Valmar. En *Biblioteca de Autores Españoles*, t. LXIII (ed. original, Madrid, Rivadeneyra, 1871), Madrid, Ediciones Atlas, 1952, pp. 1-66.

Poesías [*Fábulas literarias*, etc.]. Prólogo, notas y edición de Alberto Navarro González. Clásicos Castellanos, núm. 136. Madrid, Espasa-Calpe, S. A., 1953, 170 pp.

"Poesías inéditas de Don Tomás de Yriarte". Ed. Raymond Foulché-Delbosc. *Revue Hispanique*, t. II, 1895, pp. 70-76.

BIBLIOGRAFÍA SELECTA SOBRE EL AUTOR[1]

Alonso, María Rosa. "Errores sobre Tomás de Iriarte". *Ínsula*, núm. 59, 1950, p. 8.

Alonso, María Rosa. "Los retratos de los Iriarte". *Revista de Historia* (La Laguna), t. XVII, 1951, p. 136.

Allué y Morer, F. "Un precursor de las formas modernistas: Don Tomás de Iriarte". *Poesía española*, núm. 210, 1970, pp. 5-9.

Andioc, René. *Sur la querelle du théâtre au temps de Leandro Fernández de Moratín.* Tarbes, Imprimerie Saint-Joseph, 1970, 721 pp.

Apráiz, Julián. "Iriarte y Samaniego". *Euskal-Erría* (Bilbao), t. I, 1898, pp. 25-29.

Apuntaciones que un curioso pidió a don Tomás de Iriarte, acerca de su vida y estudios, escritas en 30 de julio de 1780. En *Obras poéticas de don...*, entresacadas de algunos de sus manuscritos, Madrid, año de 1784. Manuscrito. Biblioteca Nacional, MS 10.460, pp. 1-17.

Cionarescu, Alejandro. "Sobre Iriarte, La Fontaine, y fabulistas en general». *Estudios de literatura española y comparada.* La Laguna, 1954, pp. 197-204.

Clarke, Dorothy Clotelle. "On Iriarte's versification". *PMLA (Publications of the Modern Language Association of America),* t. LXVII, 1952, pp. 411-419.

Cook, John A. *Neo-classic drama in Spain: Theory and practice.* Dallas, Southern Methodist University Press, 1959, 576 pp.

Cossío, José María de. "Las *Fábulas literarias* de Iriarte". *Revista Nacional de Educación*, núm. 9, septiembre, 1941, pp. 54-64.

Cotarelo y Mori, Emilio. *Iriarte y su época.* Madrid, Sucesores de Rivadeneyra, 1897, 588 pp. (Los apéndices contienen interesantes inéditos de Iriarte, tanto en verso como en prosa.)

[1] No incluyo aquí los manuales de historia literaria citados en la Introducción ni otros en los que sólo se habla por incidencia del teatro de Iriarte.

Cotarelo y Mori, Emilio [y Julián Paz y Espeso]. "Proceso inquisitorial contra D. Tomás de Iriarte". *Revista de Archivos, Bibliotecas y Museos*, 3.ª época, t. IV, 1900, pp. 682-683.

Cox, R. Merrit. "Iriarte and the neoclassical theater: A reappraisal". *Revista de Estudios Hispánicos* (Alabama), t. VIII, 1974, pp. 229-246.

Cox, R. Merritt. "The literary maturation of Tomás de Iriarte". *Romance Notes*, t. XIII, núm. 1 (otoño), 1971, pp. 117-123.

Cox, R. Merritt. *Tomás de Iriarte*. Twayne's World Authors Series, núm. 228. Nueva York, Twayne Publishers, Inc., 1972, 161 pp. El cap. IV (pp. 106-128) está dedicado al teatro de Iriarte.

Forner, Juan Pablo. *El asno erudito*. Edición y estudio de Manuel Muñoz Cortés. Valencia, Editorial Castalia, 1948, 85 pp.

Forner, Juan Pablo. *Cotejo de las églogas que han premiado la Real Academia de la Lengua*. Edición, prólogo y notas de Fernando Lázaro Carreter. Salamanca, C. S. I. C., 1951, 48 pp.

Forner, Juan Pablo. *Los gramáticos, historia chinesca*.
1. Edición crítica por John H. R. Polt. Madrid, Editorial Castalia, 1970, 256 pp.
2. Edición, prólogo y notas de José Jurado. Clásicos Castellanos, núm. 168. Madrid, Espasa-Calpe, S. A., 1970, 210 pp.

Garelli, P. "Originalità e significato del teatro comico di Tomás de Iriarte". Fabbri, Garelli, Menarini, *Finalità ideologiche e problematica in Salazar, Iriarte, Jovellanos*. Pisa, 1974, pp. 48-90.

[González, Diego Tadeo.] *Al autor y actores de la comedia "La señorita malcriada"*. *Cantó Delio*. Poema impreso, de 7 pp. sin numerar, s. l. n. a. (Existe un ejemplar encuadernado junto con el ejemplar de la edición príncipe de la comedia que se conserva en la Biblioteca Nacional.)

Guigou y Costa, Diego M. *El Puerto de la Cruz y los Iriarte: Datos históricos y biográficos*. Santa Cruz de Tenerife, A. Romero y Cía., 1945, 310 pp.

Jiménez Salas, María. *Vida y obras de D. Juan Pablo Forner y Segarra*. Madrid, C. S. I. C., 1944, 618 pp.

Jurado, José. "Repercusiones del pleito con Iriarte en la obra literaria de Forner". *Thesaurus*, t. XXIV, 1969, pp. 228-277.

Lentzen, M. "Tomás de Iriartes Fabeln und der Neoklassizismus in Spanien". *Romanische Forschungen*, t. LXXIX, 1967, pp. 603-620.

Lázaro Carreter, Fernando. *Las ideas lingüísticas en España durante el siglo XVIII*. Madrid, C. S. I. C., 1949, 287 pp. Véanse pp. 80-82, sobre el proyecto de un *Diccionario de sinónimos y equivalentes* bosquejado por Iriarte.

Menarini, P. "Tre contemporanei e il duello": Jovellanos, Iriarte, Montengón". *Spicilegio Moderno*, núm. 2, 1973, pp. 53-79.

Menéndez Pelayo, Marcelino. *Historia de los heterodoxos españoles*. Santander, Aldus, t. V (t. XXXIX de las *Obras completas*), 1947, pp. 306-307.

Menéndez Pelayo, Marcelino. *Historia de las ideas estéticas en España*. Santander, Aldus, t. III (t. III también de las *Obras completas*), 1947, pp. 296-304.

Menéndez Pelayo, Marcelino. *Horacio en España. Solaces bibliográficos*. Colección de Escritores Castellanos. 2.ª ed. refund. Madrid, Imprenta de A. Pérez Dubrull, 1885, t. I, pp. 116-120 y passim; t. II, pp. 117-119.

Millares Carlo, Agustín. *Ensayo de una bio-bibliografía de escritores naturales de las Islas Canarias*, Madrid, Tipografía de Archivos, 1932, pp. 249-318.

Navarro González, Alberto. "Temas humanos en la poesía de Iriarte". *Revista de literatura*, t. I, 1952, pp. 7-24.

Pignatelli, Carlos. "Noticia histórica de la vida y escritos de don Thomás de Yriarte" [y correspondencia relativa a ella cruzada con Bernardo de Iriarte]. Ed. Antonio Aguirre. *Revue Hispanique*, t. XXXVI, 1916, pp. 200-252.

Quintana, Manuel José. *Sobre la poesía castellana del siglo XVIII*, art. IV (Iriarte y Samaniego). En *Biblioteca de Autores Españoles*, t. XIX (ed. original, Madrid, Rivadeneyra, 1852), Madrid, Ediciones Atlas, 1946, pp. 151-153.

Rossi, Giuseppe Carlo. "La teórica del teatro en Tomás de Iriarte". *Estudios sobre las letras en el siglo XVIII*. Biblioteca Románica Hispánica, núm. 105. Madrid, Editorial Gredos, 1967, pp. 106-121. (No es más que un resumen, sin utilidad alguna, de las ideas que Iriarte expone en forma más clara y amena en *Los literatos en Cuaresma*.)

Ruiz Álvarez, A. "En torno a los Iriarte". *Revista Bibliográfica y Documental*, t. V, 1951, pp. 255-265.

[Samaniego, Félix María de.] *Observaciones sobre las fábulas literarias originales de D. Tomás de Iriarte*. S. l., 1782. Rarísimo.

Sebold, Russell P. *Tomás de Iriarte: poeta de "rapto racional"*. Cuadernos de la Cátedra Feijoo, núm. 11. Ayuntamiento y Universidad de Oviedo, 1961, 67 pp.

Sebold, Russell P. *El rapto de la mente: Poética y poesía dieciochescas*. El Soto, núm. 14. Madrid, Editorial Prensa Española, 1970, 268 pp. Véanse pp. 141-196 (el mismo estudio que el anterior).

Sempere y Guarinos, Juan. *Ensayo de una biblioteca de los mejores escritores del reinado de Carlos III*, Madrid, Imprenta Real, 1785-1789, t. VI, pp. 190-223.

Subirá, José. *El compositor Iriarte (1750-1791) y el cultivo del melólogo (melodrama)*. Barcelona, C. S. I. C., 1949-1950, 2 vols.

Subirá, José. "Estudios sobre el teatro madrileño. Los melólogos de Rousseau, Iriarte y otros autores". *Revista de la Biblioteca, Archivo y Museo del Ayuntamiento de Madrid*, t. V, 1928, pp. 140-161.

Subirá, José. "El filarmónico D. Tomás de Iriarte". *Anuario de Estudios Atlánticos* (Las Palmas), núm. 9, 1963, pp. 441-464.

Vézinet, François. *Molière, Florian et la littérature espagnole*, Paris, Hachette, 1909, 254 pp. (Vézinet estudia la deuda del fabulista Florian con Iriarte.)

Viera y Clavijo, José. *Noticias de la historia general de las Islas Canarias*. Santa Cruz de Tenerife, Goya Ediciones, 1952, 3 vols.

NOTA PREVIA

Para el texto de cada comedia he seguido el de la edición príncipe, que en el caso de *El señorito mimado* es la incluida en las *Obras* de 1787, y en el de *La señorita malcriada* es la suelta de 1788 (véase arriba la *Noticia bibliográfica*). He modernizado la puntuación y la ortografía salvo en esos casos en que se implicara una pronunciación de época, o fuese evidente que Iriarte usaba una forma léxica anticuada, o entonces sólo variante aunque hoy anticuada, para guardar el metro. Para la determinación de la puntuación en ciertos pasajes y la corrección de alguna errata (había poquísimas), también he tenido a la vista, para ambas comedias, los textos que se dan en la segunda edición de las *Obras* (1805). Aunque con menos frecuencia y utilidad, he consultado para cada comedia la tercera edición indicada bajo su título en la *Noticia bibliográfica*. El cotejo de las tres ediciones de cada obra no ha rendido sino las pocas variantes que doy en las notas. Las primeras ediciones fueron corregidas por el mismo Tomás, por lo cual representan su voluntad respecto de sus textos tres o cuatro años antes de su fallecimiento, y no parece haber variado de intención durante esos últimos años; porque Bernardo de Iriarte, que se interesaba más que nadie por la carrera literaria de su hermano menor y siempre se hallaba informado de las intenciones de éste, reprodujo escrupulosamente en la edición de 1805, de que cuidó, los textos originales de 1787 y 1788. No ha rendido variantes utilizables el examen de los *Planes* autógrafos descritos en la *Noticia bibliográfica;* pues aunque en otra ocasión podrían proporcionar la base de un estudio minucioso de la elaboración preliminar de algún pasaje aislado, dichos papeles no representan borradores completos o parciales del texto definitivo, según se desprende del mismo rótulo del segundo legajo (*Borradores del plan en prosa de "La señorita malcriada"*), sino borradores de borradores y apuntes hechos con anterioridad a los primeros borradores. Sin embargo, doy en las notas algún detalle curioso extraído de esas apuntaciones, tales como nombres diferentes que Iriarte pensaba en otro momento dar a ciertos personajes, frases descriptivas referentes a éstos, etc. En las notas no explico vocablos, modismos, alusiones históricas u otros problemas que el lector puede solucionar consultando obras fácilmente asequibles como el *Diccionario de la Academia* y el *Pequeño Larousse ilustrado.*

R. P. S.

AD GRATIAS AGENDAS

Quisiera en este lugar reconocer la deuda de gratitud que tengo con la American Philosophical Society (Penrose Fund) por la subvención que me permitió realizar un viaje a España con el propósito de reunir ciertos materiales utilizados en la preparación de esta edición. Estoy a la vez endeudado con mis buenos amigos y colegas Samuel G. Armistead y Gonzalo Sobejano por su importante ayuda en la obtención de otros materiales.

Conste aquí también mi agradecimiento al lamentado don Antonio Rodríguez Moñino, que me invitó entre los primeros a colaborar en esta colección, y que, cual el espíritu "ilustrado" y previsor que era, animaba del modo más generoso y optimista a los dieciochistas, aun antes que hubiese empezado el reciente renacimiento de interés en la literatura setecentista. Siento que no me fuera posible concluir este trabajo y así también publicar esta expresión de gratitud antes de la irreparable pérdida de tan egregio maestro de editores, críticos y bibliógrafos. Quedo asimismo muy agradecido al actual Director Literario de Clásicos Castalia, mi admirado amigo don Fernando Lázaro Carreter, dechado de hispanistas, y muy en particular de dieciochistas.

R. P. S.

EL SEÑORITO MIMADO

O

LA MALA EDUCACIÓN

Comedia moral en tres actos

Sic teneros animos aliena opprobria saepe
Absterrent vitiis.

Horacio, Lib. I, Sat. IV.[1]

Así del vicio, con la ajena afrenta,
El ánimo del joven escarmienta.

---

[1] En las ediciones de 1787 y 1805, por errata de aquélla o por un olvido de Iriarte, se lee "Sat. V", pero la fuente de la cita son los versos 128 y 129 de la Sátira o *Sermo* IV del *Sermonum liber primus* de Horacio. En la edición suelta sin año ni lugar que consulté, se omite del todo el epígrafe.

COLECCION

DE OBRAS EN VERSO Y PROSA

DE

D. TOMAS DE YRIARTE.

TOMO IV.

Que comprehende la Traduccion en verso
de la Epístola de Horacio á los Pisones,
y la Comedia intitulada El Señorito Mimado.

EN MADRID:
En la Imprenta de Benito Cano.
MDCCLXXXVII.

Portada del tomo cuarto de las *Obras* (1787) de Iriarte: edición
príncipe de *El señorito mimado*
(Biblioteca personal del editor)

PERSONAS

D. MARIANO, señorito mimado; joven imprudente, superficial, indócil y de estragada conducta.[2]

D.ª DOMINGA, su madre; señora de mediana edad, bonaza y contemplativa.[3]

D. CRISTÓBAL, tío, tutor y padrino de D. MARIANO; hombre recto, franco y activo.[4]

D. ALFONSO, caballero de Granada, hospedado en casa de D.ª DOMINGA; anciano pundonoroso y de buen corazón.[5]

D.ª FLORA, su hija; señorita bien criada, bastante viva y muy sensible.[6]

[2] En el *Plan* manuscrito se describe así a don Mariano: "Joven de 20 años mal criado y mimón. Entregado a los vicios que engendra la demasiada libertad y el mimo de una madre como doña Dominga. Afeminado. Ignorante de mundo y de todas cosas. Crédulo y supersticioso. Temoso, caprichoso y respondón con mal modo. Ocioso y enemigo de todo lo que huele a trabajo y reflexión. Incapaz de manejarse en un lance estrecho. Dócil en dejarse engañar de cualquier embustero, como lo son doña Mónica estafadora, un alquimista trapalón..., los jugadores gariteros, los amigotes que le llevan a fancachelas, toros, cafees, etc., donde le hacen gastar y empeñarse; los mercaderes que le fían; los tunantes que le piden dinero prestado" (fol. 8).

[3] Queda citada en la Introducción la descripción de doña Dominga que se da en el *Plan* manuscrito. En otro lugar del *Plan* que el ya citado, además de repetirse los calificativos del fol. 8, se añade que doña Dominga es "necia" (fol. 20).

[4] Según el *Plan* manuscrito, don Cristóbal es un "hombre honrado, de recto y sólido modo de pensar (de 40 años)" (fol. 8). En el fol. 20 se añade que es un hombre "instruido".

[5] Sobre don Alfonso, en el *Plan* manuscrito, Iriarte apunta que es un "hombre de 40 años muy naturalote y franco" (fol. 8).

[6] En el *Plan* manuscrito doña Flora está descrita en los términos siguientes: "Muchacha bien educada y de razón, aunque incurre en la flaqueza de gustar por algún tiempo de don Mariano" (fol. 8).

D. Fausto, amante de D.ª Flora y competidor de D. Mariano; mozo de generosas prendas.[7]

D.ª Mónica, mujer sagaz, que se finge señora de distinción.

Pantoja, criado antiguo de la casa; fiel y honrado, nada lerdo y de humor festivo.[8]

Felipa, doncella de D.ª Dominga; simple y algo interesada.[9]

D. Tadeo, trapalón, que pasa por cuñado de D.ª Mónica.

La escena es en Madrid, en una sala[10] de la casa de D.ª Dominga. *Esta sala tendrá tres puertas: la de la derecha conduce a los cuartos de* D.ª Dominga *y* D.ª Flora; *la de en medio a los de* D. Cristóbal, D. Alfonso *y* D. Mariano; *y la de la izquierda a la antesala y otras piezas de la casa.*

La acción empieza a la hora de la siesta y concluye al anochecer.

---

[7] La descripción de don Fausto contenida en el *Plan* manuscrito es la siguiente: "Mozo de nobles prendas y de instrucción".

[8] A Pantoja, en el *Plan* manuscrito, se le describe como "burlón y astuto" (fol. 8). Por el nombre *Bartolo*, que se encuentra rayado debajo del de *Pantoja* en el fol. indicado, se ve que Iriarte pensaba antes bautizar así al "criado antiguo". También aparece con el nombre *Bartolo* en el fol. 20, en el que se revela, por el nombre *Damián* rayado, que Iriarte consideró en todavía otro momento llamarle así.

[9] A Felipa, Iriarte la veía como "inocentona y pánfila" mientras planeaba su comedia *(Plan,* fol. 8). Por el fol. 20 del *Plan* se ve que Iriarte también consideró para la doncella de doña Dominga los nombres de *Gregoria* y *Pascuala.*

[10] *sala:* Se trata en realidad de una "sala de paso", o sea pasillo, según se ve por el verso 696, y según he dicho en la Introducción al hablar de la técnica de Iriarte para manejar la unidad de lugar sin perder la ilusión de cierta libertad.

ACTO PRIMERO

ESCENA I

D. Cristóbal, *examinando con atención unos papeles, sentado junto a una mesa en que hay recado de escribir.* D.ª Dominga, *sentada en una silla algo distante de la mesa.*[11]

D. CRISTÓBAL

(Con la pluma en la mano.)
Nueve y seis, quince... dieciocho...
veintisiete... treinta y cuatro...
llevo tres... y nueve, doce...

D.ª DOMINGA

Ahora con el bocado
5   en la boca, ¿tienes gana
de ajustar cuentas, hermano?

[11] En un borrador en prosa del principio de esta escena que forma el fol. 4 del *Plan* manuscrito, esta acotación no terminaba con la palabra *mesa*, sino que ésta se seguía de una coma, y continuaba leyéndose: "...y tomando chocolate", pero ya en este apunte Iriarte rayó tales palabras. El borrador de esta escena termina con los dos primeros parlamentos, que cito a continuación, como ejemplo de los fragmentos de diálogo en prosa que se encuentran por todo el *Plan:* "D. CRISTÓBAL. En mi vida he visto papeles tan embrollados. Una hora hace que estoy examinando estas cuentas; y cuanto más las ajusto, menos las entiendo. Jamás hubiera creído hallar en tan deplorable decadencia el mayorazgo de su hijo de usted. // D.ª DOMINGA. Pero ¿qué prisa corre? Apenas hace una semana que has vuelto de tu gobierno de Indias, y ya quieres enterarte por menor del estado de nuestras rentas... Descansa de tu viaje; que tiempo habrá para revolver despacio esos papelones".

D. CRISTÓBAL

Y cuanto más las ajusto,
menos las entiendo. Un año
de examen se necesita,
10 según encuentro enredados
estos papeles.

D.ª DOMINGA

Descansa
de tu viaje; y más despacio
podrás ir viendo...

D. CRISTÓBAL

Señora,
(Dejando la pluma, y apartando de sí con enfado al-
gunos de los papeles que tiene delante.)
perdido está el mayorazgo.
15 Aquí me faltan recibos.
Las cuentas, los inventarios,
todo está como Dios quiere.
No hay formalidad. El gasto
excede en mucho a la renta.
20 En bien diferente estado
dejó mi hermano su casa.

D.ª DOMINGA

¡Ah! ¡Dios le tenga en descanso!

D. CRISTÓBAL

Si él viera algunas partidas
de estas cuentas... Vamos claros;
25 su hijo de usted, mi dichoso

sobrinito, don Mariano,
se porta. En toda su vida
sabrá ganar un ochavo;
pero arruinar una casa,
30 eso lo sabe de pasmo.
Él tiene mala conducta;
yo riño; no me hacen caso;
usted le contempla en todo.
Pues bien: darle barro a mano;
35 que se pierda, que nos pierda,
si usted quiere. Ya estoy harto
de predicar

D.ª DOMINGA

Don Cistóbal,
seis días ha que has llegado
de vuelta de tu gobierno
40 de las Indias, y ha otros tantos
que no cesas de clamar
contra el infeliz muchacho.

D. CRISTÓBAL

No, amiga; contra su madre,
sí, contra usted sola clamo.
45 ¡Qué crianza! Ahora todos
hemos de pagar el daño,
cuando de nadie es la culpa
sino de usted... Lo bonazo
de ese genio, ese amor ciego
50 al hijo, el mimo, el regalo...

D.ª DOMINGA

(Arrastrando lánguidamente las palabras.)
Yo, como naturalmente
soy benigna...

D. CRISTÓBAL

(Con viveza.)
                    Demasiado.

D.ª DOMINGA

Pero, hermano mío...

D. CRISTÓBAL

                         Pero,
     cuñada mía, ¿es mal chasco
55   el que me he llevado yo?
     Vaya usted considerando.
     Cuando partí a mi gobierno,
     aun no tenía cuatro años
     ese chico. Su buen padre
60   le encomendó a mi cuidado;
     me nombró por su tutor;
     soy su tío; en estos brazos
     le he sacado yo de pila.
     Vea usted con cuántos cargos
65   quedé respecto a un sobrino,
     un pupilo y un ahijado.
     Me era forzoso partir
     a mi destino. Los llantos,
     las plegarias de su madre
70   entonces me precisaron
     a substituir en ella
     la tutoría, esperando
     que no me tocase estar
     en Indias sino cinco años;
75   pero de un gobierno en otro
     he pasado quince largos.
     Desde allá, cada correo,
     ¿no escribía un cartapacio,
     dando mis disposiciones

80   para educar a Mariano
        al lado de unos maestros
        hábiles, y de un buen ayo?
        Usted los buscó a su modo,
        según veo: descuidados,
85   o necios, o aduladores,
        que la estaban engañando,
        y me engañaban a mí,
        con enviarme unos retazos
        de latín y de francés,
90   como verdaderos partos
        del ingenio de su alumno;
        dibujos bien acabados;
        muestras de gallarda letra;
        y nada era de su mano...
95   Usted siempre aseguraba
        que el tal niño era un milagro
        de aplicación, una alhaja;
        tan vivo y adelantado,
        tan obediente a su madre,
100   tan cortés... Yo mentecato
        lo creí muy santamente;
        y con gozo extraordinario
        le prometí que sería
        dueño de cuanto he ganado
105   en Indias con mi sudor.

                    D.ª DOMINGA

        Ni él ni yo desconfiamos
        de promesa tan segura...

                    D. CRISTÓBAL

        Conforme. No hay que fiarnos.
        En fin, vuelvo de mi viaje
110   muy satisfecho; y lo que hallo
        es que ese caballerito

          cumplirá presto veinte años
          sin saber ni persignarse;
          que está lleno de resabios,
115   de mil preocupaciones;
          que es temoso, afeminado,
          superficial, insolente,
          enemigo del trabajo;
          incapaz de sujetarse
120   a seguir por ningún ramo
          una carrera decente.
          ¿Por las letras? Es un fatuo.
          ¿Por las armas? Es un mandria.
          Tirará... por mayorazgo.

                    D.ª DOMINGA

125   ¡Qué terrible eres! El chico
          todavía no ha logrado
          ver sereno ese semblante.
          Se asusta, se pone malo
          sólo con que alces la voz.
130   Siempre ha sido delicado.
          El estudio no le prueba.
          Ni tampoco es necesario
          que un hijo de caballero
          lo tome tan a destajo
135   como si con ello hubiera
          de comer.

                    D. CRISTÓBAL

                    Quedo enterado.
          ¡Viva mi doña Dominga!
          Piensa bien. ¿Conque sacamos
          en limpio que un caballero
140   no ha de ser hombre? En contando
          con una renta segura
          de cinco a seis mil ducados,
          ¿a qué fin ha de afanarse

       para ser buen ciudadano.[12]
145 ni buen padre de familia,
       ni sabio, ni buen soldado?
       ¿Para qué? Dejemos eso
       a los hombres ordinarios.
       (*Levantándose.*)
       ¡Vaya; que merece usted
150 dirigir un seminario!

                    D.ª DOMINGA

       Digo: ¿y te parecerá
       que no sé yo quién te ha dado
       contra tu mismo sobrino
       unos informes tan falsos?
       (*Exclamando.*)
155 ¡Hijo de mi alma! Pantoja,
       ese traidor de criado
       es quien le ha vendido. ¡Infame!
       Pues ¿qué? ¿Tú y él encerrados
       no estabais de conferencia
160 antes de ayer muy temprano?
       Ya mi doncella Felipa
       oyó, no todo, pero algo,
       por el hueco de la llave.

                    D. CRISTÓBAL

       Cierto; y porque sentí pasos,
165 dejé la conversación
       para otra vez. Llega el caso
       de que en presencia de usted,
       no a espaldas, la prosigamos.
       (*Toca una campanilla, que está sobre la mesa.*)
       ¿Para qué andar con misterios
170 en un asunto tan claro?
       Él vendrá...

[12] Sobre la relación entre este parlamento y ciertas ideas de Cadalso, véase el cap. IV de la Introducción.

D.ª DOMINGA

Déjale ahora.
(Levantándose.)
¿A tal extremo llegamos
que se nombra por fiscal
de la conducta del amo
175   a un criado, a un chocarrero?
Yo no sé cómo lo aguanto.

D. CRISTÓBAL

Le cito, no por fiscal,
por testigo y abonado...
(Vuelve a tocar la campanilla.)
Pantoja es algo chancero,
180   pero no miente; es honrado;
nos tiene gran ley; conoce
desde la cuna a Mariano,
y sabe todas sus mañas.
Se explica con desparpajo...

D.ª DOMINGA

185   Más de lo que es menester;
porque es tan atravesado,
tan socarrón, tan ladino...

ESCENA II

D. Cristóbal, D.ª Dominga, Felipa, *que sale por la
puerta de la derecha; y* Pantoja, *que viene luego por la de
la izquierda.*

FELIPA

¿Qué mandan ustedes?

D. CRISTÓBAL

Llamo
a Pantoja.

PANTOJA

Ya está aquí.

D. CRISTÓBAL

(A D.ª Dominga.)
190   Usted perdone el mal rato.
Nuestra disputa será
muy breve; vamos al grano.
Pantoja.

PANTOJA

Señor.

D. CRISTÓBAL

Parece
que esta señora, intentando
195   convencerme y disculparse
de la crianza que ha dado
a mi sobrino, desea
que me venga el desengaño
por tu boca. Di sobre esto
200   cuanto sabes, sin empacho
y con toda realidad.

PANTOJA

Pero, señor...

D. CRISTÓBAL

Habla claro.

PANTOJA

No sé cómo he de atreverme...

D. CRISTÓBAL

Contemplaciones a un lado.
205   A quien tenga la razón,
      dársela.

D.ª DOMINGA

Me haces agravio...

D. CRISTÓBAL

La averiguación importa;
y yo seré el agraviado
si usted se resiste a ella.

D.ª DOMINGA

210   Eso es darle mucha mano...

D. CRISTÓBAL

Y si usted no está culpada,
¿qué teme?

PANTOJA

¿Con que mi encargo
es predicar un sermón

panegírico en aplauso
215   de la vida y las hazañas
de aquel joven...?[13]

D.ª DOMINGA

Sí, de tu amo;
y mira cómo hablas de él.
Su madre te está escuchando.[14]

D. CRISTÓBAL

Y su tío te prohibe
disimular.

PANTOJA

220   Apretado
es el lance en que me ponen.
Para quedar bien con ambos,
¿no hay medio?... Pues si no le hay,
aquí del valor. Hagamos
225   justicia seca; y perdonen
ustedes, que soy mandado...
Mi sermón tendrá dos puntos;
que, al fin, me ha de servir de algo
haber estudiado un poco
230   de latín cuando muchacho.
Primer punto: las flaquezas

[13] Sobre el paralelo entre las alusiones satíricas a la oratoria sagrada
contenidas en este parlamento y los siguientes, y el *Fray Gerundio* del padre
Isla, véase el cap. IV de la Introducción.
[14] En el fol. 13 del *Plan* manuscrito se alude así a esta escena y la actitud
de doña Dominga durante ella: "La madre se impacienta; pero tiene que
aguantar aquella sesión en que se descubren los vicios de la crianza de su
Mariano desde la edad más tierna". Tales palabras son a la vez una alusión
al como mecanismo determinista por el cual las influencias nocivas del medio
de Mariano, imprimiéndose en su psique desde sus primeros años, parecen
incapacitarle para la reforma de sus costumbres que se espera conseguir
desterrándole a Valencia. Acerca de esto véase el cap. VI de la Introducción.

de mi señor don Mariano
en cuanto al entendimiento.
Segundo punto: las que hallo
235   por lo que hace al corazón.
Y digo así...
(Tose y escupe.)

D. CRISTÓBAL

Di.

D.ª DOMINGA

¡Qué enfado!

PANTOJA

Dejó el amo don Cristóbal
a mi señorito un ayo,
hombre severo y formal,
240   que, por no ser del agrado
de mi ama y señora, pronto
hizo dejación del cargo.
Enseñó al niño a leer,
y en esto hubo sus trabajos;
245   pues si el niño no quería
deletrear un vocablo,
ya le entraba la rabieta.
Su mamá con agasajo
acudía a libertarle
250   del poder de aquel tirano;
le daba un dulce, un juguete;
se le llevaba a su cuarto;
y en quince días después
no había fuerza en lo humano
255   para que viese un renglón.
Con la razón y el halago
nunca se sacaba fruto.

¡Azotes! ¡Oh, ni nombrarlos!
¡Sujeción! No se hable de eso.
260 ¡Reprehender![15] Contrabando.
"Señora —esto no lo digo
yo, que lo decía el ayo—,
¿qué sirve lo que en un mes
con mi paciencia adelanto,
265 si usted en medio minuto
consigue desbaratarlo?"
Tras de aquel ayo vino otro
de manga ancha, dócil, manso...

D.ª DOMINGA

¡Charlatán! Y con todo eso,
270 ¿acaso el chico ha dejado
de aprender lo que le basta?

PANTOJA

¡Cómo! Pues ¿no fue un milagro
saber ya firmar su nombre
antes de los catorce años?
275 Por lo que mira a contar,
se quedó un poco atrasado;
mas para eso que llegó
a la puente de los asnos,[16]

[15] *reprehender:* Esta forma arcaica hace falta para el metro. Debido precisamente al metro las obras en verso dan a veces testimonio más fidedigno, que las prosaicas, de que ciertas formas se conservaban en el uso hacia una fecha determinada, pero en el siglo XVIII ya se decía *reprender* con igual o mayor frecuencia, y el lector encontrará en las obras editadas aquí ejemplos de la forma moderna de varios verbos de la misma familia (comp. *aprender*, v. 270).

[16] "*Puente de los asnos.* Se llama aquella grave dificultad que se encuentra en alguna facultad u otra cosa que desmaya para pasar adelante. Dícese regularmente de *quis vel qui* en la gramática latina" (*Diccionario de Autoridades*). En su *Vocabulario de refranes y frases proverbiales*, Correas da otro ejemplo, así como una explicación pintoresca: "En la dialéctica es la entrada a los *Silogismos*... y ahí pintó el maestro sólo una puente cayendo de ella un asno".

y ya empezaba a saber
280   aquello de *quorum, quarum*.

D.ª DOMINGA

¡Buena gana de llenarse
los sesos de latinajos!
Si él tirara por la Iglesia...

FELIPA

¡Toma! Conozco yo tantos
285   hombres de mucho provecho
que jamás han estudiado.

PANTOJA

Pues ya se ve. Comen, beben,
se pasean con descaro;
y si hay quien les dé un empleo,
290   le toman sin hacer ascos.

D. CRISTÓBAL

¡Vaya, no gloses!

PANTOJA

                    Decía
que el señorito, entregado
todo a los nominativos
y otros estudios abstractos,
295   no pudo hacer gran progreso
en el francés, sin embargo
de que en seis meses tomó
sus tres lecciones, o cuatro.

Las demás habilidades,
300   como montar a caballo,
el baile, música, esgrima
y dibujo, le costaron
aun mucho menos. Pagar
maestros, y no cansarlos.
Además de esto...

FELIPA

305   Señora,
yo me voy de aquí, o me tapo
los oídos.

PANTOJA

Pasaré
al segundo punto.

D.ª DOMINGA

¡Hermano!
¡Que tengas gusto de oír
310   las chanzas de ese bellaco!

D. CRISTÓBAL

¡Ojalá no fueran veras
estas chanzas!

PANTOJA

¿Sigo o callo?

D. CRISTÓBAL

Acaba.

PANTOJA

Como empezó
mi amo desde muy temprano
315   a campar por su respeto,
y holgarse muy a su salvo,
sin que le tomasen cuentas
ni le siguiesen los pasos,
bien se deja discurrir
320   qué poco le habrán faltado
amigotes que le enseñen
a gastar con todo garbo,
a frecuentar las insignes
aulas de Cupido y Baco,
325   cafees,[17] mesas de trucos,
nobles garitos, fandangos
de candil, y otras tertulias
perfumadas del cigarro.[18]

---

[17] *cafees:* Plural arcaico de *café*, que aquí hace falta para el metro, pero también se da un ejemplo en un trozo de los apuntes en prosa de Iriarte citado en la nota 2 a esta comedia. Según Corominas, la voz *café* fue admitida en el castellano hacia 1705; y aunque está registrada en el *Diccionario de Autoridades*, en éste no figura sino como nombre de la semilla del cafeto y de la bebida que se prepara con ella. El primer texto literario que conozco en el que tiene el mismo sentido que en el presente (es decir, el de "casa pública donde se vende y toma el café") es el siguiente del tercer párrafo de la sección I del día I de *Los eruditos a la violeta*, de Cadalso, en cuya edición príncipe ya aparece su plural en forma moderna: "Las ciencias no han de servir más que para lucir en los estrados, paseos, luneta de las comedias, tertulias, antesalas de poderosos y *cafés*" (Madrid, Imprenta de Don Antonio de Sancha, 1772, p. 7). El presente ejemplo iriartiano de 1787 (no registrado por Martín Alonso en su *Enciclopedia del idioma* ni por Ruiz Morcuende en su *Vocabulario de Moratín*) tiene, sin embargo, bastante interés para la historia de la palabra porque, junto con otro de Iriarte, en *La librería* (¿1787?; véase *Obras*, 1805, V, 332), es todavía de los primeros en obras literarias de cierta importancia; pues los ejemplos citados en los diccionarios ya mencionados son todos posteriores, siendo de Moratín hijo y González del Castillo. La importancia de las primeras apariciones de tal palabra en la literatura para la historia del realismo moderno es evidente.

[18] *cigarro:* En un poema de 1610 debido al mejicano Mateo Rosas de Oquendo se mencionan los efectos somníferos del *zigarro* (véase A. Reyes, *RFA*, t. IV, p. 365); mas en el siglo XVII, según Corominas, se suele llamarlos *cañutos de humo*, no habiendo más ejemplos del nombre moderno hasta después de 1680. Además, en la literatura no se hace común aludir a los cigarros hasta después de haberse acusado el espíritu observador y realista de los literatos de la Ilustración. El poeta José Villarroel, en un poema con-

Sobre todo, aquellos fieles
330   compañeros (aquí llamo
la atención de mi auditorio)
le han proporcionado el trato
de la célebre señora
doña Mónica de Castro,
335   en cuya mansión se pasan
los más divertidos ratos.

D. CRISTÓBAL

Ya me has nombrado otra vez
esa mujer, y no caigo
en quién sea.

D.ª DOMINGA

Es una amiga
340   que me hace de cuando en cuando
algunas visitas, viuda
de un coronel retirado…

PANTOJA

Su merced así lo dice.

FELIPA

Señora de mucho rasgo.

tenido en las *Actas de la Academia del Buen Gusto* (1749-1751), habla de
sus consocios "que traen papelillos tan bizarros, / que era mejor gastarlos
en *cigarros*" (citado por el marqués de Valmar, *BAE*, t. LXI, p. LXXXIX).
En *La petimetra* (1762), de Moratín padre, la criada pregunta a la vanidosa
doña Jerónima: "¿No era mejor la cofieta / con cinta del cigarrito?" (*BAE*, II,
67c). "Que uno trate a cuatro mozas —dice don Felipe en *El hijito de vecino*
(1774), de Ramón de la Cruz—, / que juegue y chupe un *cigarro*, / no des-
honra las familias" (*NBAE*, XXVI, 422ab). Ruiz Morcuende, en su *Vocabulario de Moratín* [hijo], cita otro ejemplo de Cruz, uno de Cadalso y tres
posteriores al presente de Iriarte (que no menciona), por todo lo cual se ve
que éste figura todavía entre los primeros casos de la nueva "presencia" de
esta voz en la nueva literatura realista de los españoles.

PANTOJA

Bastante.

D.ª DOMINGA

345   Muy advertida...

PANTOJA

¡Gran labia, gran garabato!

D.ª DOMINGA

Que tiene en Madrid negocios...

PANTOJA

Y muchos.

D.ª DOMINGA

Vino de Almagro.

PANTOJA

O de otra parte, ¿quién sabe?

FELIPA

350   Vive hace tiempo en el cuarto
       principal de aquella casa
       que es propia del mayorazgo
       del señorito...

PANTOJA

Y de balde.

D. CRISTÓBAL

¿Cómo de balde?

PANTOJA

                    Es muy largo
de contar.

FELIPA

355   Pues si en la casa
andaba un duende malvado
que no dejaba vivirla,
hasta que tomó a su cargo
doña Mónica ahuyentarle.

D.ª DOMINGA

360 Era ya mucho el espanto
que causaba a los vecinos.

D. CRISTÓBAL

¿Quién? ¿El duende? ¡Qué insensatos!

PANTOJA

Lo cierto es que algunas noches
se oyeron golpes de mazo
365 en las paredes, ruido
como si rodase un carro,
quejidos muy lamentables
y cadenas arrastrando.

D. CRISTÓBAL

¿A mí te vienes con ésa?

D.ª DOMINGA

No hay duda.

FELIPA

370   Y algunos trastos
viejos, que en unos desvanes
quedaron arrinconados,
se hallaban por la mañana
vueltos lo de arriba abajo.

D. CRISTÓBAL

375 ¿Mi sobrino cree en duendes?

PANTOJA

Sí tal, a puño cerrado.

D. CRISTÓBAL

¿Y mi hermana?

PANTOJA

              En casa, todos.
Pues sí, desde que era mi amo
tamañito, le asustaban
380 con cocos y mamarrachos,
fantasmas, disciplinantes,
brujas y otros espantajos.

Si no duda que hay mal de ojo,
que hay palacios encantados,
385 que cura un saludador,
y el martes es día aciago,
¿qué mucho será que ahora...?

D. CRISTÓBAL

¡Aquí de Dios! Yo no alcanzo
cómo usted, señora mía,
390 cayó en semejante lazo.

FELIPA

Si la pidió el señorito
que a lo menos por medio año
dejase ocupar la casa...

D. CRISTÓBAL

¿A doña Mónica? ¡Guapo!

D.ª DOMINGA

395 Ella estaba inhabitable.

FELIPA

Como el señor don Mariano,
que es el dueño, lo quería...

D. CRISTÓBAL

Cabal: era necesario
darle gusto. Ya iré yo
400 a ver al duende despacio.

PANTOJA

Hay malas lenguas que dicen
que un perillán bien pagado
por una de las guardillas
se introducía en el cuarto
405 para hacer las travesuras
que alborotaron el barrio.
Yo no sé quién dispondría
la artimaña, pero, al cabo,
doña Mónica, ayudada
410 de uno a quien llama cuñado,
que vive en su compañía,
a vista del sobresalto
del señorito, propuso
con espíritu bizarro
415 que, por hacerle favor,
no tendría gran reparo
en ir a habitar allí
por algún tiempo, dejando
un incómodo mesón
420 en que se alojó de paso.

D. CRISTÓBAL

Bien sabía la gran maula
a qué bobos daba el chasco.

D.ª DOMINGA

Pero ¿tú crees...?

D. CRISTÓBAL

                    Yo creo
esto y mucho más. No aguardo
425 a mañana, no; en la hora

acudiré a remediarlo.
Me basta saber que aquélla
es la casa en que Mariano
se junta con botarates
430   que han de ocasionar su estrago.

PANTOJA

También allí ganará
buen caudal; porque el cuñado
de la susodicha dama,
que es un terrible lagarto,
435   sabe convertir en oro
el hierro, el plomo y el barro.
Es alquimista...

D. CRISTÓBAL

Ésta es otra.

PANTOJA

Con el dinero que mi amo
le adelanta, podrá al fin...

D. CRISTÓBAL

440   ¡Señor! ¿En qué siglo estamos?
¿Conque sólo mi sobrino
ignora que ese arte falso
mil ricos empobreció,
y a ningún pobre dio un cuarto?
445   No hablemos más del asunto.
        (A PANTOJA y a FELIPA.)
Idos ya los dos. Dejadnos
a solas.

PANTOJA

Más me valdría
no haber cantado de plano;
pero usted, tras que yo tengo
450   el frenillo bien cortado,[19]
me ha puesto en el precipicio.

D. CRISTÓBAL

Ésa es cuenta mía.

PANTOJA

Vamos.

FELIPA

¡Qué pimentón en la lengua,
picotero, traidorazo!

ESCENA III

D. CRISTÓBAL y D.ª DOMINGA.

D.ª DOMINGA

¿Estás ya contento?

---

[19] *tener el frenillo bien cortado:* Vale lo mismo que la expresión moderna
no tener frenillo en la lengua, o el modismo *decir una cosa sin frenillo,* registrado en el *Diccionario de Autoridades,* o sea, según éste, "decirla con gran
claridad, sin rebozo ni disimulo". Se forja la presente variante aludiendo
a una operación quirúrgica descrita así por Covarrubias, en su *Tesoro de la
lengua castellana:* "Frenillo, cierto impedimento con que nacen algunas
criaturas... y eso les impide el hablar cuando son de edad para ello, y a veces
el mamar desde que nacen; y el remediar éste llaman *cortar el frenillo*".

D. CRISTÓBAL

455   Estoy
conmigo mismo irritado.
Creí que era usted sencilla
y débil, pero no tanto.
¿Cuándo la fiara yo
460   la crianza del muchacho,
si hubiera tenido entonces
las experiencias que hoy palpo?

D.ª DOMINGA

Pues, para que te confundas,
ese mozo mal criado
465   por su madre, tan inútil,
tan despreciable, tan malo,
merece el tierno cariño,
la estimación y la mano
de una señora de prendas,
joven, rica y noble.

D. CRISTÓBAL

470   Extraño
que llegue ahora al tutor
la noticia.

D.ª DOMINGA

        Se ha tratado
el asunto con reserva.

D. CRISTÓBAL

¿Reservas conmigo?

D.ª DOMINGA

                    A espacio.
475 Escucha la historia, y luego
     hablarás.

D. CRISTÓBAL

     ¡Vaya, sepamos!

D.ª DOMINGA

     Nuestro amigo don Alfonso,
     que está al presente hospedado
     en casa con su hija Flora,
     vino hace un mes...

D. CRISTÓBAL

480   Bien; le trajo
     desde Granada a Madrid
     ese pleito con don Fausto.
     Todo esto lo sé. ¿Qué más?

D.ª DOMINGA

     Como era amigo y paisano
     del difunto...

D. CRISTÓBAL

485   Y también mío.
     Le estamos muy obligados
     en esta casa, y merece
     todo nuestro obsequio. Al caso.

D.ª DOMINGA

Poco antes de tu llegada
490   me vino el lance rodado
de proponerle la boda
de su hija con mi Mariano,
supuesto que ambos se quieren,
y las circunstancias de ambos
495   son iguales. Don Alfonso
admitió con sumo agrado
mi propuesta; y me ofreció
en los términos más claros
que apenas ganase el pleito,
500   que se hallaba en buen estado,
se dispondría esta unión.
Debe ya cumplirse el pacto
después de la favorable
sentencia que hoy ha logrado.

D. CRISTÓBAL

505   ¿Y eso callabas, hermana?

D.ª DOMINGA

Sí, para tener el lauro
de ser yo quien negociase
tan ventajoso tratado
sola sin necesitar
510   tutelas, ni padrinazgos,
ni protecciones de tíos.
Usted que me está acusando
de madre tan floja y simple,
ya verá que sirvo de algo
515   para colocar a un hijo,
pero bien.

D. CRISTÓBAL
(Pensativo.)
            Ya. Sin embargo...

D.ª DOMINGA

¿Qué sin embargo? Es negocio
seguro en que no hay engaño.

D. CRISTÓBAL

Mas ¿cómo este don Alfonso
520   no ha despegado sus labios
para hablarme del asunto?

D.ª DOMINGA

¡Oh! Que mi primer encargo
fue que guardase el secreto.

D. CRISTÓBAL

¡Misterios bien excusados!

D.ª DOMINGA

Es gran boda.

D. CRISTÓBAL

Buena.

D.ª DOMINGA

525   ¿Y hallas
inconvenientes?

D. CRISTÓBAL

Hay varios.
(Contando por los dedos.)
Primero, que don Alfonso
es un hombre muy sensato,
y cuando dio esa palabra,

530   no, no estaría informado
de los defectos del novio.
Segundo, que si Mariano
no se corrige, no puede
ser buen padre, esposo ni amo.

535   Tercero, que si hoy le estima
Flora, tendrá desengaños
mañana que desvanezcan
su amor tan reciente. Cuarto...

D.ª DOMINGA

¡Lindos escrúpulos! Voy
540   a responderte, contando
también por los dedos... Mira.
Lo primero, que ha empeñado
don Alfonso su palabra
conmigo, fijando el plazo.

545   Lo segundo, que en mi chico,
aunque me predique un santo,
no veré, ni creeré
defecto alguno de cuantos
le está achacando su tío.

550   Lo tercero, que es en vano
pretender que doña Flora
deje de amarle. Lo cuarto,
que ha de ser... porque ha de ser,
y yo lo quiero, y lo mando.

D. CRISTÓBAL

555   Ésa sí que es gran razón,
amiga. De pie de banco...
(*Mirando hacia la puerta de la izquierda.*)
¡Hola! Don Alfonso...

D.ª DOMINGA

A tiempo
llega.

ESCENA IV

D.ª DOMINGA, D. CRISTÓBAL, D. ALFONSO *que sale por
la puerta de la izquierda con muestras de inquieto y pensativo.*

D.ª DOMINGA

(A D. ALFONSO.)
          Le estaba enterando...

D. CRISTÓBAL

      Usted me ha tenido oculto
560   un secreto, y yo me espanto...

D.ª DOMINGA

      De todo le he dado parte.
      Ya no hay que disimularlo,
      porque está con la noticia
      de la boda tan ufano
565   como usted y como yo...
      ¡Qué gozo! El pleito ganado,
      colocada doña Flora,
      unidos los mayorazgos
      de dos casas tan amigas...
570   ¿No es así? Pero ¿qué escaso
      de palabras viene usted?
      ¿Qué pensativo? Reparo
      yo no sé qué frialdad...

D. ALFONSO

      ¡Ah, señora! Un hombre blanco
575   suele verse en tales lances...

D.ª DOMINGA

Pues ¿qué sucede?

D. ALFONSO

                    Soy claro,
pero con ustedes hoy
temo serlo demasiado.
Ya no es posible ocultar
mi inquietud.

D. CRISTÓBAL

580   ¿Puedo yo acaso
servir, aliviar a usted?

D. ALFONSO

(Con pausa y gravedad.)
Amigo, veo que si hablo,
hago un mal papel; que soy
un padre injusto si callo.
585 Conozco, como si ahora
despertase de un letargo...
(Con prontitud.)
Luego dirán que los mozos
proceden atropellados,
y cometemos los viejos
590 unos absurdos tan crasos...

D.ª DOMINGA

No lo entiendo.

D. CRISTÓBAL

Pues yo sí.

D. ALFONO

Don Cristóbal, he guardado
tal silencio con usted
acerca de este contrato
595   por causarme gran vergüenza
confesar el juicio errado
que formé; pero, ya vista
mi imprudencia, es necesario
acudir a repararla.

D. CRISTÓBAL

600   Hermana, ¿voy acertando
en mis pronósticos?

D.ª DOMINGA

¡Cómo!
Don Alfonso, ¿nos burlamos?

D. ALFONSO

Los informes fidedignos
y contestes que hoy me han dado
605   de la increíble conducta
que se nota en don Mariano,
el bienestar de una hija
a quien tan de veras amo,
cuya educación ha sido
610   el mayor de mis cuidados,
me aconsejan que no debo
sacrificarla.

D.ª DOMINGA

Es bien raro
el capricho.

D. CRISTÓBAL

Yo me pongo
en lugar de usted. Sobrados
615   motivos puede alegar
que le sirvan de descargo
para suspender al menos...

D.ª DOMINGA

¡Suspender! ¿Qué es esto, hermano?
¡Un tío contra un sobrino
hablar así!

D. CRISTÓBAL

620   Yo siempre hablo
en favor de la verdad.
Por la razón me declaro;
y todos los parentescos
del mundo suponen tanto
625   como nada cuando importa
no mantener en su engaño
a un amigo, hombre de bien.[20]

D.ª DOMINGA

Y antes de haber empeñado
su palabra el tal amigo,
630   ¿no pudo haberse hecho cargo
de las consecuencias?

---

[20] Este parlamento y el diálogo entre don Alfonso y don Fausto en la
escena VI de este acto parecen reflejar algo del concepto cadalsiano de la
amistad y la hombría de bien que he explicado en los capítulos segundo
y sexto de mi ya citado libro sobre Cadalso.

D. ALFONSO

                              Sí,
debía. Pero ¡qué caro
me ha salido aquel error!
Bien se me representaron
635   la nobleza y conveniencias
de ese joven, el agrado
con que él y Flora se tratan,
el apetecible lazo
que estrecharía la unión
640   de nuestras casas; mas ¿cuándo
pudiera yo sospechar
que un hijo de tan honrados
padres, único heredero
de un decente mayorazgo
645   y criado entre personas
de distinción y buen trato,
anduviese distraído,
cercado de amigos falsos,
de locos, de estafadores;
650   ya sin dejar de la mano
los naipes, ya contrayendo
deudas por fútiles gastos,
pasando noches enteras
fuera de casa, mudando
655   el traje de caballero
en capote jerezano;
en fin, cobrando opinión
de ocioso y desarreglado?

D.ª DOMINGA

Mi hijo queda agradecido
660   a elogios tan cortesanos.
Crea usted esos informes,
crea los de mi cuñado,
y retracte su palabra;

        pero sepa que me llamo
665 doña Dominga Piñeiro,
        y que lo que se ha tratado
        conmigo, se ha de cumplir.
        Que si es mi genio pacato
        y flexible en otros puntos,
670 en tocando a mi Mariano,
        soy una sierpe, una furia.
        Voyme; que si no...
        (Vase.)

D. CRISTÓBAL

¡Rebatos!

ESCENA V

D. ALFONSO y D. CRISTÓBAL.

D. ALFONSO

Siento disgustarla...

D. CRISTÓBAL

                    ¿Y qué?
        Está bien justificado
675 cuanto usted dice del novio,
        y hemos de hablar muy despacio
        en la materia.

D. ALFONSO

                    Son hombres
        tan cuerdos y autorizados
        los que me aconsejan... Luego,
680 yo forastero, que me hallo
        con sólo un mes de Madrid...

D. CRISTÓBAL

Es disculpable el engaño.

D. ALFONSO

Mucho me arrastra el amor
de padre cuando quebranto
685   los fueros de la amistad;
cuando mi honor... ¡Qué mal pago
doy al benigno hospedaje
que debo a ustedes!

D. CRISTÓBAL

                    Yo salgo
a una breve diligencia
690   que importa al fin deseado
de corregir extravíos
de este mozo...
*(Toma el sombrero, la espada y el bastón, que están
sobre una silla.)*
                    En mi despacho
puede usted luego, si gusta,
esperarme; y retirados
695   allí, con más libertad
que en esta sala de paso,
le contaré...
*(Suspendiéndose y mirando hacia la puerta de la
derecha.)*
                    Me parece
que oigo la voz de don Fausto.
Hoy perdió su pleito, ¡el pobre!
700   Por usted que le ha ganado,
me alegro; por él, lo siento.
Es gran mozo; muy urbano,
instruido y más juicioso
de lo que muestran sus años.

D. ALFONSO

705   Yo le he cobrado afición.
      Los dos hemos litigado,
      pero con todo...

D. CRISTÓBAL

                    ¿Qué importa?
      Aunque sea en mis contrarios,
      yo estimo las buenas prendas.
      Adiós.
      (*A* D. FAUSTO, *que sale por la puerta de la derecha.*)
710   Beso a usted la mano.
      Si pudiera detenerme...
      A bien que dentro de un rato
      nos veremos.

D. FAUSTO

                    Yo no vengo
      a estorbar.

      (*Vase* D. CRISTÓBAL *por la puerta de la izquierda.*)

ESCENA VI

D. ALFONSO *y* D. FAUSTO.

D. ALFONSO

      (*Con agrado.*)
                    Señor don Fausto.
715   lo que hoy para mí es fortuna,
      es para usted un quebranto;
      y le juro que mi gozo
      no puede ser tan colmado
      como algunos pensarían.

D. FAUSTO

720   Sé que es usted muy humano,
       y creo serlo también.
       Cuando el respetable fallo
       de un tribunal se declara
       por usted, bien me persuado
725   que le asiste la justicia.
       Ni me enojo, ni me abato.
       Yo he seguido este litigio
       porque le dejó entablado
       mi difunto padre, y muchos
730   me estaban siempre culpando
       de tener los intereses
       de mi casa abandonados;
       mas no por eso en mi pecho
       con tal motivo labraron
735   ni el encono, ni el capricho,
       ni los viles sobresaltos
       de la codicia. Mi lengua
       ni una palabra ha soltado
       que sonase a enemistad.
740   Allá nuestros abogados
       han contendido. Nosotros
       hemos corrido entretanto
       con la mejor armonía,
       y ésta durará.

D. ALFONSO

                       No extraño
745   que usted, con una franqueza
       tan noble, haya continuado
       en frecuentar esta casa
       mientras seguían los autos.
       He formado gran concepto
750   de usted porque de ordinario
       los que pleitean se miran
       con odio.

D. FAUSTO

No soy tan bajo.
Me han dicho algunos que apele.
¿Para qué? Para arruinarnos.

D. ALFONSO

Es así.

D. FAUSTO

755   Pero, señor...
¿podré con desembarazo
descubrir...?

D. ALFONSO

Cuanto usted quiera.

D. FAUSTO

Amigo, ni el menoscabo
que de la sentencia de hoy
760   me resulta, ni el atraso
o la pérdida total
de cuanto poseo y valgo
me serán jamás sensibles,
si a pesar de mis escasos
765   méritos, consigo al fin
no incurrir en desagrado
de usted cuando le suplico
apruebe el amor en que ardo
por doña Flora. Mi dicha
770   depende ya de su mano.
      (*Tomando a* D. Alfonso *la mano y besándosela
      tiernamente.*)

Y de ésta... que reconozco
por la de un padre.

D. ALFONSO

(Sorprendido.)

¡Don Fausto!

D. FAUSTO

Un tierno afecto disculpa
mi arrojo. Si es temerario...

D. ALFONSO

775   No, no lo es; mas, por desgracia,
presumo que ha de ser vano.

D. FAUSTO

¿Por qué vano? ¿En quién consiste?
¿En usted o en Flora?

D. ALFONSO

En ambos.
En mí, por una palabra
780   que siento haber empeñado;
y en ella, porque se inclina...

D. FAUSTO

(Con viveza.)
Sí, ya lo sé, a don Mariano.

D. ALFONSO

Mientras yo no la convenzo
de que ese mal empleado
785   amor la hará desdichada,
y mientras no pongo a salvo
mi honor sobre una fatal
obligación que contrajo,
ni su deseo de usted,
ni el mío...

ESCENA VII

Los mismos y FELIPA.

D. ALFONSO

(A FELIPA.)

¿Qué hay?

FELIPA

790   Un recado
de mi ama doña Dominga,
que aguarda a usted en su cuarto.

D. ALFONSO

Querrá hablarme de un asunto
que tenemos empezado.
A más ver.

D. FAUSTO

795   Usted no olvide,
señor...

D. ALFONSO

Nada olvido. En cuanto
dependa de mí...

D. FAUSTO

Mil gracias.

(*Vase* D. ALFONSO *por la puerta de la derecha.*)

ESCENA VIII

D. FAUSTO, FELIPA *y después* D. MARIANO.

D. FAUSTO

Doña Flora y yo dejamos
pendiente una explicación
800   que la importa. ¿Habrá reparo
en que la digas...?

FELIPA

                    Sí le hay;
como que ya voy notando
que estos días la hace usted
carocas, y que está mi amo
805   don Mariano receloso
de que es usted su contrario.
¿Piensan que soy yo criada
de estas que hacen a dos palos?
No; me trata el señorito
810   muy bien, y soy de su bando.

D. FAUSTO

Ni yo pretendo que dejes
de ser fiel; antes lo alabo.

FELIPA

A fe que si no lo fuera,
perdiera buenos regalos.

D. FAUSTO

815   Ya no te alabo, Felipa.

FELIPA

¡Chito! Aquí está don Mariano.
Es galán en toda forma,
¿no es verdad?

(D. MARIANO *llega vestido en traje de por la mañana,
con un bastoncito de petimetre, etc. Sale por la puerta
de la izquierda, dirigiéndose con alguna aceleración
a entrar por la de en medio. Viene cantando entre
dientes, y se suspende al ver a* D. FAUSTO.)

D. MARIANO

¡Oh, seó don Fausto!
¿Conque, en fin, se vio ese pleito?

D. FAUSTO

820   Hoy mismo se ha sentenciado.

D. MARIANO

Dicen que usted le ha perdido;
y me alegro, ¡voto a tantos!,
me alegro.

D. FAUSTO

¿De qué?

D. MARIANO

                    ¿Qué importa
que usted pierda, si yo gano?
825   Con eso el buen don Alfonso
no me tendrá ya penando
por su hija. Estoy impaciente.
Vengo a que me dé un abrazo,
y a que disponga cuanto antes
830   la boda. A fe de Mariano,
que hasta ahora no creía
estar tan enamorado.
Sobre que usted y su pleito
me estaban ya jorobando
835   la paciencia... ¡Anda con Dios!
Ya hemos salido del paso.

D. FAUSTO

Envidiable es la fortuna
de usted.

D. MARIANO

                    ¿Y la de ella es barro?
Ya usted lo ve. La Florita
840   es una chica de garbo;

yo, sin vanidad, tampoco
soy de lo más desgraciado.
Es viva; yo no soy muerto;
tiene un lindo mayorazgo,
845   pero no es malejo el mío;
y con lo que el tío indiano
me deja, lo pasaré
como un padre jubilado.
Usted no sabe vivir.
850   Siempre metido en cuidados
de sus pleitos, de su hacienda;
revolviendo unos legajos,
unos librotes... sirviendo
su empleo como un esclavo...
855   No, señor; la libertad.
Por eso, cuando ha dicho algo
mi madre sobre buscarme
destino, se lo he quitado
de la cabeza. La vida
860   es corta. Se pasa un rato
de paseo, otro de juego;
cuatro amigos, el teatro,
algún baile, la tertulia,
tal cual partida de campo;
865   y uno gasta alegremente
lo poco que Dios le ha dado.
Ociosidad llaman esto
algunos críticos raros...
pero a los hombres de modo
870   nuncan los prenden por vagos.

D. FAUSTO

Los que gozan conveniencias
son los que están obligados
a dar el más digno ejemplo
de aplicación. Los estragos
de la ociosidad...

D. MARIANO

875   ¿Yo ocioso?
En todo el día no paro.

D. FAUSTO

La lectura, por ejemplo...

D. MARIANO

¡Qué lectura! Jamás abro
un libro;[21] pero con todo
880   váyame usted preguntando
sobre cualquiera materia.
¿Oye usted qué bien lo parlo?
Pues no he leído en mi vida,
después del *Catón cristiano*,[22]
885   sino *David perseguido
y alivio de lastimados*.[23]

[21] Originalmente Iriarte pensaría suplir más detalles sobre las lecturas de Mariano, que los pocos que se dan al final del presente parlamento, sin duda con la intención de sugerir todavía otra motivación para la mala conducta del joven; pues en el *Plan* manuscrito se halla el apunte siguiente: "Libros malos que ha leído don Mariano. ¿Cuáles le receta después el tío?" (fol. 21).

[22] *Catón cristiano:* Se trata de un libro escolar, publicado evidentemente antes de 1787 (fecha de la aparición de la comedia de Iriarte), del que no he podido ver un ejemplar y del que Palau en la segunda edición de su *Manual* no menciona ninguna edición anterior a las de 1798: *El Catón cristiano, con ejemplos,* Palma, Imprenta Real, 1798; y Barcelona, Oficina de Antonio Sastres, s.a. (hacia 1798). Se hicieron de esta obra en el siglo XIX más de veinticinco ediciones nuevas impresas en Madrid, Barcelona, Palma, Valladolid y París. El largo título descriptivo de la edición tirada por Sierra y Martí en Barcelona, en 1818, da una idea del contenido de la obra: *Catón cristiano, con ejemplos, para uso de las escuelas; añadido con un nuevo método de escribir por reglas, una nueva colección de muestras caligráficas, y cinco modos de ayudar a misa. Nueva edición corregida según las reglas de ortografía de la Academia Española* (Catálogo impreso de la Biblioteca del Congreso, Washington). No sé, desde luego, en qué ediciones se introducirían los diversos añadidos.

[23] *David perseguido y alivio de lastimados:* Basadas en la historia bíblica de David, las tres partes (1652, 1659, 1661) de esta obra de Cristóbal Lozano

D. FAUSTO

No digo que usted se prive
de la sociedad. El trato
decente...

D. MARIANO

        ¿Y qué es la decencia?
890 ¿Estar un hombre espetado?
¿Cortesías, cumplimientos?
¿Estudiar cada vocablo
porque de todo se espantan?
No, amiguito, yo soy franco.
895 Me va muy bien con la gente
del bronce, y nunca me amaño
a gastar zalamerías.
Todo se vuelve reparos
en estas casas de forma.
900 Las busco de vuelo bajo.
Lo demás es vivir mártir.
Estos afilosofados
le meten a un hombre en prensa.
Si uno se pasea, malo;
si juega, peor.

D. FAUSTO

905   Un juego
de comercio, y moderado...

(1609-1667) tienen una finalidad moralizadora ascética. Otras dos obras
completan la trilogía davidiana de Lozano: *El rey penitente David arrepen-*
tido (1656) y las tres partes (1663, 1665, 1673) de *Ei gran hijo de David más*
perseguido [Jesucristo], cuya última obra quedó sin acabar a la muerte del
autor.

D. MARIANO

Calle. Donde está una banca,
una treinta y una, un cacho...
estos juegos sí que empeñan,
910   y no calientan los cascos.

D. FAUSTO

Pero esto de no pensar
en servir de algo al Estado...

D. MARIANO

¿Y el Estado necesita
de mí ni de nadie? Vamos.
915   Vea usted lo que se saca
de leer tanto libraco.
Al fin será menester
que yo le vaya enseñando
el arte de ser feliz,
920   y que le dé unos repasos
sobre la ciencia del mundo.
Como ande usted a mi lado
quince días...

D. FAUSTO

Nadie debe
singularizarse.[24]

---

[24] *Nadie debe / singularizarse:* Don Fausto parece aludir a la máxima
o aforismo 278 del *Oráculo manual*, de Gracián: "*Huir la nota en todo:*
que en siendo notados, serán defectos los mismos realces. Nace esto de sin-
gularidad, que siempre fue censurada; quédase sólo el singular. Aun lo
lindo, si sobresale, es descrédito; en haciendo reparar, ofende, y mucho
más singularidades desautorizadas. Pero en los mismos vicios quieren algunos ser conocidos, buscando novedad en la ruindad, para conseguir tan

D. MARIANO

¿Acaso
925 me singularizo yo?
Vivo como uno de tantos
que hay por Madrid... Pero voyme
a ver al suegro, y me escapo
de oir un sermón que lleva
930 traza de ser muy pesado.
Felipilla, di a mi novia
que ya pasaré a su cuarto.
Ella... el padre... mamá... el tío,
todos estarán saltando
935 de contento. Sólo usted
se me pone cabizbajo.
(*Dando una palmada en el hombro a* D. *Fausto,
que está pensativo.*)
Digo: ¿En qué piensa? ¿En el pleito?
Alegrarse, que hoy estamos
de enhorabuena.
(*Alejándose un poco de* D. *Fausto, y mirándole de
medio lado.*)
¡La envidia
940 que me tiene! ¡Pobre diablo!
(*Vase por la puerta de en medio.*)

ESCENA IX

D. FAUSTO y FELIPA.

FELIPA

¡Vaya usted viendo! Hay quien dice
que este mozo es atronado;

infame fama. Hasta en lo entendido, lo sobrado degenera en bachillería".
Aunque en el setecientos hubo tan sólo una edición suelta del *Oráculo* (Amberes, 1725), las *Obras completas* de Gracián se editaron trece veces durante la centuria de Iriarte, tres veces en vida de éste.

¡y a mí su marcialidad[25]
me gusta... horror!

D. FAUSTO

                    No es milagro,
945   si agrada igualmente a Flora.

FELIPA

Eso, mucho... Preguntarlo
a ella misma.

D. FAUSTO

Ya se acerca.

FELIPA

¿Sí? Pues de aquí no me aparto.
Hablará usted con escucha
950   como las monjas. ¡Cuidado!

---

[25] Sobre la *marcialidad*, véase el cap. VI de la Introducción, donde con
un pasaje de la *Óptica del cortejo* se define principalmente desde el punto
de vista temenino. Se explica la marcialidad masculina o, lo que viene a ser
lo mismo, "los diez preceptos de la ley caballeresca", en *Vicios de las tertulias
y concurrencias del tiempo, excesos y perjuicios de las conversaciones del día,
llamados cortejos* (Barcelona, 1785), de D. Gabriel Quijano, presbítero:
"El primer precepto es conversar con una dama a solas.   II: Darse por muy
ofendido si su marido está presente.   III: Visitarla muy de mañana antes
de levantarse de la cama.   IV: Ayudarla a vestir sin el menor rubor ni empacho. [En el III y el IV se trata de la costumbre muy dieciochesca de la
levée.]   V: Proveerla de vestidos y galas sin el menor interés.   VI: Ir los
dos juntos y solos en el coche cerrado, sin la menor sospecha de mal.   VII:
Hacerla de bracero hasta en la Iglesia.   VIII: Divertirla con festines, bailes,
juegos y otros pasatiempos profanos.   IX: No apartarse de su lado ni de
día ni de noche.   X: No hablar jamás con ella de máximas eternas, ni de
otra cualquier cosa perteneciente a la salvación e interés espiritual del alma"
(p. 19). Para más información sobre este tema, véase Carmen Martín Gaite.
Usos amorosos del dieciocho en España, Madrid, 1972.

E S C E N A   X

D.ª FLORA, D. FAUSTO y FELIPA.

D. FAUSTO

(A D.ª FLORA.)
Si usted se dignase ahora
de oír, ya que nos cortaron
la conversación...

D.ª FLORA

         No pude
entender, señor don Fausto,
955 eso que usted me decía
sobre un retrato. He quedado
con suma curiosidad.

D. FAUSTO

En breve la satisfago.
Conozco dos caballeros
960 que asisten algunos ratos
a una casa (y creo está
no muy lejos de este barrio)
en que vive cierta viuda,
llamada, si no me engaño,
doña Mónica.

FELIPA

965   Conozco.

D. FAUSTO

Dijéronme por acaso
que en poder de aquella dama
habían visto un retrato
de usted.

D.ª FLORA

¿Mío?

D. FAUSTO

Ciertamente.

D.ª FLORA

970   A la verdad que lo extraño.

D. FAUSTO

Yo, como es tan fiel mi afecto,
señora, aunque mal premiado,
ansioso de poseer
joya de valor tan alto,
975   ofrecí cualquier dinero.
Desempeñaron mi encargo
muy bien los negociadores,
y ayer mismo me entregaron
esta alhaja...
(Sacando un retrato de la faltriquera.)
                    que valía,
980   si yo la hubiera tasado,
no tesoros, que eso es nada,
sino las penas que paso
por el bello original...

FELIPA

No, no es esto lo ajustado.
985 Usted refiera su cuento
sin ribetes, liso y llano.

D. FAUSTO

Si fuera yo tan dichoso
que ahora lograse en pago
de mi ternura el permiso
990 de conservar este hallazgo...

D.ª FLORA

No es lo mismo merecerle
usted que hallarme en estado
de concedérselo yo.

FELIPA

¡Ay, éste es aquel retrato
995 que mandó mi ama sacar
para el señor don Mariano!

D.ª FLORA

Pues le ha guardado muy bien.

D. FAUSTO

Tal vez se le habrán robado...

D.ª FLORA

O tal vez...

FELIPA

     ¡Vaya! ¿A qué viene
1000 hacer juicios temerarios?

D.ª FLORA

Yo temo...

FELIPA

     Calle usted. Si él
se muere por sus pedazos.

D.ª FLORA

(A D. FAUSTO.)
En fin, usted me lo entregue.

D. FAUSTO

¿Para siempre?

D.ª FLORA

          No; entretanto
1005 que descubro la verdad.

D. FAUSTO

¿Y después?

D.ª FLORA

     Después... tan varios
pueden ser los accidentes...
no es posible adivinarlos.

El retrato en mi poder
1010 quedará depositado.

D. FAUSTO

Para su restitución.
¿No es así?

D.ª FLORA

No he dicho tanto.

FELIPA

Si es robado, ha de volver
a su dueño. ¿Pues no es claro?

D. FAUSTO

1015 No tengo yo menor gloria
de saber que le rescato
que de poseerle. Éste es.
(*Entregándosele a* D.ª FLORA.)
Si algún día llega el caso
de poder usted más libre
1020 disponer de él, yo la encargo
que se acuerde de que fue
prenda que un apasionado
amante adquirió, y no pudo
guardar por no hacer agravio
1025 al dueño, hurtándole así
favores involuntarios.
Si él consigue recobrarla
por dádiva de esa mano,
sabrá no ponerla en otras.

D.ª FLORA

1030 Siento haberla enajenado;
      pero desde hoy, yo lo juro,
      para ninguno la guardo
      que no haya de ser mi dueño,
      y que no la estime... tanto,
1035 a lo menos, como usted.

D. FAUSTO

¿Quién no revive, animado
con tan halagüeña oferta?

D.ª FLORA

Nada ofrezco.

D. FAUSTO

                 Sin embargo,
      sabe el señor don Alfonso
1040 a quien ya he comunicado
      mi legítima intención...

D.ª FLORA

Ni a su honor, ni a mi recato
está bien que yo me explique
con más libertad. No mando
1045 en mis afectos ahora
      todo lo que es necesario
      para pensar cuerdamente
      lo mejor; pero si acaso
      un breve error me deslumbra,
1050 con un breve desengaño
      seré dueño de mí misma.

FELIPA

¡Lo que la da este retrato
que discurrir!

D.ª FLORA

Más que piensas.

D. FAUSTO

¡Amable Flora!

D.ª FLORA

                        Observando
1055   mi crítica situación,
las dudas con que batallo,
mi fe empeñada, el aprecio
de que es tan digno ese honrado
proceder, lo que me ofenden
1060   ciertos recelos que callo...
En fin, baste por ahora.

D. FAUSTO

En fin, basta que el retrato
será de quien le merezca.
¡Qué dulce esperanza!

FELIPA

                        Vamos,
1065   señorita. Mire usted
que está en casa don Mariano,
y no gusto de quimeras.

D.ª FLORA

El debe temer mis cargos
algo más que yo los suyos.

D. FAUSTO

1070   Ya he puesto mi suerte en manos
de un buen padre. La pasión
lisonjea demasiado,
pero volveré...

D.ª FLORA

Está bien.

D. FAUSTO

Y confío...

D.ª FLORA

Adiós, don Fausto.

D. FAUSTO

1075   Señora, adiós. Con su casa
de usted tuve un pleito. Hoy salgo
de él, pero me empeño en otro
de interés más elevado.
Con esta sentencia sí
1080   que soy feliz, si la gano.
(Vase.)

E S C E N A   X I

D.ª FLORA y FELIPA.

D.ª FLORA

¿No te he dicho que tenía
antecedentes fundados
para no fiarme ya
del cariño de ese ingrato?
1085 ¡Ah, por mi ciega imprudencia
bien digna soy de tal pago!

FELIPA

Esto se pasará pronto
como nube de verano.

D.ª FLORA

¿Pasará? ¡Qué mal conoces
1090 mi corazón delicado,
tan dócil al tierno obsequio,
cómo sensible al agravio!
Soy fiel, y quiero lo sean
conmigo.

FELIPA

                 Ya estoy al cabo.
1095 Como se suele decir:
al son que me tocan bailo.

D.ª FLORA

Tarde alcanzará perdón
de esta ofensa don Mariano.[26]
Examinaré mi yerro;
1100   verás como le reparo;
verás que sí soy mujer
fina, extremada, cuando amo;
cuando llego a despreciar,
sé aborrecer otro tanto.

[26] Para este parlamento me atengo a las ediciones príncipe y de 1805.
En la edición sin lugar ni año, se han interpolado entre los versos 1098 y 1099
los doce siguientes: "Muy mal podrá disculparla; / pero su disculpa aguardo. / Mostraré luego a mi padre / el documento más claro / de que infiel a
sus promesas, / ese joven me ha obligado / a cotejar su conducta / con la
que observa don Fausto. / Y pues, perdiendo el afecto / del uno, el del otro
gano, / y todo mi bien depende / de acertar a compararlos, / examinaré..."
Ya fuesen dictados por el propio Iriarte (queda dicho que el dramaturgo
dirigió los ensayos para la primera presentación de su obra), o ya por el
encargado de los ensayos para alguna presentación posterior, parece tratarse
de unos versos cuya finalidad original sería la de recordar a espectadores
distraídos ciertos detalles de la acción del acto I y ciertas nuevas posibili-
dades de acción por otra parte evidentes que en la lectura, en cambio, no
se le perderían a nadie. Los doce versos interpolados se hallan, por ejemplo,
en los dos ejemplares impresos y las dos copias manuscritas que se conservan en la Biblioteca Municipal, los cuales, como queda indicado en la *Noticia bibliográfica*, fueron utilizados por los apuntadores y actores para
ciertas presentaciones de la comedia durante la primera década del siglo XIX.
(En una de las copias manuscritas de la Biblioteca Municipal, los doce versos interpolados están suplidos en el margen por otra mano que la que
copió el conjunto del texto, como si no se tratase de una parte del texto
definitivo, sino sólo de un añadido de uso puramente temporal.) La versión
más breve de este pasaje es literariamente superior por ser más sugestiva
que declarativa y así contribuir a mantener al lector en un estado de sus-
pensión; en fin, el hecho de que el hermano de nuestro escritor vuelve al
texto primitivo de 1787 al preparar la edición de 1805, justifica la exclusión
de los doce versos añadidos de nuestro texto.

ACTO SEGUNDO

ESCENA I

D.ª Dominga y D. Mariano.

D. Mariano

(Paseándose con gran desembarazo.)
1105 ¡Vaya, no faltaba más!
      Madrecita, ¿ a mí con fiestas?
      Pues ¡fuera bueno que usted
      diese ahora en esa tema!
      ¡Cáscaras! ¿De cuándo acá
1110 quiere usted pedirme cuentas?

D.ª Dominga

Como hoy no has comido en casa...

D. Mariano

¿Qué? Pues ¿eso es cosa nueva?

D.ª Dominga

Pero di: ¿dónde has comido,
hijo?

D. MARIANO

¿Dónde? En una mesa.

D.ª DOMINGA

1115   Pero ¿en qué casa? ¿Con quién?

D. MARIANO

Con amigos que me alegran
un poco más que ese tío
ridículo.

D.ª DOMINGA

Considera...

D. MARIANO

Sí, ya voy considerando
1120   que usted, al paso que lleva,
se volverá impertinente
como él. Sobre que ya empieza
a quererme gobernar
lo mismo que si yo fuera
1125   algún muñeco. Me dicen
que aún estoy bajo tutela;
pero hoy es el primer día
que me toman residencia.
Lo bueno es que hasta el don Fausto
1130   se me viene con sentencias.
¿A mí predicarme?

D.ª DOMINGA

Chico,
está bien que te diviertas;
pero...

D. MARIANO

      Y si no, ¿de qué sirve
gozar una buena renta,
1135 ser mozo y bien admitido
en cualquiera concurrencia?

D.ª DOMINGA

Sí, pero el tío que tienes...

D. MARIANO

Es un tío; enhorabuena.

D.ª DOMINGA

Al fin, él es el tutor...

D. MARIANO

1140 Falta ahora que yo quiera
ser su pupilo.

D.ª DOMINGA

       Es padrino...

D. MARIANO

Yo ahijado por consecuencia;
pero al padrino, al tutor
y al tío, si yo pudiera
1145 pillarle los patacones
de que ha llenado talegas

en Méjico, le diría
que guardase sus arengas
para un púlpito, que yo
1150   me paso muy bien sin ellas.
Por lo que toca a salir
de casa, como usted vuelva
a ponerme cortapisas,
en una semana entera
no me ve el pelo.

                              D.ª DOMINGA

1155   ¡Jesús!
¡Qué pesadumbre me dieras!
¡Cómo riñera tu tío!

                              D. MARIANO

Él es materia dispuesta.
¿Quién se libra de un sermón
1160   suyo? Ni un anacoreta.

                              D.ª DOMINGA

Ven acá. ¿Dónde has dejado
los relojes?

                              D. MARIANO

                Me los trueca
, por otros un conocido,
y se los he dado a prueba.

                              D.ª DOMINGA

1165   ¿Y si te quedas sin ellos
y sin los otros?

D. MARIANO

            Paciencia.
Tal día hará un año. Usted
se aflige por frioleras.
Yo por lo común no tengo
1170   un cuarto en la faltriquera,
y vivo alegre. Al revés
del tío: mucha riqueza,
y siempre de mal humor.
Recogió buena cosecha
1175   en Indias, y habrá robado
de lo lindo...

D.ª DOMINGA

No lo creas.

D. MARIANO

¿No? Pues bravo tonto ha sido.

D.ª DOMINGA

Tú no sabes lo que cuesta
ganar el dinero.

D. MARIANO

            ¡Toma
1180   si lo sé! Me paso en vela
por él más de cuatro noches.

D.ª DOMINGA

¿Y ganas?

D. MARIANO

Una miseria.
Verbigracia: hoy necesito
algunas medallas sueltas
1185   para salir de un apuro.
No, no vaya usted por ellas.
Mejor será que me dé
la llave de la gaveta,
y la excusaré el trabajo.

D.ª DOMINGA

1190   ¡Válgate Dios! ¡Siempre deudas!

D. MARIANO

No es deuda, pero hoy quería
desempeñar cierta prenda
que usted habrá echado menos.

D.ª DOMINGA

¿Si será?

D. MARIANO

Ya usted se acuerda
de una sortija...

D.ª DOMINGA

1195   ¿Qué dices?
¿La de diamantes? ¿Aquella
que tenía destinada
para Flora?

D. MARIANO

Cabal; ésa.

D.ª DOMINGA

¡Una alhaja de aquel precio!
1200 ¡Y habiéndote dicho que era
regalo para tu novia!
¿Es posible que te atrevas...?

D. MARIANO

Madre mía, no riñamos.
¿Hice poco en no venderla?
1205 La empeñé porque me hallaba
alcanzado de pesetas,
y habiendo tenido a escote
un baile entre unos cuarenta,
me tocó pagar no más
1210 que luces, música y cena.
¡Bien lo lucí aquella noche!

D.ª DOMINGA

¿No era mejor me pidieras
dinero?

D. MARIANO

Siempre le pido;
pero al ver que luego empiezan
1251 a poner dificultades,
cada pobrete se ingenia.
Toma lo primero que halla,
y lo convierte en moneda.

D.ª DOMINGA

Me has traído vuelto el juicio
1220 estos días con gran pena
en busca de la sortija.

D. MARIANO

Pues ya ha parecido. Vengan
noventa y cuatro doblones
(y si usted quiere que sean
1225 los ciento, no habrá ese pico)...
verá como se remedia
el mal.

D.ª DOMINGA

Recóbrala al punto.

D. MARIANO

Pero ¿a qué usted no me acierta
quién la empeñó?

D.ª DOMINGA

¿Quién?

D. MARIANO

Pantoja.

D.ª DOMINGA

1230 ¡Pantoja! ¡Qué desvergüenza!
¡Ese criado que finge
ser tan fiel! ¡Ese que lleva

chismes contra ti a mi hermano,
te ayuda en picardigüelas!

D. MARIANO

1235   El mismo se me ofreció
a traer con diligencia
la cantidad. ¡Gran tunante!
Me pidió no descubriera
el secreto, y yo he querido
1240   usar con él la fineza
de guardársele tres días.

D.ª DOMINGA

Cuando tu tío lo sepa,
le despedirá al momento.

D. MARIANO

¡Excelente providencia!
1245   Años ha que eso debía
estar hecho.

D.ª DOMINGA

Si no fuera
por el temor que he tenido
de que mi hermano a su vuelta,
como le protege tanto,
1250   formase una grave queja
de hallarse sin su Pantoja...

D. MARIANO

¿No quiere usted que le tenga
tirria desde aquella vez

que le cogí por sorpresa
1255   una carta en que escribía
al tío contra mí ciertas
especies? También de usted
decía cosas horrendas;
pero todas con la capa
1260   de su honradez, su conciencia,
su amor a la casa.

D.ª DOMINGA

Él es
el fisgón, el que exaspera
a tu tío.

D. MARIANO

¡Picarón!

D.ª DOMINGA

Quizá también aconseja
1265   a don Alfonso. Ya has visto
como se nos manifiesta
determinado a negarte
la mano de Flora.

D. MARIANO

¡Es buena!
Después que dio su palabra,
1270   ¡miren por dónde resuella!
Pues ¿qué? ¿Novios como yo
se hallan así como quiera?

D.ª DOMINGA

Bien lo oíste. Se ha explicado
tan claro, con tal firmeza...

D. MARIANO

1275   ¡Patarata! Pues ¿no sabe
       que la Florita está ciega
       por su Mariano? Estos viejos
       son fatales. Ellos piensan
       que los mozos no se quieren
1280   mientras sus mercedes no echan
       su bendición paternal...
       Dejémonos de simplezas,
       y afloje usted los caretos,[27]
       que es lo que me corre priesa;
       lo demás...

D.ª DOMINGA

1285   Ya voy, pero antes
       advierte...

D. MARIANO

              Las advertencias
       para después.

ESCENA II

D. MARIANO *y luego* FELIPA.

D. MARIANO

              Va imitando
       al tío. ¡Cómo se pegan
       las malas mañas! Y el otro

---

[27] *careto* [caballo o vaca negra que tiene la cara blanca]: aquí por *doblón*,
quizá con alusión a que *doblón* se utiliza para designar, entre otras cosas,
una "moneda imaginaria... [que] se usa solamente en las transacciones por
parejas de bueyes o de cebones" (Martín Alonso, *Enciclopedia del idioma*),
o con alusión a los *doblones* (callos) de vaca.

1290   santo varón, ¡qué rareza!
        ¡Negarme la hija! Ya
        le he puesto de vuelta y media.
        En fin, tendremos ahora
        dinerito fresco; y venga
1295   lo que viniere. Y anoche
        ¡qué maldita sota aquélla!
        ¡No es bueno que la perdí
        cinco veces de cuarteta!
        Hoy llevaré yo la banca.
1300   Veremos si yendo a medias
        con doña Mónica... Ayer
        perdí veinte onzas... de treinta
        que he de ganar esta noche
        quedan diez... sale la cuenta.

                        · FELIPA

        (Saliendo apresurada.)
        Señorito.

                        D. MARIANO

1305   ¿Qué se ofrece,
        buena maula?

                        FELIPA

                    Vengo muerta
        de pesadumbre.

                        D. MARIANO

                    Pues ¿qué hay?

                        FELIPA

        ¿Qué ha de haber? Una tragedia
        si usted no mira por sí.

D. MARIANO

1310   ¡Siempre has de ser zalamera!

FELIPA

El tío está con usted
hecho una ponzoña.

D. MARIANO

                    Deja
que desfogue.

FELIPA

                    Doña Flora,
muy picada y descontenta,
1315   porque ha de saber usted...
        (*Viendo venir a* D.ª FLORA, *que sale por la puerta
        de la izquierda.*)
        Ya viene a darle sus quejas.

D. MARIANO

¡Toma! Con cuatro palabras
la pondré como una seda.

ESCENA III

D. MARIANO, D.ª FLORA y FELIPA.

D. MARIANO

A tus pies, Florita mía.
1320   Cada día más risueña,

más graciosa. El ser yo digno
de que tú me favorezcas
basta para que me miren
con una envidia tremenda.

D.ª FLORA

1325 Pero, señor don Mariano,
aunque mi correspondencia
a los obsequios de usted
ha sido fina, con ella
creo que jamás he dado
1330 motivo a tanta llaneza.

D. MARIANO

O somos novios, o no.
Tú por tú, sin etiquetas.

D.ª FLORA

Mas por muy anticipadas
suelen tal vez las finezas
perder su valor.

D. MARIANO

1335   Primero
que halles otro que te quiera
como yo...

FELIPA

                    Sí, todo el día
se ha pasado usted sin verla.

D. MARIANO

Es verdad. Salí temprano;
1340   y luego un hombre se encuentra
con dos o tres camaradas,
que se le llevan por fuerza,
le entretienen, y en un soplo
se va la mañana. Apenas
1345   pude ahora libertarme
de ellos. Cuando no me dejan
lugar de ver a mi Flora...

D.ª FLORA

Su Flora de usted pudiera
temer que esas distracciones
1350   naciesen de indiferencia,
que no debiera esperar.

D. MARIANO

¿Yo indiferente? ¡Y qué seria
lo dice la picarilla!
¡Ah, chusca! ¡Quién te creyera!

D.ª FLORA

1355   Oiga usted una pregunta.
¿Quiere a una dama de veras
quien desprecia su retrato?
Responda usted.

FELIPA

Aquí es ella.

D. MARIANO

De manera que... la acción
1360   parece al pronto algo fea.

D.ª FLORA

¿Tiene usted guardado el mío?

D. MARIANO

¡Y cómo! Con una eterna
fidelidad.

(FELIPA *hace señas a* D. MARIANO *por detrás de*
D.ª FLORA.)

D.ª FLORA

¿Sí?

D. MARIANO

Felipa.
¿a qué viene hacerme señas?

FELIPA

¿Yo, señor?

D.ª FLORA

1365   El mismo reo
se pronuncia la sentencia.
A ver el retrato.

D. MARIANO

¡Vaya!
¿Ahora te da esa idea?

D.ª FLORA

Diga usted que le ha perdido.

D. MARIANO

No diré tal.

D.ª FLORA

1370   A la prueba.

D. MARIANO

¿No basta decirlo?

D.ª FLORA

No.

D. MARIANO

(Sacando y entregando a D.ª FLORA *un retrato.)*
Pues toma, ya que te empeñas
en eso. ¡Qué extravagantes
caprichos tienen las hembras!

D.ª FLORA

(Abriendo la caja del retrato y quedándose admirada.)
1375   ¿Conque es éste mi retrato?

D. MARIANO

¿Quién lo duda?

FELIPA

O yo estoy ciega,
o es la mismísima cara
de doña Mónica.

D.ª FLORA

Vea,
vea el señor don Mariano
1380 la más infalible muestra
de su tierna inclinación.
Pídame que le agradezca
estos favores, pondere
su fidelidad eterna.

D. MARIANO

(Mirando el retrato.)
1385 ¡Y es doña Mónica! ¡Miren
cómo la trampa lo enreda!
Pasmado estoy.

D.ª FLORA

No lo dudo.

D. MARIANO

Pero de aquí no me mueva
si, guardando ese retrato,
1390 he tenido ni aún sospechas

de que fuese otro que el tuyo.
Por tu vida que lo creas.

D.ª FLORA

Por mi vida que no creo
que galán ninguno tenga
1395   el retrato de una dama
sin que lo quiera y lo sepa.

D. MARIANO

Diré como.

FELIPA

              Es menester
oírle.

D. MARIANO

              La historia es ésta.
Doña Mónica de Castro
1400   (la conocerás por fuerza,
en el paseo la has visto)...

D.ª FLORA

No la he tratado de cerca
como usted, mas la conozco...
lo bastante.

D. MARIANO

              Digo que ella
1405   vio tu retrato en mis manos,

         y la hechura tan perfecta
         del cerco de oro y la caja
         la agradó de tal manera
         que me pidió, con el fin
1410   de hacer otra como aquélla,
         que la dejase la mía,
         prometiéndome volverla
         muy en breve. Esta mañana
         me la devolvió en presencia
1415   de su cuñado, diciendo:
         "Cuidado no se desprenda
         usted jamás de esa alhaja
         porque vale más que piensa".
         Yo la tomé sin malicia,
1420   la guardé en la faltriquera,
         la saco ahora; y ya veo
         que las cajas compañeras
         hicieron que, equivocada
         doña Mónica, me diera
1425   su retrato por el tuyo.
         ¿Y bien? Luego se destruecan,
         y salimos del enredo.

                    D.ª FLORA

         Sí, señor. Muy fácil fuera
         si, ya que esa dama usó
1430   de amorosa estratagema
         para entregar su retrato
         a quien sabe que le aprecia,
         no hubiera puesto después
         el mío en manos ajenas,
1435   y lo que es mas, recibiendo
         pecuniaria recompensa.
         Tome el señor don Mariano
         el de su amada belleza.
         Guárdele como don suyo.
         (Entrégasele.)

1440 "Cuidado no se desprenda
usted jamás de esa alhaja
porque vale más que piensa".

D. MARIANO

Chica, tengamos ahora
paz; que para estar en guerra,
1445 después de habernos casado,
sobrado tiempo nos queda.

D.ª FLORA

(Sacando su retrato.)
Mi retrato verdadero,
el que se ha puesto de venta,
gracias a esa noble dama,
1450 es éste. Aunque usted no sepa
cómo ha llegado a mis manos,
bástele saber que en ellas
está mejor que en las suyas,
y que primero que vuelva
1455 a su poder, es preciso
que le gane y le merezca
con su obsequio, su constancia,
más juicio, conducta nueva;
porque sólo así tendrá
1460 disculpa mi ligereza
en haber amado a un hombre
que deslumbra con las prendas
de juventud, noble sangre,
gentil persona y viveza,
1465 y desengaña muy pronto
con su poca subsistencia,
desmintiendo las acciones
lo que afirman las protestas.
(Vase.)

ESCENA IV

D. MARIANO, FELIPA *y luego* D.ª DOMINGA.

D. MARIANO

Se ha formalizado un poco.
1470   La pobrecilla me cela
de puro amor.

FELIPA

Yo quería
evitar esta pendencia,
y no pudo ser. Usted
vea cómo se maneja.
1475   Don Fausto es quien la ha traído
el retrato; y a la cuenta
le costó buenos doblones.
La doña Mónica es pieza,
y luego que olió cumquibus...
1480   Ya usted me entiende... una peña
se ablandaría. El don Fausto
y la Flora se requiebran;
conque así... Que viene mi ama.

D.ª DOMINGA

Muchacho, aquí tienes...

D. MARIANO

Venga.

(Dale D.ª DOMINGA *un bolsillo.)*

D.ª DOMINGA

1485 Flora te dio su retrato.
Preciso es corresponderla
con la sortija y demás
regalos de boda, apenas
se reduzca don Alfonso
a la razón.

D. MARIANO

1490   Eso queda
de mi cargo. Adiós, mamá.
(Al irse D. MARIANO *precipitadamente por la puerta
de la izquierda, da un encontrón con* D. CRISTÓBAL,
que le detiene.)

ESCENA V

D. MARIANO, D.ª DOMINGA, D. CRISTÓBAL *y* FELIPA.

D. CRISTÓBAL

Poco a poco, seó tronera.
¿Adónde con tanta furia?
Hermana, mis diligencias
1495 no han sido en balde. Hice ahora
mi visita muy atenta
al duende y al alquimista
y a toda su concurrencia.
Vengo muy prendado de ellos.
1500 Su casa es famosa escuela
de la mocedad. He visto
primeramente una mesa
de treinta y una rabiosa;

y me dijeron que no era
1505   más que hacer tiempo, entretanto
que disponían la honesta
diversión de una banquita
religiosa de noventa
o cien medallas. ¿Qué menos?
1510   En otra mesa pequeña
vi unos cuantos mequetrefes
destripando unas botellas.
Nadie se quitó el sombrero,
hice a todos reverencia,
1515   convidáronme con cartas;
les estimé la fineza,
y al son de sus muchos gritos,
sus porvidas y blasfemias,
acompañadas de algunos
1520   vocablos que por decencia
no trae en su *Diccionario*
la Academia de la Lengua,
hablé a mi doña Fulana,
que autorizaba la fiesta...

                    FELIPA

A doña Mónica.

                    D. CRISTÓBAL

1525   Bien,
que se llame como quiera...
y en los términos más claros
que permitió mi rudeza,
la intimé que luego al punto,
1530   sin más dengues ni zalemas,
desocupase la casa
con todas sus pertenencias.
Púsose un poco formal;
respondióme cuatro frescas.

1535 Yo, por excusar cuestiones
      ruidosas, tomé la puerta;
      pero sé lo que he de hacer.
      La principal providencia
      es que usted, señor sobrino,
1540 en toda su vida vuelva
      a atravesar los umbrales
      de tal casa ni siquiera
      dé jamás los buenos días
      a tal ninfa; que aborrezca
1545 esa gavilla de ociosos
      que le engañan, le saquean,
      le distraen, le infatúan
      y pervierten. Luego resta
      dar otros pasos... En fin,
1550 ello dirá. Ya me espera
      en mi cuarto don Alfonso,
      y hablaremos. Usted venga
      conmigo, caballerito;
      que de nuestra conferencia
1555 podrá sacar mucho fruto.
      Sabrá lo bien que se piensa
      de usted por ese Madrid,
      cómo las noticias llegan
      a oídos de un forastero,
1560 y con qué razones prueba
      que ya no debe admitir
      por su yerno a un calavera.

D. MARIANO

Tío, ¿conque usted pretende...?

D. CRISTÓBAL

(En tono imperioso.)
      Allá hablarás. Vamos. ¡Ea!
1565 Si has aprendido a mandar,

te enseñaré a que obedezcas.

(D. MARIANO, *después de haber querido hacer alguna
resistencia, se va por la puerta de en medio.* D.ª DO-
MINGA *detiene a* D. CRISTÓBAL, *que va a seguirle.*)

D.ª DOMINGA

¿Qué quieres de mí y del chico?
¿Apurarle la paciencia?
¿Quitar la vida a su madre?

D. CRISTÓBAL

1570 ¿Sabes lo que quiero de ella?
Que no acabe de perderle;
y de él, que cuando se pierda,
no eche la culpa a su tío,
sino sólo a quien la tenga.

D.ª DOMINGA

1575 Ya que eres recto con él
y conmigo, mira si echas
de casa a tu fiel Pantoja.
Sé que con maña secreta
contribuye a que Mariano
1580 contraiga empeños y deudas,
de modo que una sortija...

D. CRISTÓBAL

Bien. Se le dará esa pena
o un premio, según se aclare
su delito o su inocencia.
(*Sacando de la faltriquera unos papeles.*)
1585 Entretanto pase usted
la vista por esas cuentas

de gastos extraordinarios
del señorito. A mi puerta
han llovido acreedores
1590 de todas clases. Apenas
han sabido que hay un tío,
un gobernador que llega
de América, ¡pobre de él!
Le acometen, le atropellan.
1595 Aquí verá usted prodigios
de esplendidez: francachelas
en casas de campo, en fondas;
crédito abierto en las tiendas
de mercaderes, modistas;
1600 muchos tiros de colleras
para fiestas de novillos;
mucho asiento en la luneta
por todo el año; un birlocho
para lucir la destreza
1605 cocheril en los paseos;
y otras partidas como éstas,
que en breve tiempo darían
con el mayorazgo en tierra.
Entre otras cuentas hay una
1610 que da la más alta idea
de los pasos en que él anda.
Está debiendo, y se niega
a pagar a un cirujano
los remedios y asistencia
en una cura...

D.ª DOMINGA

1615   ¿Qué dices?

D. CRISTÓBAL

El buen hombre se me queja
de que le guardó el secreto,
y no se le recompènsa.

D.ª DOMINGA

Pero ¿cómo...?

D. CRISTÓBAL

Se reduce
1620 a que estas carnestolendas
le dieron una paliza
por vía de reprimenda.

D.ª DOMINGA

(Suspirando.)
Del mal el menos.

D. CRISTÓBAL

Trataba
con no sé qué damisela,
1625 y a deshora de la noche
no faltó quien sacudiera
el polvo a los dos. Sacó
ella rota la cabeza,
y él un brazo lastimado.
1630 Por fin, ya que galantea,
sale airoso. ¿Y de qué sirve
la espalda, teniendo piernas?
(Entrega varios papeles a D.ª DOMINGA.)
Adiós. Diviértase usted.

ESCENA VI

D.ª DOMINGA y FELIPA.

FELIPA

      ¡Calle, calle! ¿Quién dijera
1635 que doña Mónica fuese
      capaz de lo que nos cuenta
      mi amo don Cristóbal? ¡Vaya!
      ¿Una dama tan discreta,
      tan noble, que arrastra coche,
1640 con su casa tan bien puesta,
      trata perillanes que arman
      juego, cuchipanda y gresca?

D.ª DOMINGA

      ¿Qué sé yo? Mi buen cuñado,
      como todo lo pondera,
1645 piensa siempre lo peor,
      se aflige por bagatelas...

FELIPA

      ¡Señora! ¿Quién viene aquí?
      Es doña Mónica. Y se entra
      de rondón como de casa.

ESCENA VII

D.ª DOMINGA, FELIPA y D.ª MÓNICA.

D.ª MÓNICA

1650 Perdone usted la licencia
    que me tomo. Las mujeres
    de mi crianza y mi esfera
    dejan de ser lo que son
    si sufren ciertas ofensas...
1655 Aunque se llama cuñado
    de usted, dudo que lo sea
    un hombre que entra en mi casa
    con tropelía grosera
    a perturbar la quietud,
1660 precipitar la modestia,
    e insultar los privilegios
    de una señora que piensa
    con decoro, de una viuda
    que, aunque la falten las rentas
1665 con que vive, no sabrá
    sujetarse a una vileza.
    Si acaso ese don Cristóbal
    es el tío que gobierna
    a don Mariano...

D.ª DOMINGA

                Y tutor.
1670 Le toca cuidar la hacienda.

D.ª MÓNICA

    Basta. No porque él lo manda,
    sino porque usted lo aprueba,

cuanto antes procuraré
desocupar la vivienda,
1675 apenas halle otra igual
en que habitar con decencia.
Cuartos como el que yo busco
son pocos los que se encuentran.

FELIPA

Si no le hubiere con duende,
1680 buscarle con alma en pena.

D.ª DOMINGA

Siento que hayan dado a usted
tal desazón, y quisiera...

D.ª MÓNICA

Mi mayor disgusto ha sido
saber que alguno sospecha
1685 que yo, sin pagar la casa,
podría servirme de ella,
cuando el no haber satisfecho
a tiempo esa friolera
del alquiler ha nacido
1690 de haber tenido suspensa
por un extraño accidente
la cobranza de unas letras.
Bien lo sabe don Mariano;
pero hay mucha diferencia
1695 del generoso carácter
y moderación tan cuerda
de aquel joven al mezquino
proceder y a la aspereza
de su tío.

FELIPA

Pues, señora,
1700 es tan furiosa la tema
que ha cogido ya ese tío
con usted que, como él pueda,
harto será que en su vida
vuelva el señorito a verla.

D.ª DOMINGA

1705 A la verdad que mi chico
está en el día muy cerca
de tomar estado, y debe
portarse con gran cautela.
El tío, la novia, el suegro
1710 le notan ya que frecuenta
ciertas casas...

D.ª MÓNICA

¡Qué! ¿La mía
no es excepción de esa regla?
Si don Mariano me trata
con leal correspondencia,
1715 no es por mero pasatiempo,
sino por unas estrechas
obligaciones. Señora,
disponga usted que la vea
a solàs. La informaré
1720 de noticias bien secretas.

D.ª DOMINGA

No importa que oiga Felipa.
Tengo confianza de ella.
Hable usted.

D.ª MÓNICA

(Sacando y mostrando a D.ª Dominga *un papel.)*
                     ¿Quién ha firmado
este papel?

D.ª DOMINGA

              Ésa es letra
de mi hijo.

D.ª MÓNICA

1725   Ya usted lo ve,
Tiene tres meses de fecha.

D.ª DOMINGA

Cierto. Pero ¿qué contiene?

D.ª MÓNICA

Está bien claro. Usted lea.

D.ª DOMINGA

¡Hola! ¿Qué es esto? Pues ¿cómo...?

D.ª MÓNICA

1730   Nada más que una promesa
muy formal de casamiento.

D.ª DOMINGA

¿Con usted?

D.ª MÓNICA

      Conmigo; y sepan
la madre, el tío, la novia
y toda su parentela
1735 que no engaña don Mariano
a una mujer de mis prendas.

D.ª DOMINGA

Pero, señora...

D.ª MÓNICA

      A esta firma
se dará toda su fuerza
en tribunal competente
1740 si hay la menor resistencia.

D.ª DOMINGA

(Turbada.)
Yo... trataré con mi hermano
sobre el punto.

D.ª MÓNICA

      Enhorabuena.
Consúltele usted; y no haya
dilación en la respuesta.
1745 Temiendo exponerme a un lance,
huyo de hablar en presencia
de ese tío. Corra usted
a confundirle. Que vea
cómo estima su sobrino
1750 ʾlas damas que él menosprecia.

D.ª DOMINGA

Voy. No sé lo que me pasa.
(Vase por la puerta de en medio.)

ESCENA VIII

D.ª MÓNICA, FELIPA *y luego* D. MARIANO.

FELIPA

Me he quedado de una pieza.

D.ª MÓNICA

¿Y dónde está don Mariano?
¿No respondes? Cuando venga,
le dirás...

FELIPA

1755   Yo le diré
que huya de usted dos mil leguas.

D.ª MÓNICA

¡Oiga! Pues ¡tan bien criada
como el tío es la doncella!
(Vase FELIPA *por la puerta de la izquierda.)*
¡Y volvió la espalda! Yo
1760 te aseguro, picaruela...

D. MARIANO

(Que sale por la puerta de en medio.)
¡Mónica! ¡Tú por acá!

D.ª MÓNICA

Sí.

D. MARIANO

¿Qué novedad es ésta?
En un tiempo visitabas
a mi madre con frecuencia,
1765   pero de un mes a esta parte...

D.ª MÓNICA

Hoy tenemos cosas serias
de que tratar. Marianito,
cuidado que no me seas
travieso. Mira lo que haces.

D. MARIANO

1770   ¿Qué? ¿Venimos de quimera?

D.ª MÓNICA

La habrá si no andas derecho.
Y más, que estoy ya resuelta
a estrecharte formalmente
para que no me entretengas
1775   como hasta aquí. Me han contado...

D. MARIANO

Habla bajo, que está cerca
el tío. Allá me tenía
en su despacho; y si no entra
mi madre, no me liberto

1780   de él en dos horas. ¡Qué pelma!
       Pero antes que se me olvide...
       Tienes unas ligerezas...
       Por el retrato de Flora,
       me has dado el tuyo.

D.ª MÓNICA

                              ¿Y qué? ¿Piensas
1785   que los troqué sin misterio?
       ¿No has entendido la treta,
       inocentón? Me causaba
       pesadumbre que tuvieras
       otro retrato que el mío.
1790   Fingí que era inadvertencia
       darte uno por el otro;
       y si el cambio te contenta,
       mi cariñoso artificio
       merece que le agradezcas.

D. MARIANO

1795   Sí agradezco; pero no hay
       inconveniente en que tenga
       ambos retratos. ¿Me vuelves
       el de Flora?

D.ª MÓNICA

                   ¿Que le vuelva?
       ¿Para eso le guardo yo?

D. MARIANO

       (Con enojo.)
1800   Ya no puedes, aunque quieras,
       porque te has deshecho de él.

D.ª MÓNICA

¿Yo?

D. MARIANO

Tengo noticias ciertas
de que le compró don Fausto,
y me ha jugado una pieza
1805 con entregársele a Flora.

D.ª MÓNICA

Te diré lo que hay. ¡Que creas
tal embuste! Has de saber
que ese buen hombre festeja
a Flora, y ha conseguido
1810 que el mismo pintor le hiciera
un retrato igual. Después
se ha introducido con ella
por este medio. Además
del gran mérito que alega,
1815 logra el fin de malquistarte.
¡Ah!, tienes poca experiencia
de mundo.

D. MARIANO

Es una maldad.

D.ª MÓNICA

Se hacen otras mil como ésa.

D. MARIANO

Pero quedaremos bien
1820 cuando Flora se convenza
de que don Fausto la engaña;
y así espero me devuelvas...

D.ª MÓNICA

¿El retrato? No te canses.
Porque tú no le poseas,
1825 primero le haré pedazos.

D. MARIANO

Calla, que suena una puerta.
¿Si será mi amado tío?
Sal por allí.
(Señalando la puerta de la izquierda.)
                    Da la vuelta
hasta mi cuarto. Ya sabes.
1830 Voy luego allá, y si me esperas,
te diré...

D.ª MÓNICA

                    Yo también debo
ajustar contigo cuentas.
[Me tienes muy enojada.]²⁸
¡Ah, traidor! Tú bien quisieras
1835 eximirte de cumplir
la más solemne promesa...
pero yo no me descuido.
Verás si mis diligencias
pueden más que tu inconstancia.
Ya hablaremos. Adiós.
(Vase D.ª MÓNICA por la puerta de la izquierda.)

²⁸ [*Me tienes muy enojada.*]: Las por lo general excelentes ediciones de
1787 y 1805 están ambas defectuosas en este lugar, por faltarles el verso,
1833. Suplo, de la edición sin lugar ni año, el verso que hace falta para la
versificación, pero cuya ausencia no se notaría en lo que se refiere al sentido.

ESCENA IX

D. Mariano *y después* D. Cristóbal *y* D.ª Dominga.

D. MARIANO

1840   Ella,
        celos y rabias; don Fausto,
        mañitas y estratagemas;
        el suegro, ridiculeces;
        el tío, siempre pendencias;
1845   la novia, dengues. ¡Si digo
        que he de perder la chaveta!

        (D. Cristóbal, *sale hablando con* D.ª Dominga,
        de modo que oyéndolo todo D. Mariano, *manifiesta*
        con sus ademanes algún sobresalto.)

D. CRISTÓBAL

        Atónito me han dejado
        las cosas que usted me cuenta.
        ¿Conque el tal don Marianito
1850   ha dado a esa forastera
        palabra, mano y papel?

D.ª DOMINGA

Cierto.

D. CRISTÓBAL

        La hemos hecho buena.

D.ª DOMINGA

Yo lo he leído, yo misma.

D. CRISTÓBAL

Pues usted que ha dado suelta
1855   al seó mayorazgo, usted
que le defiende y contempla,
usted que ahora se angustia
y antes estaba muy hueca
de tener un hijo insigne,
1860   de haberle dado una escuela
famosa y digna consorte,
vea cómo lo remedia.

D.ª DOMINGA

(A D. MARIANO.*)*
Ven, y responde a tu tío.

D. CRISTÓBAL

Responde a tu madre, que ella
1865   es la que ha de examinarte.

D.ª DOMINGA

Di: ¿por qué sin mi licencia
firmaste una obligación
tan extraña como aquélla?
Explícate.

D. MARIANO

           La firmé
1870   mucho antes que conociera
a Flora.

D.ª DOMINGA

           Pero ¿qué fin
te movió? ¿Las conveniencias
de esa viuda?

D. MARIANO

No son grandes.

D.ª DOMINGA

¿Tenerla cariño?

D. MARIANO

A medias.

D.ª DOMINGA

¿Su despejo y arte?

D. MARIANO

1875   Un poco.
Ella embobará a cualquiera
con su chiste y atractivo.
Pero si ustedes supieran
en qué ocasión firmé yo
1880   el papel... No, mis potencias
no estaban de lo más claro.
Fue después de una merienda
espléndida. Los amigos
que alborotaban la mesa,
1885   me levantaron de cascos.
Allí entre chanzas y veras
empezaron a pintarme
la mucha gracia y viveza
de doña Mónica, el trato
1890   noble y franco, la violencia
del amor que me tenía
y la esperanza halagüeña

de que uniéndonos los dos,
siendo mi casa la de ella,
1895 no habría en todo Madrid
más alegre concurrencia,
diversiones más lucidas,
más durables que las nuestras.
Luego, en tanto que la dama
1900 me echaba mil indirectas,
su cuñado iba escribiendo
el papel; y hago una apuesta
a que si usted, tío mío,
con todo que tiene a cuestas
1905 sus cuatro docenas de años
y es tan seriote, se viera
como yo, metido en broma
y aturdida la cabeza
con los brindis, echaría
1910 —no digo una firma— treinta,
a menos que en vez de sangre
tenga sorbete de fresa.

D. CRISTÓBAL

En substancia eso se llama
una seducción completa.
1915 Pero ahora bien, sobrino,
¿te arrepientes o te alegras
de haber dado ese papel?

D.ª DOMINGA

Di: ¿no es verdad que te pesa
de tal disparate?

D. MARIANO

Es cierto
1920 que aunque ya he soltado prenda,
como pueda trampearlo...

Yo amo a Flora de manera
que para no disgustarla...
¿Qué sé yo...? Como no pierda
1925   a Flora, piérdase todo.

D.ª DOMINGA

Muy bien.

D. CRISTÓBAL

          Con tal que te abstengas
de tratar a esa engañosa
mujer, a mi cargo queda
libertarte, si es posible,
1930   del riesgo en que tu imprudencia
te ha puesto.
          (A D.ª DOMINGA, *en tono más alto.*)
          La educación,
señora —vuelvo a mi tema—,
la educación.

D.ª DOMINGA

          Pero, hermano,
¿con predicar qué remedias?

D. CRISTÓBAL

1935   No, no remedio gran cosa.

D. MARIANO

Ya empieza la pelotera.
Tengo que hacer en mi cuarto,
ínterin usted se aquieta.

D.ª DOMINGA

Aguarda.

D. MARIANO

Vuelvo al instante.
1940   (¡Habrá tal impertinencia!)[29]
Yo me voy a mis negocios.
Cabal. Ustedes atiendan
a los suyos.

D.ª DOMINGA

Pero escucha.

D. MARIANO

Ya escampa.

D.ª DOMINGA

¡Mariano!

D. MARIANO

¡Aprieta!
(Vase por la puerta de en medio.)

---

[29] Así, con paréntesis, en las ediciones antiguas, para indicar que Mariano dice estas palabras aparte.

ESCENA X

D. Cristóbal y D.ª Dominga.

D. CRISTÓBAL

1945   No es muy bien mandado el chico,
        pero da buenas respuestas.

D.ª DOMINGA

        Bien sabe Dios que procuro
        contenerle.

D. CRISTÓBAL

                Usted se acuerda
        demasiado tarde. Amiga,
1950   aquello que hasta las viejas
        suelen decir: Cuando el árbol
        es tierno, se le endereza.
        Al enhornar se hacen tuertos
        los panes. Vasija nueva
1955   conserva siempre el olor
        de lo que se ha echado en ella.

D.ª DOMINGA

        ¡Refranes de Sancho Panza!
        Pero si la coronela
        espera mi aprobación,
        se engaña.

D. CRISTÓBAL

1960   En tal dependencia
        habrá su más y su menos.

Nos dará que hacer si alega
la obligación anterior
que ha contraído con ella
1965   Mariano; y si justifica,
por desgracia, que es tan buena
como él, quedamos lucidos.
Aunque el tutor no consienta,
ni la madre, habrá trabajos.

D.ª DOMINGA

1970   Lo que temo es que lo sepan
tal vez Flora y don Alfonso.

D. CRISTÓBAL

Pues justamente aquí llegan.
¿Y con qué cara podremos
hablarles de la materia?

ESCENA XI

D. Cristóbal, D.ª Dominga, D. Alfonso y D.ª Flora.

D.ª FLORA

(Hablando con D. Alfonso.)
1975   ¡Ay, padre mío! El agravio
es de tal naturaleza...
Mas ¿por quién lo supo usted?

D. ALFONSO

Por Felipa, la doncella,
que vino sobresaltada

1980 a decirme que acudiera
      a remediar este lance
      con mis prontas diligencias.
      ¡Don Cristóbal! ¿Esto había?
      ¿Y ese caballero espera
1985 ser mi yerno? ¡Qué! ¡Una novia
      pública y otra secreta!
      (D. CRISTÓBAL *calla y se encoge de hombros.*)

D.ª FLORA

      Ya no será regular
      que esta señora pretenda
      corresponda yo al infiel
1990 que así paga mis finezas.

D.ª DOMINGA

      Pero, hija mía, estarás
      mal informada.

D.ª FLORA

                    La prueba
      es que acabo de saber
      que doña Mónica queda
1995 con don Mariano en su cuarto.

D. CRISTÓBAL

      ¿Ahora tenemos ésa?
      Voy a buscarla a decirla...
      Aquí volveré con ella;
      y aquí delante de todos
2000 ha de llevar la fraterna.
      (*Vase.*)

ESCENA XII

D.ª DOMINGA, D. ALFONSO *y* D.ª FLORA.

D. ALFONSO

Ya puede usted ver, señora,
si los efectos demuestran
que el retractar mi palabra
no ha sido una ligereza.
2005   Flora amaba a don Mariano.
Fundé en esto mi promesa;
pero si se desengaña
con tan fatal experiencia,
ya mi empeño no me obliga.

D.ª DOMINGA

2010   En todo se pondrá enmienda.
Como criatura y dócil,
incurrió en una flaqueza
perdonable.

D.ª FLORA

            ¿Habrá perdón
para semejante ofensa?

ESCENA XIII

D.ª DOMINGA, D. ALFONSO, D.ª FLORA, D. CRISTÓBAL
y D.ª MÓNICA.

D. CRISTÓBAL

(A D.ª MÓNICA.)
2015   Venga usted, señora mía,
       y veremos...

D. ALFONSO

(Prontamente y con admiración.)
                ¡Antoñuela!
       ¿Quién te trajo por acá?
       ¿Tú en Madrid? Pregunto: ¿es ésta
       doña Mónica?

D. CRISTÓBAL

       Seguro.

D.ª MÓNICA

(Con dignidad.)
2020   O este caballero sueña,
       o me equivoca con otra.
       ¿Habla usted conmigo?

D. ALFONSO

                      Es ella.
       No tiene duda.

D.ª MÓNICA

       ¡Señor!

D. ALFONSO

¿Cómo no he de conocerla
2025   si es su voz, su cara, su aire…?
        (*Examinándola más atentamente.*)
        Sólo que está más compuesta
        que cuando la vi en Granada.

D.ª MÓNICA

¿Qué dice este hombre?

D.ª DOMINGA

                        Usted vea
que la señora es de Almagro.

D. ALFONSO

2030   ¿Cuándo se ha vuelto manchega?
        Nació en la calle de Elvira
        en donde fue posadera
        su madre.

D.ª MÓNICA

            Si respondiese
a semejante insolencia,
2035   se humillara mi altivez.

D. ALFONSO

Desde niña fue traviesa.
Escapóse de su casa;
anduvo de Ceca en Meca,
y después…

D.ª DOMINGA

Si es una viuda...

D. ALFONSO

2040   Bien puede ser que lo sea.
Se casaría tal vez
con cierto mala cabeza
que entre otras habilidades
tenía maña estupenda
2045   para hacer oro, y le hacía
estafando a gentes necias.

D. CRISTÓBAL

Ése es cuñado. El marido
fue un coronel.

D.ª MÓNICA

         Si él viviera,
si aquí estuviera mi padre,
2050   don Luis de Castro, la lengua
cortarían al indigno
que inicuamente la emplea
contra una mujer de honor.

D. ALFONSO

Pues no han sido tan secretas
2055   en Granada sus historias.
Tengo bien presente aquélla
de mi amigo el maestrante.
Por poco la llevan presa
si no ha untado bien la mano
al alguacil.

D.ª MÓNICA

2060   ¡Qué novela!
¿Acostumbra este buen viejo
levantarse de la mesa
todas las tardes así?
No habrá dormido la siesta.

D. ALFONSO

2065 Pullas propias de su estilo.
(A D.ª FLORA.)
Bien público fue. ¿Te acuerdas,
Flora?

D.ª FLORA

Bastante se habló
entonces de una Antoñuela,
mas yo no la conocía.

D.ª MÓNICA

(Con serenidad.)
2070 ¿Conque soy una embustera?
¿Y no podré presentar
ni papeles de nobleza,
ni relación de servicios
de mi marido en la guerra
2075 de Portugal, ni una exacta
noticia de las haciendas
que heredé de mis abuelos...
(Con indignación.)
ni vengarme de una afrenta...?
¡Ah, señores! Muy en breve
2080 dejaré mi honra bien puesta.

(Con aflicción y palabras interrumpidas.)
Pero entretanto... ¡Ay de mí!
la confusión... la vergüenza
de verme ultrajada... ya...
casi me faltan las fuerzas.
2085 ¿Es posible? ¡Una señora!
Mi turbación... esta pena...
si no me quita la vida...
yo...
(Cae como desmayada en una silla.)

D.ª DOMINGA

Se desmaya. Tenerla.
¡Ahora esto más! ¡Felipa!
¡Pantoja!

D. ALFONSO

2090   Es cosa ligera.

D.ª DOMINGA

O no, ¿quién sabe?

ESCENA XIV

Los mismos. FELIPA, *que sale por la puerta de la izquierda;*
PANTOJA, *que viene por la de la derecha.*

FELIPA

¿Qué es esto?

D.ª DOMINGA

Acudamos...

PANTOJA

¿Pataleta?

D. CRISTÓBAL

Yo no entiendo estas congojas
tan repentinas.

D. ALFONSO

                          ¡Oh, y ella
2095 que no lo sabrá fingir!

D. CRISTÓBAL

Con todo... si está indispuesta,
pongan el coche...

PANTOJA

                          Yo creo
que tiene el suyo a la puerta.

D. ALFONSO

¿Qué? ¿Ya es señora de coche?

PANTOJA

2100 Y con muelles a la inglesa.

D.ª DOMINGA

Llevémosla adentro.

FELIPA

Ahora
va volviendo.

D.ª DOMINGA

Como pueda
ir por su pie...

PANTOJA

(En tono de malicia.)
Sí podrá.

FELIPA

Ya levanta la cabeza.

D.ª DOMINGA

Ayuda, Felipa.

FELIPA

(Levantando a D.ª MÓNICA.)
2105   ¡Arriba!
Vamos. La cama está hecha.

(D.ª DOMINGA y FELIPA *sosteniendo a* D.ª MÓNICA,
*que va andando lentamente. La llevan por la puerta
de la derecha. Síguelas* D.ª FLORA, *diciendo al despedirse:)*

D.ª FLORA

¡Padre amado! ¿Así me tratan?
Mire usted por mí.

D. ALFONSO

Sosiega.

D.ª FLORA

Se completó el desengaño.

D. ALFONSO

Pero aquí estoy yo.

ESCENA XV

D. Cristóbal, D. Alfonso y Pantoja.

D. CRISTÓBAL

2110   Se queja
con razón.
     (A Pantoja.)
                ¿Y mi sobrino?

PANTOJA

Desaparecióse apenas
vio entrar a usted en su cuarto.
¿Conque está ya descubierta
2115 la maraña? Desde allí
he oído toda la fiesta.

D. CRISTÓBAL

(A D. Alfonso.)
No perdamos tiempo, amigo.

Vamos los dos a dar cuenta
al alcalde del cuartel.
2120 Bien sabe quién soy. Se precia
con razón de activo y justo.
Contándole las proezas
de esta dama, es regular
que sin dilación proceda
2125 a averiguarla la vida.
Ha engañado con sus tretas
a mi sobrino. Su casa
está de continuo abierta
para gente disoluta...
2130 Sí, bello rato la espera.

D. ALFONSO

Fácil me fuera citar
lo menos media docena
de sujetos de Granada
que hoy se hallan aquí, y pudieran
2135 declarar aun más que yo.

D. CRISTÓBAL

Pantoja, esta diligencia
se ha de hacer sin que Mariano
se la imagine.

PANTOJA

             Usted pierda
cuidado. Si es menester
2140 que yo también me entrometa
a dar mi declaración,
sé graciosas historietas
de nuestra ilustre heroína,
que su paje me las cuenta,

2145   siempre que por sonsacarle,
        le llevo a beber cerveza.[30]
        ¿Quién no averigua un secreto
        a costa de una botella?

                    D. CRISTÓBAL

        Vendrás luego con nosotros.

                    PANTOJA

2150   Volando. Pero quisiera
        que usted me pusiese bien
        con mi señora. Está impuesta
        en que empeñé la sortija,
        y ya es tiempo de que sepa
2155   que no ha sido otro que usted
        quien dio el dinero sobre ella.
        Yo, como vi que intentaba
        el señorito venderla,
        la puse en manos de usted...

                    D. CRISTÓBAL

2160   Muy bien hiciste. No temas
        ni descubras el secreto,
        que yo guardo aquella prenda
        para mostrar a mi hermana
        quién es su hijo, ya que piensa
2165   bien de él y tan mal de ti.

---

[30] *çerveza:* Véase lo que se dice acerca de ella en el cap. VII de la Introducción. Aunque la cerveza aparece mencionada como bebida extranjera en
la mayoría de los diccionarios y textos literarios del siglo XVIII, se anuncia
ya, en el *Diario curioso, erudito y comercial* de Madrid para 8 de marzo
de 1758, una cerveza de fabricación local: "Se vende Cerveza en la misma
Fábrica de la Calle Real del Barquillo, al gusto y calidad del País, y de Inglaterra" (citado por Francisco Vindel, *El Madrid de hace 200 años (1758)*,
Madrid, 1958, p. 55).

D. ALFONSO

Don Fausto vive aquí cerca.
Avísale de mi parte
que un poco antes que anochezca
se vea conmigo. Vamos,
don Cristóbal.

PANTOJA

2170   De esta hecha
¡adiós, duende! ¡adiós, embustes!
Ya veremos si escarmienta
de ser malo el señorito,
y su madre de ser buena.

Nota: *El intervalo entre este acto y el tercero debe ser
algo más largo que el que haya mediado entre el primero y
segundo.*

ACTO TERCERO

ESCENA I

D. Mariano y D.ª Mónica *de basquiña y mantilla.*

D.ª MÓNICA

2175 Sí, amiguito; no lo dudes.
Así ha pasado el suceso,
y tan atroces calumnias
forjó aquel malvado viejo.
Yo, que no he visto a Granada,
2180 ni sé dónde está ese reino,
nací en la calle de Elvira.
Mónica es nombre supuesto,
porque me llamo *Antoñuela*.
Mis padres son posaderos.
2185 Allá quisieron prenderme,
y escapé por mi dinero.
Aquí soy estafadora...
Y en suma, tantos enredos
fingió en menos de un instante,
2190 que sin bastarme mi esfuerzo,
perdí el sentido, y no supe
lo que prosiguió añadiendo.
Llego a mi casa aturdida;
mas luego, cobrando aliento,
2195 salgo sola, disfrazada,
como ya me ves que vengo,
con la basquiña y mantilla
de una criada, y resuelvo

entrar a buscarte a impulsos
2200 del amor que te profeso.
No debiera yo volver,
ni aun siquiera de secreto,
a esta casa en que me ultrajan;
pero por ti lo atropello
2205 todo. Esta noche te aguardo.
Mariano, ya estás impuesto
de la injuria que padece
mi inocencia. Sólo quiero
que vayas a verme pronto
2210 en mi casa. Aquí recelo
que o bien tu madre o tu tío
o ese infamador perverso
me expongan a nuevos lances;
pero allá, con más sosiego,
2215 sabrás cuanto necesites
para quedar satisfecho.
Esta noche habrá porción
de concurrentes al juego;
mas porque no nos impidan
2220 hablar, nos retiraremos
adonde pueda mostrarte
legítimos documentos
que prueban mi ilustre cuna,
ínterin que los presento
2225 a algún juez que mande darme
un desagravio completo.

D. MARIANO

¡Pobre Mónica! Estas gentes
la tienen ya en mal concepto.

D.ª MÓNICA

Yo acreditaré quién soy.

D. MARIANO

2230 Sí, chica, porque con eso
      tendré el gustazo de dar
      un buen bofetón al suegro.
      ¿Oyes? ¿Conque, según dices,
      esta noche ya tendremos
      una banca en forma?

D.ª MÓNICA

2235   Mucho.

D. MARIANO

      Me pones en un aprieto.
      Si salgo de casa, el tío
      rabiará. Será un infierno.
      Pero ¿no es fuerte rigor?
2240 ¡Hoy cabalmente que tengo
      cien doblones! ¡Y saber
      que allá os estáis divirtiendo!

D.ª MÓNICA

      ¡Cómo! ¡El mejor jugador
      sin cartas! Mucho respeto
2245 te infunde ese don Cristóbal.

D. MARIANO

      Ya me escaparé, si puedo.

D.ª MÓNICA

      A solas te informaré
      de cosas que he descubierto

acerca del fin que lleva
2250 don Fausto, y los viles medios
de que se vale.

D. MARIANO

Me importa
acá para mi gobierno
averiguarlo.

D.ª MÓNICA

Bien sé
que, trocados tus afectos
2255 desde que tratas a Flora,
faltas al formal empeño
que contrajiste conmigo.
Lo sé, aleve, hombre ligero;
pero ya no disimulo
2260 el gozo que experimento
al ver que esa forastera
a quien rindes tus obsequios,
me venga de ti, se burla
de tu amor y tiene puesto
2265 el suyo todo en don Fausto.
Sí, traidor; recibe el premio
de tu infiel correspondencia.
No eres digno de mis celos.
Ya las dos te despreciamos,
2270 pues con las dos te hace reo
tu perfidia. Pero aguarda.
Para que veas procedo
con más generosidad
que otras mujeres, intento
2275 no usar violencia contigo,
dejarte ya libre y dueño
de la fe que me entregaste.
Si tienes honor, bien creo

que serás mío; y si no,
2280 celebro seas ajeno.
Este papel me firmaste.
Tómale. Yo te le vuelvo.
Obra tú como te guste,
obrando yo como debo.
2285 Sólo te pido la gracia
de que examines atento
lo que en esta obligación
prometiste, los expresos
términos en que juraste
2290 ser el esposo más tierno.
Lee. Confúndete, ingrato.
(Entrégale un papel doblado.)
Adiós.
(Da algunos pasos como para irse, y vuelve.)
          Mira que te espero
sin tardanza. Allá diré
todo lo que aquí no puedo.
2295 Te devolveré el retrato
de Flora; entrégame luego
el mío; y quede sin mancha
mi opinión, que es lo primero.
(Vase por la puerta de la izquierda.)

ESCENA II

D. MARIANO, *solo.*

D. MARIANO

¡Qué mujer! Por más que diga,
2300 me quiere. Reflexionemos...
(Paseándose.)
Si no recobro el retrato
de mi novia, yo me pierdo...
(Con resolución.)

Es preciso ir a buscarle.
¡Y Mónica haberme vuelto
2305   este papel! Tiene rasgos
muy nobles. No sin misterio
me habrá dicho que le lea.
A fe que apenas me acuerdo
de lo que firmé. Veamos.
(Desdobla el papel.)
2310   ¡Hola! ¿Qué viene a ser esto?
(Lee:)

"Adorada Flora: Extremado ha sido mi júbilo
al recibir escrita de tu puño una confirmación tan
clara de estar ya bien persuadida de la inconstancia,
necedad y desarreglada conducta de ese don Mimado. Te doy el parabién de verte libre de toda
pasión a semejante loco, y me le doy a mí mismo
de que te halles firmemente resuelta a premiar con
tu mano la fidelidad y la ternura con que es y será
tuyo hasta la muerte, *Fausto de Villegas*".[31]

No tengo más que saber.
Me la pegan en efecto.
¡Ingrato! ¡Pérfido! Toma
tu papel de casamiento;
2315   y salimos con que es uno
escrito a Flora. Habrá hecho
la tal Mónica diabluras
por pillarle. Con dinero
ganaría al portador.

[31] En el *Plan* manuscrito se conserva el borrador de esta carta falsificada:
"Adorada Flora: Extremado ha sido mi gozo al recibir de tu puño una confirmación tan clara de que estás ya desengañada de la inconstancia, necedad
y desarreglada conducta de ese don Mariano. Te doy la enhorabuena de
verte ya libre de toda pasión a semejante loco, y me la doy a mí mismo de
la dicha que logro en merecer que te halles determinada a premiar con tu
mano la fidelidad y la ternura con que es y será siempre tuyo / *Fausto de
Aguilar*" (fol. 17). Además de los cambios que se hacen evidentes al com-
pararse los dos textos, están rayadas en el borrador varias palabras, de las
cuales la única que se deja leer es *perversa*, que Iriarte escribió antes, en lugar
de *desarreglada*.

2320 Para todo tiene ingenio.
      Pero el don Fausto... ya, ya...
      Aquí viene. Nos veremos.

ESCENA III

D. Mariano y D. Fausto.

D. MARIANO

      Señor mío, si usted piensa
      que yo he de roer el hueso,
2325 y otro ha de ser quien se lleve...
      ¿Eh, digo algo?

D. FAUSTO

                      No lo entiendo
      si usted no se explica más.

D. MARIANO

      Ninguno puede entenderlo
      mejor que el que se ha valido
2330 de un indigno fingimiento
      para enemistar así
      a dos que se están queriendo.
      Poner en manos de Flora
      su retrato; haber supuesto
2335 que era el que ella me entregó,
      siendo, según yo sospecho,
      otro del mismo pincel
      igual en caja y en cerco;
      y venderla por fineza
      para introducirse...

D. FAUSTO

2340   Creo
que usted me conoce mal.
Creo también que no miento
(que en mí no caben infames
artificios), y que enseño
2345 a quien me los atribuye
a usar modos más atentos.

D. MARIANO

Es lástima que no aprenda
los de usted, que son muy buenos.

D. FAUSTO

Sepa el señor don Mariano
reportarse.

D. MARIANO

2350   En eso pienso.
Como si una falsedad
tan inicua, y con sujetos
de mi clase y mi crianza...

D. FAUSTO

Solamente con los hechos
2355 se acreditan una y otra.

D. MARIANO

Los hechos son que aquí tengo
un papel que usted ha escrito

a Flora, y en él merezco
a su autor unos elogios
2360 tan magníficos como éstos.
      (Mostrando el papel.)
      Vea si hablo de memoria.
      Dígame: ¿quién es el necio,
      el loco, el desarreglado...?

D. FAUSTO

¿Eso escribí yo?

D. MARIANO

                  A lo menos
tal me parece.

D. FAUSTO

2365   ¿Y conoce
usted mi letra?

D. MARIANO

                  Me acuerdo
de haberla visto una vez.

D. FAUSTO

Ésta, aunque se da un remedo
a la mía, es contrahecha.

D. MARIANO

2370 Ya, viéndose descubierto,
      ésa es la mejor salida.

D. FAUSTO

Vuelvo a decir que no miento.

D. MARIANO

¿Conque no? Vaya que a veces
el ser un poco embustero...

D. FAUSTO

El hombre de bien...

D. MARIANO

2375   El hombre
de bien, puesto en un estrecho,
también miente... como usted.

D. FAUSTO

¿Como yo?

D. MARIANO

Mucho.

D. FAUSTO

El respeto
de esta casa me contiene.
2380   Mas para convencimiento
de que mi letra no es ésa...
(Toma una pluma; y mientras escribe, dice:)

Aquí hay papel y tintero.
Vea usted dos regloncitos;
y conocerá por ellos,
2385   primero, cuál es mi letra;
después, que soy caballero.
(Déjaselos escritos, y vase por la puerta de la derecha.)

D. MARIANO

(Cotejando un papel con otro.)
Ambas letras se parecen,
pero no mucho...
(Inmutado.)
                          Pues ¡cierto
que con sus dos rengloncitos
2390   me ha dado muy buen consuelo!
"Mañana al amanecer
por el puente de Toledo
saldremos..." Sí, que me espere.
¡A mí lances quijotescos! [32]
Y si por desgracia...

---

[32] *quijotesco:* Se trata de un ejemplo muy temprano de este adjetivo. Anteriormente se usaba de otra forma adjetival que cayó en desuso antes de haber llegado a registrarse en los diccionarios: En un papel satírico de 1740, sobre cierto sermón ridículo, el padre Isla escribe: "Esa, Silvio amigo, es lengua *quijótica*, porque de la historia de don Quijote sacó el orador ese tecladillo de palabras" *(Conversaciones entre Fabio y Silvio,* publicado por Antonio Valladares, *Semanario erudito,* t. XXXIV, Madrid, 1791, p. 226). El único otro ejemplo de *quijotesco* tan temprano como el presente que conozco, se da en un pasaje de la *Disertación sobre el conde don Vela* del jurista, crítico literario, bibliógrafo e historiador dieciochesco Rafael de Floranes (1743-1801), quien habla de ciertos "cuentotes, así asombrosos y *quijotescos* difundidos por las cocinas" (citado por Ramón Menéndez Pidal, *Historia y epopeya,* Madrid, 1934, p. 34). Así Corominas se equivoca al aceptar como fecha aproximada de la aparición de *quijotesco* la de la primera edición —1832— del *Diccionario de la Academia* en que se registra.

ESCENA IV

D. MARIANO, D. CRISTÓBAL, D. ALFONSO y PANTOJA.

D. MARIANO

2395   Tío,
¡mire usted qué atrevimiento!
Don Fausto me desfía.
(D. CRISTÓBAL *toma el papel, y le lee.*
D. MARIANO *prosigue:)*
¡Exponerme a esos encuentros
sin más ni más!

D. CRISTÓBAL

                         El que insulta
2400   como tú, tendrá quinientos.
¡Ah, cobarde! ¿Y me lo dices?
Yo, sabiéndolo, no puedo
consentirlo; pero tú
no darías parte de ello
2405   a nadie si fueses hombre
de pundonor y secreto.

D. MARIANO

Y si doy cuenta del lance
a la justicia, ¿no pierdo
para siempre a ese don Fausto?

D. CRISTÓBAL

(Enojado.)
2410   Calla... ¡Bajos pensamientos!

¡Delatar un noble a otro!
¡Y en tal materia! Ya veo
que según te han educado,
no puede suceder menos.

D. MARIANO

2415 Digo, señor don Alfonso,
y usted que pone a su yerno
mil tachas, ¿sabe las maulas
de su hija, los papelejos
que ella y don Fausto se escriben,
2420 y cómo me está vendiendo?
(Muéstrale el papel que le ha dado D.ª MÓNICA.)
Carta canta.

D. ALFONSO

Dudo mucho...

D. CRISTÓBAL

Será algún nuevo embeleco.

D. ALFONSO

No me parece que es letra
de don Fausto. Ya sabremos
la verdad.

D. CRISTÓBAL

2425   ¿Quién me pone algo
a que anda en estos enredos
doña Mónica Antoñuela?

PANTOJA

El alquimista es muy diestro
en fingir letras. Lo sé
2430   de buena tinta hace tiempo,
y tal vez...

D. MARIANO

Malicias tuyas.

D. ALFONSO

Con todo yo no sosiego
hasta averiguar...

D. CRISTÓBAL

Patraña,
tramoya.

D. MARIANO

Vamos con tiento.
2435   De modo que si está Flora
inocente, yo la quiero,
y he consentido en ser suyo.
¿Para qué he de andar con rodeos?
Doña Mónica es mi amiga.
2440   Su alegre tertulia, el juego,
la sal y labia que tiene
me agradan por pasatiempo;
pero a la verdad, lo que es
amor violento, violento,
2445   yo nunca se le he tenido.

Ya ustedes ven que confieso
mi flaqueza. Denme a Flora,
que es todo el bien que apetezco;
y pelitos a la mar.
2450 Vamos, mi querido suegro.
Venga esa mano, y seamos
amigos. Ya me arrepiento
de haber sido un badulaque.
La novia pido, y *laus Deo*.
2455 Al buen don Fausto, decirle
que esos retos y esos duelos
son antiguallas, y que ambos
nos damos por satisfechos.
Tío mío don Cristóbal,
2460 así de cada talego
que trajo de Indias le nazcan
diez taleguitos pequeños,
que se olvide lo pasado;
que me encierre en un convento,
2465 y no me dé un real de plata
de aquella herencia que espero
si, en casándome con Flora,
vuelvo más a ser travieso.

D. CRISTÓBAL

¡Ah!, poquísimo confío
2470 en ese arrepentimiento.
Los pliegues de la crianza
no se desdoblan tan presto.
Retírate por ahora,
y sin mi consentimiento
no salgas.

D. MARIANO

2475   ¿No he de salir?

D. CRISTÓBAL

No. Ya veremos qué sesgo
toman las cosas. Advierte
que te cercan grandes riesgos
mientras esa advenediza
2480 esté en Madrid. El afecto
de Flora ya no es el mismo
cuando por tus devaneos
sufre una competidora
digna del mayor desprecio.
2485 Su padre ya no sería
pundonoroso ni cuerdo
si antes de verte enmendado
te admitiese por su yerno.
En fin, Mariano...

D. MARIANO

Adiós, tío.
2490 Ya verá usted si me enmiendo.
Con la novia y con la herencia,
seré un mozo de provecho.

D. CRISTÓBAL

Cuidado que no me salgas
de tu cuarto.

D. MARIANO

Ni por pienso.
(Vase por la puerta de en medio.)

ESCENA V

D. Cristóbal, D. Alfonso y Pantoja.

D. ALFONSO

2495 ¿Sabe usted que aquel alcalde
es hombre de entendimiento?
En un instante se impuso.

D. CRISTÓBAL

Ya por avisos secretos
se hallaba bien informado
2500 del juego y demás excesos
que ha días reinan en casa
de esa mujer.

PANTOJA

                        Aun por eso,
cuando se habló de prisión,
dijo que ya estaba en ello.
2505 Aunque el señor don Alfonso
no la hubiera descubierto,
bastaba saber las mañas
con que ella y sus compañeros
sacaron al señorito
2510 aquel papel. ¿Y el dinero
que en seis meses le han chupado?
¿Y el cuñadito, maestro
de hacer oro y firmas falsas?
Vaya que algunos por menos
2515 han ido a ver los birretes
colorados.[33]

---

[33] *han ido a ver los birretes / colorados:* Es decir, que han tenido que comparecer ante el tribunal, con alusión a los gorros usados por los magistrados.

D. CRISTÓBAL

Yo me vuelvo
a casa del juez, y allí
sabré el fin de este suceso.
Nos ofreció que daría
2520 el golpe sin perder tiempo.
¿Qué dirá mi sobrinito
cuando se haga un escarmiento
en Mónica y sus aliados?
Yo le cortaré los vuelos.

D. ALFONSO

2525 Grande ha de ser su reforma
para que ya sin recelo
le vuelva Flora a su gracia.

D. CRISTÓBAL

¿Qué mucho si yo le niego
la mía, y usted la suya?

D. ALFONSO

2530 Sí, pero ¡cuánto lo siento!

D. CRISTÓBAL

Se lo tiene merecido;
conque paciencia. Hasta luego.

E S C E N A   VI

D. Alfonso, Pantoja *y luego* D. Fausto *y* D.ª Flora.

D. ALFONSO

¿Has avisado a don Fausto?

PANTOJA

Dijo que en anocheciendo
vendría.

D. ALFONSO

2535   Pues haz que lleven
luz a mi cuarto.

PANTOJA

                Al momento.
Aquí está ya su merced.

(Vase Pantoja *por la puerta de la izquierda; y sale*
D. Fausto *por la de la derecha, acompañando a*
D.ª Flora.*)*

D. FAUSTO

Señor, con el vivo anhelo
de que uniese nuestras casas
2540   el vínculo más estrecho,
hice mi súplica, hablando
por mí sólo; mas ya llego
a hablar por Flora también.
A nada procederemos
2545   sin la aprobación de un padre

tan benigno, tan discreto.
Esta señora me afirma
que ya todos los obsequios
de don Mariano, su amante,
2550 serán infructuosos medios
para aplacarla y lograr
perdón de sus desaciertos.
Por otra parte, confío
que sabrá su noble pecho
2555 ceder a las fieles muestras
de mi amor y rendimiento;
y pues hoy toda mi dicha
depende de usted...

D.ª FLORA

                        Confieso
que haber puesto en don Mariano
2560 mi afición fue grave yerro.
No, don Fausto no se engaña
en pensar que le agradezco
me haya enseñado a ser cuerda
y emplear mejor mi afecto.
2565 Usted le ha dado esperanzas,
padre mío; y a mi ruego
espero se las confirme.

D. FAUSTO

Sí, padre. Ya ¿cómo puedo
con tan bella intercesora
no ser feliz?

D. ALFONSO

2570   Bien deseo,
hija querida, eximirme
de aquel imprudente empeño,

y acreditar al honrado
don Fausto cuanto le aprecio;
pero es fuerza...

D.ª FLORA

2575   Si usted dio
la palabra en el supuesto
de haber sido de mi agrado
la elección, no tendrá efecto
cuando yo, más advertida,
2580 repugne su cumplimiento.

D. ALFONSO

Don Mariano ha protestado
mudar de vida. Esperemos
que su conducta...

D.ª FLORA

Mayores
desengaños sí que espero.

D. ALFONSO

2585 Mas ¿podré saber qué pique
ha tenido ese mancebo
con usted? Cierto billete
escrito a Flora...

D. FAUSTO

Fingieron
seguramente mi letra.
2590 ¿Me valdría yo del medio
de un papel pudiendo hablar
a esta dama?

D. ALFONSO

Ya lo veo.
La firma no parecía
de usted...

D. FAUSTO

                Yo sé que han propuesto
2595   regalar a mi lacayo
si entregaba con secreto
algo escrito de mi puño;
y aunque lo niega, sospecho
que por él hayan cogido
2600   una carta que eché menos
esta mañana. Me dicen
que le buscó un don Tadeo,
alquimista...

D. ALFONSO

Basta, basta.

D. FAUSTO

De todos modos, es cierto
2605   que aquel papel no era mío.

D. ALFONSO

Otro vi que no es supuesto.
Se trata en él de salir
por el Puente de Toledo...

D. FAUSTO

Será acaso otra ficción.

D. ALFONSO

2610   Eso es lo que yo no creo
por más que usted disimule.
Don Mariano estaba inquieto...

D. FAUSTO

¿Y basta que él lo haya dicho?

D.ª FLORA

Su estilo es muy desatento;
2615   y si ha provocado a usted...

D. FAUSTO

Señora, no hablemos de eso.

D. ALFONSO

Yo he de apurar qué motivo...

D. FAUSTO

Ninguno, señor... Mudemos
de conversación, que vienen
los criados.

E S C E N A   V I I

D. Alfonso, D.ª Flora, D. Fausto; Pantoja y Felipa, *que entran luces.*

D. ALFONSO

2620   Allá dentro
podremos hablar.

D.ª FLORA

(A D. Alfonso.*)*
                       Importa
precaver un lance serio.

D. ALFONSO

Vengan ustedes conmigo.

D. FAUSTO

Pero ¿a qué fin…?

D. ALFONSO

(Cogiendo de un brazo a D. Fausto, *y entrándose
con él y con* D.ª Flora *por la puerta de en medio.)*
                       No hay remedio.

FELIPA

2625 ¡Qué! ¿Se guardan de nosotros?
¡Malo! Ya me hace misterios

la doña Flora. El don Fausto
no la deja ni un momento;
y el pobre don Marianito,
2630 como si se hubiera muerto.

PANTOJA

Él tiene la culpa.

FELIPA

                Y tú,
que te andas llevando cuentos
al tío.

PANTOJA

            Mis cuentos, hija,
salen siempre verdaderos.
2635 ¿No me has oído mil veces
que el señorito, siguiendo
en tratar con esa viuda,
tendría mal paradero?

FELIPA

Bien arrepentido está.

PANTOJA

2640 ¿Arrepentido? Veremos.

ESCENA VIII

PANTOJA, FELIPA; *y* D. MARIANO, *vestido de majo y embozado con un capote a la jerezana.*

D. MARIANO

Si acaso pregunta el tío
por mí, decir que ya vuelvo.

PANTOJA

Señor, ¿y se atreve usted...?

D. MARIANO

¿Qué te importa?

FELIPA

¿Adónde bueno?

D. MARIANO

2645   Tengo muy graves asuntos
a que salir.

FELIPA

¡Y los ternos
que echará el amo!

D. MARIANO

Mamá
cuidará de componerlo.
Adiós. Por si vengo tarde,
2650 dejar el postigo abierto.

PANTOJA

Usted se pierde.

D. MARIANO

¡Pues ya!
(Vase.)

PANTOJA

Mira el arrepentimiento.

FELIPA

¿Y por qué no le detienes?

PANTOJA

¿Yo? Soy muy poco sujeto
2655 para el caso. Ni aun el tío
con todo aquel entrecejo
puede meterle en carrera.

FELIPA

¡Ay, Pantoja! Lo que temo
es que don Fausto...

PANTOJA

(Remedándola.)   ¡Ay, Felipa!
2660 De lo que yo más me alegro
es de que un hombre de forma,
buen modo y entendimiento
estime a la señorita
como merece. Yo apuesto
2665 a que si aprieta los puños,
no ha de perder este pleito
como el otro con el padre.

FELIPA

Si eso dices, te repelo,
insolente...

PANTOJA

                  Vamos, niña.
No te alborotes.

ESCENA IX

PANTOJA, FELIPA y D.ª DOMINGA.

D.ª DOMINGA

2670   ¿Qué es esto?

PANTOJA

Frioleras. Ha empezado
a reñirme porque dejo
que el señorito se vaya.

D.ª DOMINGA

(Con inquietud.)
¿Ha salido?

PANTOJA

Ya está lejos.

D.ª DOMINGA

2675 ¡Válgate Dios por muchacho!
¿Adónde irá?

PANTOJA

¿Qué sabemos?
A estas horas siempre en casa
de doña Mónica hay juego.

D.ª DOMINGA

¡Él! ¡Volver allá! ¡Dios mío!

PANTOJA

2680 Según. Si tiene dinero...

D.ª DOMINGA

Yo le entregué cien doblones
esta tarde.

PANTOJA

Muy bien hecho.

D.ª DOMINGA

Pero ya te los ha dado.

PANTOJA

¿A mí?

D.ª DOMINGA

Para el desempeño
de la sortija.

PANTOJA

2685   Señora,
ni maravedí ni medio
he recibido.

D.ª DOMINGA

Él lo dijo,
y lo oyó Felipa.

FELIPA

Cierto.

PANTOJA

Eso más tendrá esta noche
2690 para jugar. *Volavérunt.*

D.ª DOMINGA

Tú empeñaste la sortija.

PANTOJA

Concedo.

FELIPA

¡Pícaro!

PANTOJA

Niego.

D.ª DOMINGA

Y tú me la has de traer.

PANTOJA

Será muy fácil si llevo
2695 unos cuarenta doblones.

D.ª DOMINGA

Pues Mariano pidió ciento.

PANTOJA

Tal cual. Ganaba sesenta,
que es un bonito comercio.

D.ª DOMINGA

¿Y en dónde para la alhaja?

PANTOJA

2700 En poder de un caballero
indiano.

D.ª DOMINGA

(Dándole dinero.)
         Toma, y no vuelvas
sin ella.

PANTOJA

Yo lo prometo.

D.ª DOMINGA

Ha obrado muy mal el chico;
pero tú ayudaste a ello,
2705   y ya lo sabe mi hermano.

PANTOJA

¡Fuego! ¡Y cómo se habrá puesto!

FELIPA

Te ajustará la golilla.

D.ª DOMINGA

Pero mi hijo... Tengo un miedo
de que si volviese ahora
2710   don Cristóbal... Vé corriendo,
Pantoja; busca a Mariano;
dile que venga aquí presto.

PANTOJA

Yo lo haré; pero que quiera
su merced, ése es el cuento.
(Vase.)

E S C E N A   X

D.ª DOMINGA y FELIPA.

D.ª DOMINGA

2715 No he logrado en todo el día
un instante de sosiego.
Rendida estoy...
(Siéntase como abatida.)
              Este niño
tiene a la verdad un genio...
¿Qué se ha de hacer?

FELIPA

                 ¡Ay, señora!
2720 Ya voy entrando en recelo
de que esto no acabe en bien.
Usted, si yo no la entero
de lo que pasa, estará
muy confiada. Empecemos
2725 por don Fausto. Es de saber
que ya escucha sus requiebros
doña Flora, y...

E S C E N A   X I

D.ª DOMINGA, FELIPA; y D. TADEO, *vestido de negro.*

FELIPA

¿Qué hombre es éste?

D.ª DOMINGA

¿Se ofrece algo, caballero?

D. TADEO

Busco al señor don Mariano
2730 para un asunto secreto.

D.ª DOMINGA

No está en casa; pero yo
que soy su madre...

D. TADEO

                    Aquí vengo
a una comisión de oficio
como notario...

D.ª DOMINGA

(Levantándose.)
                    ¿Podemos
2735 saber sobre qué materia?

D. TADEO

Sobre el reconocimiento
de una firma. Se ha de hacer
todo en forma de derecho.

D.ª DOMINGA

¡Una firma!

D. TADEO

Sí, señora;
2740 la del papel que presento.
Dicen que usted ya le ha visto...

D.ª DOMINGA

¡Felipa! Este contratiempo
era el que yo más temía.

D. TADEO '

Conozco mucho y venero
2745 esta casa días ha,
y con harto sentimiento
me encargué de tan odiosa
diligencia; pues me duelo
de ver a usted en un lance
2750 que si ahora es algo estrecho,
lo será más cada día.

D.ª DOMINGA

Y Dios sabe si saldremos
con victoria.

D. TADEO

A la verdad,
son gravosos estos pleitos
2755 de obligación de esponsales.
He visto expender en ellos
cantidades excesivas.
Se enredan, se hacen eternos,
y al fin las partes se cansan
de litigar.

D.ª DOMINGA

2760   ¿Qué consejo
me da usted, señor notario?

D. TADEO

De suerte que... si hay dinero,
lo más seguro y más breve
es recurrir a un convenio
amigable.

D.ª DOMINGA

2765   ¿Y quién podrá
agenciarlo?

D. TADEO

            Buscaremos.
Sí, transigir, transigir.
Yo, como ya estoy tan hecho
a estas materias...

D.ª DOMINGA

            Sin duda.

D. TADEO

2770   Con tantos años que llevo
de oficio...

D.ª DOMINGA

            Yo bien quisiera...

D. TADEO

Esto es decir lo que pienso.
Luego ustedes obrarán
como gusten.

D.ª DOMINGA

                    Lo de menos
2775 es el dinero. Si todo
se compusiera con eso…

D. TADEO

Sí se compone, señora.
Con un poco de manejo,
uno que entienda esta jerga
2780 como yo… ¡Vaya! He compuesto
negocios más peliagudos
que éste en menos de dos credos.

D.ª DOMINGA

Por no verme en tal conflicto,
desde ahora me convengo
2785 a entrar en cualquier ajuste,
y que lo pague el dinero.

FELIPA

Tal digo.

D. TADEO

            Y lo demás fuera
errarla de medio a medio.

D. DOMINGA

¿Y usted, sin peligro suyo,
2790 cómo podrá disponerlo?

D. TADEO

El cómo, yo me lo sé.
Lo que importa es que tratemos
de arreglar aquella suma
que baste para el intento.

D.ª DOMINGA

2795 Pero ¿habrá seguridad?

D. TADEO

¿Qué dirá usted si la entrego
aquí mismo, sin más ver,
el papel de casamiento
para que pueda, si gusta,
2800 rasgarle o echarle al fuego?

FELIPA

¡Vaya! Es un negocio loco.

D.ª DOMINGA

Ya. Como ese documento
hoy nos hace tanta guerra...

D. TADEO

Pues bien. No gastemos tiempo.

D.ª DOMINGA

Proponga usted.

D. TADEO

2805   Necesito
echar mis cuentas. Primero
tengo que ganar a muchos:
dar siquiera unos mil pesos
a la interesada; y gracias
2810 si desiste de su empeño,
porque ella al fin va a perder
una boda de provecho.
Luego, por lo que a mí toca,
a arbitrio de usted lo dejo;
2815 que con las gentes de honor
no ajusto ni regateo.

D.ª DOMINGA

¿Bastarán... dos mil ducados
para todo?

D. TADEO

Menos, menos.
Si llega a veinte mil reales...

FELIPA

2820 Pues no, no es ningún exceso.

D.ª DOMINGA

Toma esta llave, Felipa.
En la gaveta de en medio...

FELIPA

Sí; ¿no es un bolsillo grande?

D.ª DOMINGA

No hay otro.

FELIPA

Al instante vuelvo.
(Vase.)

D.ª DOMINGA

2825   No daré los veinte mil
porque en la hora no puedo.
Algo más de la mitad
entregaré desde luego.

D. TADEO

Yo supliré lo que falte.
2830   No quedemos mal por eso;
que no nos vamos del mundo...
Pero, por Dios, el secreto.

FELIPA

(Que sale corriendo con un bolsillo en la mano.)
Aquí está.

D.ª DOMINGA

Señor notario,
son doblones de oro nuevos;
2835   hay unos ciento y sesenta.

Don Tomás de Iriarte
(Biblioteca Nacional)

HACER QUE HACEMOS.

COMEDIA.

POR

D. Tirso Ymareta.

...Multa agendo, nihil agens. Phæd. lib. II. fab. 5.

CON LICENCIA.

En Madrid : En la Imprenta Real de la
Gazeta. Año de 1770.

Portada de la comedia *Hacer que hacemos*, de don Tomás de Iriarte
(Biblioteca Nacional)

D. TADEO

¿Ciento y sesenta? Ajustemos.
Hacen... Deje usted... Cabales.
Sí, doce mil y ochocientos;
(*Mientras escribe, va diciendo muy pausadamente:*)
pero ahora bien, señora,
2840 somos mortales, y quiero
dejar a usted mi recibo
mientras vuelvo por el resto.
Usted descuide. El papel
es éste.

FELIPA

    ¡Qué ganas tengo
2845 de hacerle dos mil añicos!
Y al alquimista embustero
que le escribió... bailaría
sobre su alma un taconeo.

(D.ª DOMINGA, *después de guardar el papel de casamiento que la entrega* D. TADEO, *mira la firma del
recibo que él ha dejado sobre la mesa.*)

D.ª DOMINGA

¡Jesús! ¡Qué nombre tan raro!

D. TADEO

2850 Así me llamo: Roberto
Urreguezurrescoá.

FELIPA

¿Urre-zurra qué? No aprendo
este apellido en veinte años.

D. TADEO

Vivo en la calle del Perro [34]
2855   para lo que usted me mande.
Otro día nos veremos,
y bien puede usted decir
que la saco de un aprieto
más que mediano.

D.ª DOMINGA

Es verdad;
2860   y a fe que se lo agradezco.

D. TADEO

¡Lo que pueden una dama
liberal y un hombre experto!
Ella en estos lances pone
la pecunia, y él su ingenio.
Agur.
(Vase.)

FELIPA

2865   Vaya usted con Dios.
Nos ha vuelto el alma al cuerpo.

---

[34] *calle del Perro:* Era una calleja que corría entre las calles de los Tudescos y de Silva y llegaba también a formar bocacalle con la calle del Pozo,
según parece haberse llamado entonces la de Libreros (véase Fausto Martínez de la Torre y José Asensio, *Plano de la Villa y Corte de Madrid*, Madrid, 1800, lám. 30, Barrio de la Buena Dicha). La calle del Perro cortaba
las de Tudescos y Silva más o menos por donde las corta hoy la Gran Vía.
La alusión a calles reales en obras de imaginación es un toque realista que
queda comentado en la Introducción.

D.ª DOMINGA

¡El hijo de mis entrañas!
Aunque venda mi aderezo.

ESCENA XII

D.ª Dominga, Felipa, D. Alfonso y D.ª Flora.

D.ª DOMINGA

    ¡Señor don Alfonso! ¡Flora!
2870 Ya empiezo a tener consuelo.
Ya Mónica no podrá
poner un impedimento.
Por la más rara fortuna,
por el más seguro medio
2875 he recogido el papel
que firmó el chico.

D. ALFONSO

             Me alegro.
Pero pudiendo probarse
el engaño manifiesto
con que le hicieron firmar
la obligación...

D.ª DOMINGA

2880   Un tropiezo,
¿quién no le tiene? ¿Está nadie
libre de un mal pensamiento?

D. ALFONSO

Confieso a usted que si en algo
he partido de ligero,
2885   sólo ha sido en ofrecer
la mano de mi hija. El cielo
me es testigo de que en nada
se alterara mi proyecto
si acertase don Mariano
2890   a recobrar el concepto
que hoy ha perdido con Flora.

D.ª DOMINGA

Todo eso tiene remedio,
estando él ya pesaroso
de haber vivido tan ciego.

D.ª FLORA

2895   La oposición de Antoñuela
no es lo temible.

D. ALFONSO

Contemplo
muy fácil que la justicia
la quite pronto de en medio.

D.ª DOMINGA

(Alborozada.)
¿Conque pronto?

D. ALFONSO

Lo presumo.

D.ª DOMINGA

2900 ¡Si ese anuncio fuera cierto!
       No tendría ya Mariano
       malas compañías, juego,
       deudas, ni otros lastimosos
       peligros en que hoy le veo.

D. ALFONSO

2905 Y aunque falte aquella casa,
       ¿no hay en Madrid otras ciento
       del mismo jaez?

D.ª DOMINGA

                    No, Flora;
       reconocerá su yerro.

D.ª FLORA

       ¿Quién? ¿Un mozo acostumbrado
2910 al trato libre y grosero
       de gente indigna, podrá...?
       Es ya tarde, y no lo espero.

ESCENA XIII

D.ª DOMINGA, D. ALFONSO, D.ª FLORA, FELIPA y PAN-
TOJA, *que sale muy apresurado.*

FELIPA

¿Qué te sucede, Pantoja?

PANTOJA

No puedo echar el aliento.

D.ª DOMINGA

Habla.

PANTOJA

2915   ¿Ha estado con ustedes
uno... vestido de negro?

D.ª DOMINGA

¿Un notario? Sí.

PANTOJA

        ¡Notario!
Ya... ¡Por vida de mi abuelo!
¿Le dio usted dinero?

FELIPA

En oro.

PANTOJA

¿Y él... soltó un papel?

D.ª DOMINGA

2920   Es cierto.

PANTOJA

Adiós. Diéronla el petardo.

D.ª DOMINGA

¡Cómo!

PANTOJA

Aquél es... el perverso
alquimista, el que se llama
cuñado y es quebradero
2925   de cabeza de Antoñuela...

D.ª DOMINGA

¿Qué dices?

PANTOJA

Como lo cuento

D.ª DOMINGA

Él me ha dejado su nombre.
Aquí está escrito...
(Tomando el recibo que dejó D. TADEO *sobre la
mesa, y empezando a leer la firma.)*
           Roberto...

FELIPA

(Deletreando.)
U-rre-gue-zu-rres-co-á.

PANTOJA

2930   Muy señor mío y mi dueño.

D. ALFONSO

(*A* D.ª DOMINGA.)
Usted no sabe el vascuence.

FELIPA

Ni una letra.

D. ALFONSO

Yo le entiendo
bastante para inferir
que ese apellido es burlesco.
2935   De *urréa*, el oro, y *guezurra*,
la mentira, le ha compuesto
lo mismo que si dijera
orofalso u *contrahecho*. [35]

---

[35] *orofalso u contrahecho:* Comp. "dentro u fuera" (*La señorita mal-criada*, v. 1568). El uso de *u* por *o* en casos como éstos corresponde a una regla explicada en el *Diccionario de Autoridades:* "Sirve muchas veces de partícula disyuntiva, especialmente cuando la dicción acaba en *o*, o la si-guiente empieza con ella, para evitar la cacofonía, o cuando la dicción si-guiente empieza con *d*, para quitar la malsonancia". Pero ya en la época de Iriarte tal uso empieza a ser anticuado porque en las ediciones de la *Gra-mática* académica impresas a fines del siglo XVIII no se prescribe ya la sustitu-ción de *o* por *u* después de voces que terminan en *o*, sino que se da ya la regla moderna: "En lugar de la *o* se usa de la *u* cuando la palabra siguiente em-pieza por *o*" (cito por la cuarta edición, Madrid, 1796, p. 264). En el habla rústica, en *La señorita malcriada*, la partícula *u* también se emplea en otras posiciones, por ejemplo, en el verso 1544: "hora u media".

PANTOJA

El sobrenombre le viene
2940 de perlas. ¡Gran marrullero!
Engañó con la verdad.[36]

D.ª DOMINGA

¿Cómo supiste el suceso?

PANTOJA

Encontré en la calle al paje
de doña Mónica; y luego
2945 me contó que la embrollona
y su compinche han dispuesto
irse de Madrid mañana
temprano al ver descubiertos
sus embustes. Por sacar
2950 para el viaje algún dinero,
propusieron al tal paje
que vistiéndose de negro
como notario, viniese
a esta casa; y con arreglo
2955 a la instrucción que le daban,
además de que él no es lerdo,
entregase a mi señora
el papel de casamiento,
sacándola no sé cuánto.

---

[36] Quizá se trate de una alusión a ciertos versos muy conocidos del *Arte nuevo de hacer comedias en este tiempo*, de Lope de Vega: "El engañar con la verdad es cosa / que ha parecido bien, como lo usaba / en todas sus comedias Miguel Sánchez, / digno por la invención de esta memoria" (en Federico Sánchez Escribano y Alberto Porqueras Mayo, *Preceptiva dramática española del Renacimiento y el Barroco*, 2.ª ed., Madrid, 1972, 163); pues Iriarte conocía esta obra de Lope y la cita con gran inteligencia en *Los literatos en Cuaresma*.

2960 Por no mezclarse en enredos
     mi buen paje se excusó.
     Salióse de allí; y no ha vuelto,
     temiendo servir a gente
     de tales mañas. Yo vuelo
2965 a casa con este aviso
     cuando héteme que me encuentro
     al susodicho alquimista
     que parte de aquí derecho
     como un rayo. No me habló;
2970 mas la prisa, el traje negro,
     todo me dio mala espina.
     Llego... pero ¿cuándo llego?
     Cuando ya el picaronazo...

FELIPA

Sí. Después del asno muerto.

D.ª DOMINGA

2975 Es mucha insolencia. Y dime:
     ¿dónde está Mariano?

PANTOJA

                         Vuelvo
a buscarle. Si no doy
con él...

FELIPA

(Dándole un rempujón.)
          Pues marcha. Ligero.

ESCENA XIV

D. Alfonso, D.ª Dominga, D.ª Flora, Felipa *y luego*
D. Fausto.

D.ª DOMINGA

(A D. Alfonso.*)*
¿Conque se ha de hacer la boda?

D. ALFONSO

2980   Ahora hablaremos de eso.
Felipa, llama a don Fausto
que se quedó solo adentro.

FELIPA

Cuenta no le coma el coco.

D.ª DOMINGA

¿Qué necesidad tenemos
de su presencia?

FELIPA

2985   No está
mi ama en los autos, y quiero
que sepa...
(Suspendiéndose al ver llegar a D. Fausto.*)*
Será otra vez.

D. FAUSTO

Señoras, yo sólo vengo
a despedirme. Si ustedes
2990   tienen que tratar, me ausento.

D. ALFONSO

(A D. FAUSTO.)
Deténgase usted.
(A D.ª DOMINGA.)
                         Señora,
ya es tiempo de que expliquemos
Flora y yo lo que sentimos
tocante a este caballero.
2995   Usted no puede ignorar
que a pesar de nuestro pleito...

ESCENA XV

D.ª DOMINGA, D. ALFONSO, D.ª FLORA, D. FAUSTO,
FELIPA *y* PANTOJA.

PANTOJA

Ya apareció el señorito.
Aquí llega.

D.ª DOMINGA

Respiremos.

PANTOJA

Viene acompañando a mi amo.

D.ª DOMINGA

¿Cómo?

PANTOJA

3000   Ya lo dirán ellos.

ESCENA ÚLTIMA

Los dichos y D. MARIANO, *que sale en ademán de turbado
y abatido, acompañándole* D. CRISTÓBAL.

D. MARIANO

Madre mía, ¿usted no sabe...?

D. CRISTÓBAL

(Con seriedad.)
Deja que hable yo primero.
Gracias a mi diligencia,
al feliz descubrimiento,
3005   que se debe a don Alfonso,
y al genio activo y severo
del alcalde del cuartel,
los embolismos perversos
de Mónica ya cesaron.
3010   Ahora mismo la han preso.

D.ª DOMINGA

(A D. ALFONSO.)
Bien dijo usted. ¡Qué fortuna!
¿Conque, en fin, tengo el consuelo

de verte, Mariano mío,
libre ya de tantos riesgos?

D. CRISTÓBAL

3015   Materiales hay sobrados
para formarla proceso.

FELIPA

Digo: ¿y ese trapalón
alquimista? ¿Le prendieron?

D. CRISTÓBAL

Sí, cabalmente dio en manos
3020   de la ronda al mismo tiempo
que él iba a entrar en su casa.
Ya se le irán descubriendo
firmas que ha falsificado.

PANTOJA

Sí tal.

D.ª DOMINGA

¡Cuánto lo celebro!

D. CRISTÓBAL

3025   Había una fuerte banca,
y todos los gariteros
han ido a la cárcel.

FELIPA

¡Lindo!

D.ª DOMINGA

Estoy loca de contento.
(A D. MARIANO.)
Para que escarmientes, mira.

D. MARIANO

Pero es que yo...

D. CRISTÓBAL

3030   Por supuesto
que de todos quien merece
más castigo es el banquero.

D.ª DOMINGA

Con justa razón. ¡Malvado!
Que lo pague.

D. CRISTÓBAL

             ¿Sí? Acabemos.
(Con resolución.)
3035 El que llevaba la banca
es... su hijo de usted.

D. DOMINGA

(Gritando con aflicción.)
                    ¡Ay, cielos!
¡Tío cruel! ¡Hijo mío!

D. CRISTÓBAL

Nada sirven ya lamentos.
El juez le desconoció
3040   por el traje; mas sabiendo
quién era, vino a decirme
que la multa y el destierro,
de que no deben librarse
los viciosos en tal juego,
3045   habrán de comprender[37]
a este mozo sin remedio.

D.ª DOMINGA

¡Ah, desgraciada de mí!

D. CRISTÓBAL

Pero ha procedido atento.
A disposición del tío
3050   y tutor, entregó el reo
con tal que le haga salir
de Madrid luego al momento,
veinte leguas en contorno,
por dos años a lo menos.

D.ª DOMINGA

3055   ¿Yo vivir sin mi Mariano?
¿Y cómo no te has opuesto,
hermano, a tanto rigor?

[37] *comprehender*: Como en el caso del infinitivo *reprehender* (véase la nota 15 arriba), la forma arcaica hace falta aquí para el metro.

D. CRISTÓBAL

Fuera inútil. Aun sin eso,
yo le hubiera destinado
3060 a un colegio u otro encierro
en donde se acostumbrase
no sólo a vivir sujeto,
sino a pensar seriamente
sobre sus locos excesos.
3065 La justicia anticipó
la ejecución de mi intento.
Mejor. Cinco años le faltan
de estar a tutela, y creo
que pasar dos desterrado
3070 le será de gran provecho.
Ésta no es dureza mía,
no, hermana; es justo deseo
de su enmienda, de cumplir
con mi cargo, como debo,
3075 y de probar que mi amor
no es nocivo, ni indiscreto
a manera del de usted,
sino muy útil, muy cuerdo.
Con remedios más benignos
3080 no sanan tales enfermos.
Don Mariano irá a Valencia.
Allí tengo yo sujeto
de toda mi confianza,
que con el mayor desvelo
3085 sabrá celar la conducta
del desterrado. Allí pienso
señalarle moderadas
asistencias con expreso
encargo de que jamás
3090 se le franquee dinero
para hacer nuevas locuras.
Le daré buenos maestros,
y aprenderá lo que es justo

que no ignore un caballero.
3095 No habrá Mónicas allí,
ni amigotes, ni fulleros,
ni tramposos alquimistas.
Sobre todo, estará lejos
de las faldas de una madre,
3100 causa de todos sus yerros.

D.ª DOMINGA

Yo he de seguir a mi hijo,
aunque se vaya a un desierto.

D. CRISTÓBAL

De eso he de encargarme yo;
pues no solamente quiero
3105 acompañarle en el viaje,
sino que de tiempo en tiempo
iré a visitarle y ver
si el castigo hace su efecto.

D.ª DOMINGA

¿Y no se le ha de aliviar
la pena?
(Corriendo a abrazar al hijo.)
3110   Si con mis ruegos
no consigo tu perdón,
bien dirás que no merezco
me llames madre.

D. MARIANO

                   Usted misma,
con darme hoy aquel dinero
3115 para jugar, me ha perdido.

D.ª DOMINGA

¿Te le dí yo para el juego,
o para desempeñar
una alhaja?

PANTOJA

Hablando de eso,
ya que está aquí el que la tiene
empeñada...

D.ª DOMINGA

¿Y quién es?

PANTOJA

(*Presentando dinero a* D. CRISTÓBAL.)
3120   Suelto.
cuarenta doblones. Venga
la sortija, y...

D. CRISTÓBAL

Te la vuelvo.
Entrégala a tu ama, y dila
que tenga mejor concepto
de Pantoja.

(PANTOJA, *después de tomar la sortija de manos de*
D. CRISTÓBAL, *la pone en las de* D.ª DOMINGA.)

D.ª DOMINGA

3125   ¿Conque en manos
de mi cuñado...?

PANTOJA

                Temiendo
que el señorito quisiese
venderla...

D. CRISTÓBAL

                Guárdate en premio
de tu leal honradez
esa cantidad.

FELIPA

(Dando una patada.)
3130   ¡Reniego!
de tu fortuna!

D. CRISTÓBAL

                Sobrino,
empieza a vivir de nuevo
desde ahora. Ya conoces
el estado en que te han puesto
3135   la ociosidad, la ignorancia
y los hábitos primeros
de una mala educación.
Corríjanse tus defectos;
y hasta lograrlo, no debes
3140   pensar en ser mi heredero.

D. MARIANO

Pero ya ¿de qué me sirve
esa herencia y cuanto tengo,
si quedo sin libertad,

privado de pasatiempos,
3145 del trato de mis amigos...?
Con todo, lo que más siento
no es verme castigado,
sino temer, como temo,
que ofendida Flora... ¡No,
(Échase a los pies de D.ª FLORA, *y se levantará luego
que ésta empiece a hablar.)*
3150 Flora mía! Si te pierdo,
pierdo mi bien. Ten piedad.
Ingrato fui; me arrepiento,
y desde hoy con mi reforma...

D.ª FLORA

Bastante me compadezco
3155 al pensar los extravíos
del que habiendo sido objeto
de mi inclinación primera,
la desmereció con ellos.

D. ALFONSO

Di cuál es ya tu intención.

D.ª FLORA

3160 No faltar al cumplimiento
de mi palabra. Ofrecí
que al fin sería mi dueño
quien tuviese mi retrato,
mediante el benigno asenso
de mi padre.

D.ª DOMINGA

3165   ¡Amada Flora!
¿Pudiera yo esperar menos

de tu fineza? ¡Oh, qué gozo!
Mariano es quien, poseyendo
esa prenda de tu amor,
3170   será feliz desde luego.
Sólo así puede aliviarse
la aflicción en que me veo.

D. ALFONSO

Señora, siento decir
que con mi consentimiento,
3175   ya está el retrato de Flora
en otras manos. Mi yerno
será don Fausto.

D. MARIANO

¡Por vida...!

D. FAUSTO

(Mostrando el retrato.)
Yo soy quien logró en efecto
el don a que han aspirado
3180   mis cortos merecimientos.

D. MARIANO

¡Tío!

D.ª DOMINGA

¡Hermano!

D. CRISTÓBAL

No me admiro.
Haciendo imparcial cotejo

de las propiedades de ambos,
debía suceder esto.

D. FAUSTO

3185   Tengo amigos en la Corte;
y si algo vale mi empeño
para que obtenga su indulto
don Mariano, yo me ofrezco
a interceder...

D. MARIANO

                Sí, señor.
3190   ¡Venir con ofrecimientos
después de haberme robado
mi mayor dicha!

D. CRISTÓBAL

                Agradezco
tanta generosidad,
pero conviene al sosiego
3195   de esta familia y al fin
de contener los progresos
de un desorden tan temible,
que no hallen los desaciertos
de mi sobrino patronos
3200   que impidan el escarmiento.
Pantoja, búscame un coche
para mañana.

D.ª DOMINGA

¿Tan presto?

D. CRISTÓBAL

Sí, hermana. En la dilación
hay sus peligros.

D. MARIANO

No puedo
3205	partir hasta que mañana
don Fausto y yo cuerpo a cuerpo...

D.ª DOMINGA

Eso me faltaba ahora,
hijo mío. Verte expuesto...

D. ALFONSO

Ya ese lance está cortado,
3210	hallándose de por medio
nuestra autoridad.

D. CRISTÓBAL

Si ha dicho
mi sobrino que esos retos
son antiguallas... Los dos
se darán por satisfechos.

D.ª DOMINGA

3215	No sé dónde estoy. ¡Felipa!

FELIPA

¡Ama de mi alma!

(D.ª DOMINGA *se deja caer en una silla como pos-*
trada del dolor.)

D. MARIANO

                    Ya empiezo
a saber lo que es sentir.
Ya mi aflicción, mi despecho...
¡Oh, Flora!

D. CRISTÓBAL

                    ¿Qué? ¿Te confundes?
3220   No es mala señal. Con eso,
si algún día tienes hijos,
les citarás este ejemplo;
y si no los instruyeres
con mejores documentos,
3225   esto que hoy pasa por ti
pasará también por ellos.

FIN DE "EL SEÑORITO MIMADO"

LA SEÑORITA MALCRIADA

Comedia moral en tres actos

Ridiculum acri
Fortius et melius magnas plerumque secat res. [1]
Horacio, Lib. I, Sat. X

Con más acierto y vigor
que la severa invectiva,
una crítica festiva
corta el abuso mayor.

[1] Concretamente, este epígrafe se toma de los versos 14 y 15 de la sátira horaciana indicada por Iriarte.

PERSONAS

D.ª PEPITA, señorita.

D. GONZALO, su padre; hombre mayor, pero alegre, distraído y abandonado.[2]

D.ª AMBROSIA, amiga, vecina y compañera de D.ª PEPITA; viuda joven.[3]

D.ª CLARA, hermana de D. GONZALO; señora de carácter serio.[4]

D. EUGENIO, caballero de apreciables circunstancias; amigo de D. GONZALO.[5]

D. BASILIO, marido de D. CLARA.[6]

EL MARQUÉS DE FONTECALDA, viajante charlatán.[7]

---

[2] En el *Plan* manuscrito de *La señorita malcriada*, se describe a don Gonzalo como un "ricote estrafalario" (fol. 82).

[3] En el fol. 82 del *Plan* manuscrito están rayados otros tres nombres que Iriarte consideró para este personaje. Los dos que es posible descifrar son *Hipólita* y *Paula*. El tercero será *Mónica* porque en algún otro folio este nombre aparece rayado y sustituido por *Ambrosia*; detalle curioso, pues en la Introducción queda señalada la semejanza entre los papeles de la doña Mónica de *El señorito mimado* y doña Ambrosia.

[4] Para este personaje Iriarte ensayó también los nombres de *Isabel* y *Cristina*, que aparecen rayados en el fol. 82 del *Plan* manuscrito. Debió preferir el nombre *Clara* por el evidente simbolismo que tiene al referirse al carácter de la austera tía de Pepita.

[5] En el reparto manuscrito (fol. 82) el nombre *Eugenio* ha reemplazado *Mariano*, que está rayado.

[6] Antes de decidirse por el nombre *Basilio* para este personaje, Iriarte escribió *Alberto* y luego *Eusebio*, que quedan rayados en el mismo fol. 82.

[7] Este personaje, tanto en el fol. 82 como por todo el *Plan* manuscrito, aparece con el título *barón de Fuminaria*.

D. Carlos, sobrino de D.ª Ambrosia.

El Tío Pedro Fernández, mayordomo de la casa de campo de D. Gonzalo; hombre rústico, pero de buena razón.[8]

Bartolo, hortelano de la misma casa; payo malicioso.

Cuadrilla de Majos y Majas.

La escena es en una casa de campo muy cercana a Madrid.

La acción empieza por la mañana temprano, y concluye antes de mediodía.

[8] Sobre el nombre *Pedro Fernández*, véanse el cap. IV de la Introducción y la nota 54 a la Introducción.

ACTO PRIMERO

*El teatro representa una parte de jardín con vista de una
casa que tiene salida a él por el frente, y a los lados varias
calles de árboles.*

ESCENA I

*Al levantarse el telón, aparecen en el foro algunas parejas
de* Majos *y* Majas *bailando seguidillas, que cantará otro
de la cuadrilla, acompañadas sólo con la guitarra. Entretanto, el* Tío Pedro Fernández *va colocando en fila, a un
lado, algunas sillas que le van trayendo; y de cuando en cuando mira con ceño a los bailarines.* Bartolo *en el lado opuesto
riega el suelo, mirando a ratos el baile con ojos de alegría.
Antes de acabarse la primera seguidilla, el* Tío Pedro *hace
parar la guitarra, y dice a* Bartolo *con enfado:*

TÍO PEDRO

¿Qué sirve regar ahí
si ellos por acá levantan
más polvareda que un hato
de carneros?
(*A los* Majos.)
                                    Camaraas, [9]
5   con la música a otra parte.

---

[9] *camaraas:* camaradas. En el habla vulgar se pierde regularmente la *d*
intervocálica, de lo cual hay otros ejemplos en los versos siguientes: *caa =
cada, mulaar = muladar, lao = lado, too = todo, cuidaa = cuidada, maama =
madama, puee = puede, alborotaa = alborotada, naa = nada,* etc. Desde
luego, cuando se hallan contiguas dos vocales iguales, se han solido producir en el uso vulgar, con igual o mayor frecuencia, formas caracterizadas
por la sinéresis o reducción del hiato que resulta de la pérdida de la *d* inter-

331

MAJO 1.º

A bien que la tierra es ancha.

MAJA 1.ª

¿Si faltará dónde armar
baile, habiendo buenas ganas?

MAJO 2.º

Aelantre. Calla, Curra.
10   Aquí no hay que echar bravatas,
que estamos en casa ajena.

MAJA 1.ª

Pues ya. Caa gallo canta
en su mulaar. Abur.

MAJA 2.ª

¡Qué hombres éstos! ¡Y lo aguantan!
15   Que nos lo vengan a icir [10]
en la calle de la Palma. [11]

---

vocálica: *cada > cá, nada > ná, todo > tó, puede > pué*, etc. Pero es evidente que los modelos de lenguaje popular copiados por Iriarte en su época ofrecían el hiato, porque si se redujese el hiato al imprimirse estos pasajes, se destruiría el metro de muchos versos.

[10] *icir:* decir. Y un poco más abajo el lector encontrará *igo = digo, igamos = digamos, ijo = dijo, icho = dicho*. En todos estos casos se pierde la *d* por hallarse ésta en posición intervocálica entre la vocal final de la voz precedente y la de la radical del verbo. Comp. un caso como el de *etrás* (detrás) en "allí etrás" (v. 311).

[11] *calle de la Palma:* Se trata sin duda de la actual calle de la Palma, sita en el Barrio del Hospicio, la cual entonces, sin embargo, también se llamaba de la Palma alta para distinguirla de las dos desaparecidas calles de la Palma baja, que corrían, la primera por los Barrios de las Niñas de Monterrey y de Monserrate, y la segunda por el Barrio de San Andrés. He hablado en la Introducción del papel que juega en el realismo iriartiano la mención de calles reales de Madrid.

MAJO 1.º

Estamos del otro lao.
(Al de la guitarra.)
¡Copete! Toca la marcha.
(A la cuadrilla.)
Armas al hombro.
(Al TÍO PEDRO.)
                    A más ver.

(Los MAJOS *toman las capas y sombreros que están
en el suelo, y se van todos juntos, gritando confusa-
mente al son de la guitarra.)*

LOS MAJOS

Ji, ji, ji, ji.

E S C E N A   I I

El TÍO PEDRO *y* BARTOLO.

TÍO PEDRO

20   ¡Qué algazara!
(Con mucha flema.)
¿Oyes, Bartolo?

BARTOLO

Bien oigo.

TÍO PEDRO

Llégate acá.

BARTOLO

Vaya en gracia.

TÍO PEDRO

Di.

BARTOLO

Diré.

TÍO PEDRO

¿Soy o no soy
mayordomo de esta casa?

BARTOLO

25 De la casa, del jardín,
de la huerta, de la cuadra,
del gallinero, y de too
lo que cogen estas tapias

TÍO PEDRO

Ya sabes quién soy.

BARTOLO

¿Usté?

TÍO PEDRO

30 Sí, yo. Mírame a la cara.

BARTOLO

Es usté, Pedro Fernández.

TÍO PEDRO

(Con enojo.)
Pues Pedro Fernández manda
que sin su licencia no entren
aquí majas ni guitarras.

BARTOLO

(Con sorna.)
35 ¿Y bastará la licencia
de la señorita?

TÍO PEDRO

Basta.

BARTOLO

Pues con su licencia entraron
las guitarras y las majas.

TÍO PEDRO

¿Trujeron orden?

BARTOLO

Trujeron.

TÍO PEDRO

¡Ah! Siendo así, vaya.

BARTOLO

40   Vaya.

TÍO PEDRO

Pues a cuidar de la huerta.

BARTOLO

Por hoy ya está bien cuidaa.

TÍO PEDRO

En oliendo que hay junción,
holgueta.

BARTOLO

                    Ya eso es de tabla.
45   Y tengo puesta la ropa
del día de fiesta. ¡Guarda!
Hoy que el amo don Gonzalo
vendrá con tantas maamas
y tantos señores... ¡Toma!
50   ¡Poquita será la zambra!
Una olla están puniendo
que es mayor que una tenaja.
Pues aunque hubiera una boda.

TÍO PEDRO

Hombre, puee ser que la haiga.

BARTOLO

55   ¡Calle, calle! ¿Es hoy, tío Pedro?

TÍO PEDRO

No igo que hoy ni mañana;
pero como la Pepita
burla burlando ya pasa
de los veinte, y...

BARTOLO

              Sí. La fruta
60   pesa ya un poco en la rama.
Patrón, digo acá *énter nos*,[12]
(Bajando la voz.)
¿no es verdá usté que nuestra ama...

TÍO PEDRO

Sí...

BARTOLO

La señorita...

TÍO PEDRO

              Estoy.

---

12 *énter nos:* pronunciación vulgar del lat. *inter nos*, de donde luego deriva el vulgarismo castellano *entre nos*.

BARTOLO

Parece...

TÍO PEDRO

¿Qué?

BARTOLO

Una muchacha...

TÍO PEDRO

Ya.

BARTOLO

Un sí es no es...

TÍO PEDRO

Bien.

BARTOLO

65   No igamos
loca, pero... alborotaa.

TÍO PEDRO

¿Alegre?

BARTOLO

Pues.

TÍO PEDRO

¿Correntona,
ella?

BARTOLO

Cabal.

TÍO PEDRO

¿Así en chanza?

BARTOLO

Y de veras.

TÍO PEDRO

¿Algún rato?

BARTOLO

No. Siempre.

TÍO PEDRO

70   Bartolo, calla.
Vamos con tiento, que al fin
son amos; y por más claras
que se están viendo las cosas,
siempre es güeno...

BARTOLO

                    Echar la capa.
Ya lo entiendo.

TÍO PEDRO

75   Las verdaes,
como ijo el otro, amargan;
y aunque le dé gana a un hombre
de escupirlas, no. Tragarlas.

BARTOLO

Pero la culpa es de aquella
80   doña Ambrosia. Ya, ya es maula
Con achaque de amistá
gobierna toa la casa:
al padre, a la señorita,
a los criaos... Lo paga
85   too por su mesma mano,
y ya ve usté que quien anda
con la miel...

TÍO PEDRO

                    ¿Quiees[13] callar?

BARTOLO

¡Ea! Pues no he icho naa.

---

[13] *quiees:* quieres. En el habla vulgar castellana, con la pérdida de la *r* intervocálica, igual que con la de la *d* intervocálica, es más frecuente hoy que las vocales iguales, hallándose contiguas, se reduzcan a una sola: *quiés.* Pero se ve que el modelo real de Iriarte pronunciaría esta palabra con hiato, pues la reducción de éste destruiría el metro.

TÍO PEDRO

No ices naa, y parece
90   que te caes y te agarras.

BARTOLO

El que hoy vendrá también es
aquel marqués faramalla
que ha corrido tantas tierras...
¡Válgame Dios! ¡Lo que parla!
95   La pronuncia es de español;
pero qué sé yo cómo habla,
que la metá no le entiendo...
Lengua como chapurraa...

TÍO PEDRO

Términos que allá deprenden
100 por Francia o por Alimaña.

BARTOLO

Y diz que[14] a la señorita
la tiene medio embobaa,
y que si consiente el padre...

TÍO PEDRO

¡Dale bola!

14 *diz que:* Sobre estas palabras que él escribía como una sola voz *(dizque)*, Covarrubias apunta, en tono didáctico, que es una "palabra aldeana que no se debe usar en Corte. Vale tanto como *dicen que*".

BARTOLO

Yo, en substancia,
105   lo que igo es que la quiere.
¿Y qué?

TÍO PEDRO

Pues su alma en su palma. [15]

BARTOLO

Seguro.

TÍO PEDRO

¿A tí qué te importa?

BARTOLO

Naa. ¿Y a usté?

TÍO PEDRO

Menos.

BARTOLO

Pata.
Ello es que habrá mucha gente.

[15] *su alma en su palma:* En su *Vocabulario de refranes,* el maestro Correas
comenta así el presente: "Es como decir: Allá se lo haya con su conciencia:
cuales sus obras, será su pena, o su premio".

TÍO PEDRO

110   Pero ¿de dónde lo sacas?

BARTOLO

Ya le igo a usté. La olla
es aquello que se llama
una olla, y por lo mesmo
echaba la cuenta larga.

TÍO PEDRO

115   Yo la echo corta. Miá[16] tú
qué pronto que está ajustaa.
El amo y la hija...

BARTOLO

Dos.

TÍO PEDRO

La viuda...

BARTOLO

Tres. No hará falta.

TÍO PEDRO

El marqués y don Ugenio...

BARTOLO

Ya van cinco.

16 *miá:* mira. Por la pérdida de la *r* intervocálica, *mira* > *mia* > *miá*.

TÍO PEDRO

120   Doña Clara,
        seis...

BARTOLO

                ¿Quién? ¿La hermana del amo?

TÍO PEDRO

        La propia. ¡Aquélla es muy guapa!
        Su marido don Basilio...
        Son siete... y aquí se acaba.

BARTOLO

125   ¿Conque doña Clara? ¡Hay cosa!
        ¿No icían que esa hermana
        y ese cuñao del amo
        ha tantos tiempos que estaban
        reñíos con él?

TÍO PEDRO

                        Reñíos,
130   y caa uno en su casa
        sin verse ni oirse.

BARTOLO

                        ¿Y vienen
        hoy en amor y compaña?

TÍO PEDRO

Ya han güelto a las amistaes,
y vienen a celebrarlas
aquí.

BARTOLO

135   Por eso es la fiesta.
¿Conque ello es...?

TÍO PEDRO

                ¡Lo que sonsacas,
hombre! Tan preguntón eres,
tan curioso, que le arrancas
a un hombre poquito a poco
140   cuanto tiene en las entrañas...
Y al cabo, mormuración.

BARTOLO

Platicar de lo que pasa.
Pues aquí ¿qué mormuramos?

TÍO PEDRO

Mucho, y en pocas palabras.
145   Que la viuda doña Ambrosia
es la que too lo manda;
que la Pepita es alegre
de cascos y algo atronaa;
que el marqués es un tunante,
150   y que anda tras de pescarla...

BARTOLO

Pero también ya usté ve
que del amo que nos paga
(aunque él tiene allá sus cosas
porque es muy de bulla, y anda
155 divertío como un mozo)
     no hemos dicho...

TÍO PEDRO

Eso faltaba.

BARTOLO

Tampoco del don Basilio,
marío de doña Clara,
de ella, ni de don Ugenio
160 hemos dicho cosa mala.

TÍO PEDRO

¿Qué has de icir si ellos dos
son güenos, y ella una santa
señora? ¡Así jueran toas!

(*Suena adentro la guitarra y la algazara de los* MAJOS,
como que atraviesan por detrás de la casa.)

BARTOLO

Pues digo ¡los de la danza
165 dende temprano la toman!

TÍO PEDRO

Ya verás cómo se cansan,
antes que encomience el baile,
las piernas y las gargantas.
¡Hola! Pues ya está aquí el amo.

ESCENA III

D. GONZALO, *con escopeta y demás avíos de cazador.*
El TÍO PEDRO *y* BARTOLO, *que van a recibir a su amo.*

TÍO PEDRO

170   ¡Oh, señor! ¿Tan de mañana
         y a pie?

D. GONZALO

              De Madrid aquí
         es tan corta la distancia,
         que he venido paseando.
         (*Entrega la escopeta al* TÍO PEDRO, *y a* BARTOLO
         dos o tres pajarillos.)
         Toma. ¡Mira qué gran caza!

BARTOLO

175   Ni aun pájaros hay hogaño.

D. GONZALO

         (*Sentándose y limpiándose el sudor.*)
         Parece que está la casa

divertida, y me reciben
con música. Esto me agrada.

TÍO PEDRO

Al fin, nuestro amo, usté tiene
180 un genio, una buena pasta
que se divierte con too.

D. GONZALO

El mismo soy, a Dios gracias,
hoy que el que era a los veinte años.
Hay envidiosos que rabian
185 de verme siempre de fiesta;
pero de aquí no me sacan.
Buen humor y buena vida.
No, sino que me tomara
cuidados y pesadumbres,
190 teniendo renta sobrada
para reírme de todos.

BARTOLO

¡Pardiez que sí!

TÍO PEDRO

¡Buena gana!

D. GONZALO

A fe que ya no soy niño
(si no, dígalo la calva);
195 y, sin embargo, en Madrid
todos esos tarambanas

pisaverdes, que parecen
contentos como una pascua,
no se divierten ni el diezmo
de lo que yo.

TÍO PEDRO

200   ¡Pues bien haiga
su alma de usté!

D. GONZALO

                    Todo el año
vivo como un patriarca.
Que haya guerra, que haya paz,
buena cosecha, o escasa;
205   que uno diga que las cosas
van bien, y otro rematadas;
que se escriban papelotes,
que se tiren de las barbas;
yo, adelante: divertirme,
210   y lo demás patarata.
Donde hay gente, allí estoy yo, [17]
clavado como una estaca.
Voy lo mismo a una comedia
que a ver una encorozada.
215   Viene algún predicador
famoso, no se me escapa.
Que hay una ópera nueva, a verla.
Una boda, a presenciarla.
Un gigante, un avechucho,
220   un monstruo a tanto la entrada,
volatines, nacimientos,
sombras chinas y otras farsas,

[17] Sobre la siguiente enumeración de las diversiones de don Gonzalo.
véase el cap. VI de la Introducción.

el primerito. En el Prado,[18]
mi silla por temporada.
225   Si hay concurso en el café,
allí fijo como el alba;
y finalmente en la Puerta
del Sol, mi esquina arrendada.[19]
¿Las tertulias? Así, así.
(Señalando con los dedos.)
230   ¿Fiestas de campo? Como agua.
¿Academias? Más que hubiera.
¿Conmilitonas?[20] ¡No es nada!
Nunca deshago partido.
Que hay juego, tomo las cartas.
235   Que van a bailar: minué,
seguidillas, contradanza,

---

[18] En el Prado, / mi silla por temporada: Se alquilaban sillas para la co-
modidad de quienes frecuentaban el popularísimo paseo, como se ve por el
presente pasaje y por el de la Epístola III de Iriarte que está citado en el
cap. I de la Introducción. En una obra periódica de la época se dan algunos
detalles curiosos sobre estas sillas: "Coloca el cobrador todas las sillas en
dos bandas... según van llegando los que contribuyen a sus veteranas asam-
bleas, mudan las sillas formando círculo oblicuo de modo que parecen
ramilletes de berenjenas, sobre la indecencia de estar con las espaldas vueltas a lo más lucido del tránsito". Y en las noches de mucha luna las mun-
danas huyen "del centro del Prado, donde se hallan colocadas las sillas,
mudándolas por sus propias manitas o las manazas de los bubosos que las
acompañan, a lo más obscuro de la sombra de los árboles, o retirándose
a disfrutar de la que hacen las paredes de la iglesia del glorioso San Fermín
y su huerta" (del Juzgado casero, citado por Fernando Díaz Plaja, La vida
española en el siglo XVIII, Barcelona, 1946, p. 118).
[19] La Puerta del Sol era el predilecto "mentidero" de Madrid, a lo cual
también se alude en el pasaje de la Epístola III citado en el cap. I de la Introducción. Los chismosos y ociosos se reunían sobre todo en las escalerillas
o gradas del Convento de San Felipe el Real, que hasta su derribo en el
siglo XIX estaba en la esquina de la Calle Mayor con la Puerta del Sol, ocu-
pando la manzana que hay entre la calle del Correo y la de los Esparteros.
(Véanse Torres Villarroel, Visiones, ed. cit., p. 133 y ss.; Antonio Ponz,
Viaje de España, ed. Casto María del Rivero, Madrid, 1947, pp. 488-489;
Ramón de Mesonero Romanos, El Madrid antiguo, Madrid, 1881, t. I,
pp. 261-262).
[20] conmilitonas: compañeras en las campañas amorosas, esto es, prostitu-
tas. Es un latinismo, pues ya en latín commilitio, onis se usaba alguna vez
como sustantivo femenino, con igual sentido, dándose un ejemplo en la
Elagabali Vita del historiador romano Elio Lampridio (m. 300 d. de J. C.).
Véase Charlton T. Lewis y Charles Short, A latin dictionary, Oxford [1.ª ed.,
1870], 1966. La forma conmilitona no está registrada en los diccionarios
castellanos.

y a poco que me lo rueguen.
bailo también la guaracha.
Así vivo, así me huelgo;
240   y todos a una voz claman:
¡Si no hay otro don Gonzalo!
¡Qué humor tiene! Es una alhaja.

                    TÍO PEDRO

Muy bien va todo eso... pero...
el cuidao de la casa...
el gobierno...

                    D. GONZALO

245   Cabalmente
eso es lo que no me causa
inquietud. Mi casa está
grandemente gobernada.
Mire, tío Pedro, soy viudo...

                    TIO PEDRO

250   Por esta Semana Santa
se cumplieron... ¿cuántos años?
diez... de la muerte de mi ama
(Dios la haiga dao su gloria),
y ha hecho bastante falta.

                    D. GONZALO

255   Vamos al caso. Estoy viudo.
Mi caudal puesto a ganancias
con toda seguridad.
Mando que en mi casa no haya
miserias ni economías...

BARTOLO

260   El que lo tiene lo gasta.

D. GONZALO

Que Pepita se divierta
cuanto la diere la gana;
que baile, que represente,
que juegue, que entre y que salga;
265   que aprenda trato de mundo
en una tertulia diaria,
y se porte como todas
las que en Madrid hacen raya.

TÍO PEDRO

¿Y qué tal? ¿La señorita
270   se va dando buena maña
a aprender eso?

D. GONZALO

Es un pasmo.
Todas las gentes la alaban;
todo el pueblo la conoce;
y por conseguir entrada
275   en mi casa, hay mil empeños.

TÍO PEDRO

Y eso, habiendo puerta franca,
¿qué fuera si sus mercees
la tuvieran atrancaa?
Pero, señor, yo icía...
280   Perdone usté... Con mi mala
desplicación, y acá drento
me entiendo las cosas.

D. GONZALO

Vaya,
explíquese como quiera.

TÍO PEDRO

Digo que si yo me hallara
285 con una chica sin madre,
y en la edá que acá se llama
el tiempo de la vendimia,
cuando me desapartara
de su lao ni un menuto...
290 Y más con lo adelantaa
que está hoy día la malicia...

BARTOLO

¡Y en Madril, digo, donde andan
tantos de los pitimetres,
osías[21] a la que salta!

TÍO PEDRO

295 Porque, mire usté, en mi pueblo
había una moza hidalga,
que toos gustaban de ella
porque era como una plata,
hija de viudo también;
300 y sólo porque se andaba
suelta sin padre ni naide,
toícos la requebraban;
pero casarse, nenguno.

---

[21] *osiar:* osear, oxear. Según la *Enciclopedia del idioma* de Martín Alonso,
la forma *osiar* es frecuente en Navarra.

Y hoy está llena de canas,
305 triste, y sin más compañía
que la rueca. ¡Y cómo rabia
cuando la llaman doncella!

BARTOLO

Ya la conozco. La beata,
la que va siempre a encender
310 la lámpara de Santa Ana.

TÍO PEDRO

Ni sirve paa otra cosa.

D. GONZALO

Diréis dos mil patochadas.
Mirad, no estáis en los puntos
de crianza cortesana.
315 En las aldeas las mozas
recogidas y aplicadas,
las que más bajan los ojos,
son las que más bien se casan.
Acá va por otra regla.
320 En no habiendo buena labia,
desparpajo, garabato,
compostura un poco extraña,
no bailando unas boleras,
no cantando una tirana
325 con su *¡Ay!* y no frecuentando
las concurrencias de fama
para darse a conocer,
perdidas. No pasa una alma.

TÍO PEDRO

Ya. ¡Lo que es el no entendello!

BARTOLO

330   En caa tierra su usanza.

D. GONZALO

Y después, ¿quién os ha dicho
que yo permito que salga
sola mi chica? No voy
cargado con la arracada
335   de la hija a todas partes,
que eso fuera extravagancia
ridícula, y ser yo esclavo;
pero siempre la acompaña
mi señora doña Ambrosia,
340   que aunque moza, es una dama
de juicio y talento, viuda
y de muchas circunstancias.
Para mí es un grande alivio.

TÍO PEDRO

Y paa ella será ganga.

D. GONZALO

¿Por qué?

TÍO PEDRO

345   Porque tiene mesa
y diversiones baratas,
y coche paa mecerse
too el día. Nos contaba
el cochero la otra tarde
350   que las mulas no descansan
ni paa tomar el pienso.

D. GONZALO

¿Quién da crédito a canallas?

BARTOLO

Si mormuran sin conciencia...
(*Tirando de la manga al* TÍO PEDRO.)
Y hay hombres que no reparan
355   que al fin los amos son amos,
y las verdaes... se tragan.

TÍO PEDRO

Creo que la doña Ambrosia
no está muy acomodaa
desque la faltó el marido.
360   ¿Él era hombre de importancia?

D. GONZALO

Sí, fue un rico negociante;
pero tuvo la desgracia
de que un trapalón malvado
le engañó con artimañas,
365   y le empeñó en un proyecto
que se volvió sal y agua.
Le estafó gran cantidad;
y huyendo fuera de España,
le dejó casi arruinado.
370   El buen hombre, que tomaba
las cosas a pechos, tuvo
de verse en tal lance tanta
pesadumbre, que murió
aquella misma semana.

TÍO PEDRO

375 ¡Vaya usté viendo! Y esotro
     que se escapó, ¿dónde para?

D. GONZALO

     Un tal don Carlos, sobrino
     del difunto, es el que hoy anda
     en busca del gran bribón
380 allá por Flandes y Francia;
     y al cabo, según avisa,
     como hay pocas esperanzas
     de dar con él, debe ya
     volver muy pronto. Heredaba
385 parte del caudal del tío,
     y quedaba destinada
     otra parte a doña Ambrosia;
     pero se perdieron ambas.
     Cuatro años habrá que vino
390 a vivir junto a mi casa
     la viuda, muy pocos días
     después que riñó mi hermana
     conmigo. La visité
     como a una vecina honrada;
395 cobró cariño a mi hija,
     y la chica se lo paga.
     Se tutean, y tan sólo
     para dormir se separan.
     Ellas contentas, y yo
400 en una paz octaviana.
     Allá gobiernan las cosas
     domésticas necesarias;
     pago, sin examinar
     mecánicas, que me matan;
405 y Dios me ha venido a ver.
     Me cuidan, nada me falta,

y en mi casa envían todos
la tristeza enhoramala.
¿No es una fortuna?

TÍO PEDRO

          Ya.
410   Pero, señor, mi matanza
es si, endilgando las cosas
del moo que usté relata,
encuentra la señorita
un novio como Dios manda.

D. GONZALO

¡Qué pregunta!

TÍO PEDRO

415   No lo igo
sino porque m'alegrara
que tuviera una fortuna
como una reina de España.
En lo emás no me quiero
420   meter onde no me llaman.

D. GONZALO

Novios hallará de sobra.

TÍO PEDRO

Pues lo celebro en el alma;
y más, si es aquel señor
don Ugenio, que cuando habla,

425   se conoce de contao
        que es leído, y tiene traza
        der ser caballero en forma
        y hombre de bien, porque él trata
        con güen aquél a los probes,[22]
        y es garboso...

                    D. GONZALO

430   Callad. ¿Para
        algún coche?

                    BARTOLO

                Pues que sí.

                    D. GONZALO

        ¡Eh! Mudaos, que ya basta
        (Levantándose.)
        de conversación. Tened
        las cosas bien arregladas
435   para el almuerzo. ¿Quién viene?
        (Adelantándose hacia la puerta de la casa a recibir
        a los que llegan.)

                    TÍO PEDRO

        (Mirando hacia el foro.)
        Don Ugenio y doña Clara.

                    BARTOLO

        El otro será el marío.

----

[22] Estas palabras recuerdan las ideas liberales de Cadalso, en su *Carta
marrueca* XXXIII, en donde dice que la naturaleza ha depositado "el bien
social de los hombres" en manos de aquellos "hombres que se miran sin
competencia", o sea los *hombres de bien* (ed. Grendinning-Dupuis, p. 82).

TÍO PEDRO

(Enojado.)
El marido es. Vamos, marcha.

BARTOLO

Yo por oír cosas que uno
440   no sabe, de güena gana
me queara aquí a un laíto.

TÍO PEDRO

Mira... Si agarro una tranca...

BARTOLO

Pues yo no me he de quear
sin ver too lo que pasa.

(El TÍO PEDRO *se va, llevándose por fuerza a* BAR-
TOLO, *que vuelve la cara a mirar a los que acaban
de llegar.* D. GONZALO *viene con* D.ª CLARA, D. BA-
SILIO *y* D. EUGENIO, *que salen vestidos de campo,
los hombres sin espadas.)*

ESCENA IV

D. BASILIO, D. GONZALO, D.ª CLARA *con quitasol en la
mano, y* D. EUGENIO.

D. GONZALO

445   Bienvenidos, caballeros.
Mucho madrugas, hermana.

D. EUGENIO

En todo es esta señora
muy puntual.

D.ª CLARA

(Mirando su reloj.)
                    Las ocho dadas.

D. BASILIO

A esta hora nos citaron.

D.ª CLARA

(Dejando el quitasol sobre una silla.)
450   Pues no serán tan exactas
doña Ambrosia y mi sobrina.

D. GONZALO

No, todavía no tardan.

D.ª CLARA

Si no las han acabado
ciertos vestidos de majas
455   que vienen hoy a lucir
aquí, no estarán de gracia,
y dejarán la función
si falta esta circunstancia.

D. EUGENIO

La plausible de este día
460   que tanto gozo nos causa,
      señor don Gonzalo, amigo,
      es la de ver sepultada
      la discordia que entre hermanos
      ya demasiado duraba.
465   Yo, yo he sido el medianero
      de la renovada alianza
      que felizmente nos une
      hoy en esta amena estancia.
      Y no sólo participo
470   de alegría tan colmada,
      sino que, ufano, blasono
      de que acerté a procurarla.

D. BASILIO

No sabes, hermano mío,
      cuán repetidas instancias
475   ha costado a don Eugenio
      el reducir a tu hermana
      a que habiéndose extrañado
      cuatro años ha de tu casa
      por motivos que no ignoras,
480   haya vuelto a frecuentarla.
      Estos se llaman oficios
      de buen amigo.

D. GONZALO

                    Y yo estaba
      muy pronto a reconciliarme
      siempre; porque, en dos palabras,
485   el autor del rompimiento
      no he sido yo, sino Clara.

D.ª CLARA

Es cierto, hermano. Yo he sido
la autora; mas tú, la causa.
Atiéndeme. Nuestros genios
490 siempre han estado en batalla.
Tú, descuidado, indolente,
distraído, haciendo gala
de vida alegre y ociosa
que a tu edad ya no se adapta,
495 o no conoces u olvidas
las estrechas, las sagradas
obligaciones de padre.
Bien lo prueba la enseñanza
que te merece una hija
500 en quien alabas por gracias
lo que se llama descoco
entre la gente sensata.
Así eres tú. Yo, aunque dicen
peco de española rancia,
505 por el pundonor gradúo
el mérito de las damas,
por el juicio, discreción,
cortesanía y constancia.
Reconvine a mi sobrina
510 con la mayor eficacia;
pero mis exhortaciones,
lejos de ser apreciadas,
me conciliaron un odio
que tú no desaprobabas.
515 Llegué a pasar por la tía
más impertinente y rara.
Te lo expuse, no hubo enmienda,
clamé, nada aprovechaba.
Insultáronme por fin,
520 faltóme la tolerancia;
y no pudiendo evitar
la franqueza inmoderada

que en tu casa permitías,
resolví no autorizarla.
525 Me retiré, y he logrado
no tener parte en la fama
que va cobrando Pepita.
¡Ojalá no fuera tanta!

D. GONZALO

Pues tener fama es muy bueno.

D.ª CLARA

530 Cuando la fama no es mala.

D. GONZALO

¿Conque pretendéis reforma?

D. EUGENIO

Y debemos esperarla
del ejemplo y los prudentes
consejos de doña Clara,
535 que olvidando desde ayer
las disensiones pasadas,
vuelve a ver a su sobrina,
a ser su amiga y su guarda.
Bien reconoce que en ella
540 no son nativas las faltas,
que todas son adquiridas
y ya casi involuntarias;
y que caprichos, errores,
vivezas, extravagancias
545 por hábito se contraen,
no por índole viciada.
Su hija de usted, don Gonzalo.

tiene unas potencias claras,
un corazón muy benigno;
550 y con estas dos ventajas
corregirá lo demás
quien tenga paciencia y maña.
Yo me aplico a tal empresa,
y si pudiese lograrla,
555 pienso que la señorita
desde luego asegurara
su dicha y la del esposo
que deseara con ansia,
más que amar y ser amado,
560 poder estimar lo que ama.
No tengo dominio alguno
en su hija de usted. Mis armas
no son la reconvención,
el precepto, la amenaza;
565 sí, la advertencia oportuna
y la persuasión más blanda.
Debemos ser indulgentes
con las flaquezas humanas,
compadecer y guiar
570 al que sigue senda errada.

D. GONZALO

Obra de misericordia.
Pero usted, ¿por qué se afana?

D. EUGENIO

Por su bien... y por el mío.

D. GONZALO

Expliquémonos en plata
575 y sin rodeos. A usted
le hace fuerza la muchacha;

pero antes de pretenderla,
quisiera verla enmendada
de esas faltillas que sólo
580   mi hermana y usted reparan,
¿no es esto?

D.ª CLARA

Como hombre cuerdo,
hace bien en repararlas.
¿Y no me dirás, Gonzalo,
qué mejor suerte preparas
585   a mi sobrina? Ya tienes
experiencias reiteradas
de la amistad, de las prendas
de don Eugenio.

D. GONZALO

Negarlas
fuera injusticia, y le debo
590   finezas extraordinarias.
Mira, yo soy un perdido
que en dos días malgastara
mi caudal. Le tengo en manos
del señor, puesto a ganancias,
595   y parte liberalmente
conmigo cuantas ventajas
le produce en Cataluña
la fábrica celebrada
de que es dueño. Cobro limpia
600   mi renta de polvo y paja,
y tengo mi capital
asegurado. Esta gracia
merece que en cuanto penda
de mi arbitrio le complazca.

D.ª CLARA

605 ¿Y si aspira a ser su yerno?

D. GONZALO

Desde ahora le doy amplia
licencia y mi bendición.
Pero resta ver si agrada
esta elección a la chica,
610 porque eso de violentarla
yo la voluntad es cuento.
Ella dice que la cansan
las serias moralidades
con que el amigo declama,
615 y que en vez de oír requiebros,
no oye más que repasatas.
Luego, como la pretende
el marqués de Fontecalda,
y ella se afirma en que es ésta
620 la boda que más la cuadra,
yo ¿qué he de hacer?

D.ª CLARA

Esa boda...

D. GONZALO

¿Qué tiene?

D.ª CLARA

Es disparatada.

D. GONZALO

Pero el marqués es un mozo...

D.ª CLARA

A quien no conoces.

D. GONZALO

Basta
625   para conocerle ver
cómo se porta, cómo habla,
su buen modo, su instrucción...

D.ª CLARA

La tiene en todo y en nada.

D. GONZALO

Ha corrido cortes... [23]

D.ª CLARA

Muchas,
pero sin provecho.

D. GONZALO

630   ¡Hermana!

---

[23] Sobre el tema de los viajes y en concreto los viajes del marqués (aludidos también en los vv. 1040-1056, 2819), véase el cap. IV de la Introducción.

D. BASILIO

Los que viajan deseando
ser útiles a su patria,
observan más y hablan menos
que el marqués. Pero gran charla,
635 no profundizar las cosas,
decidir con arrogancia,
y hacer un cruel estrago
en la lengua castellana,
es todo el fruto que logran
640 esos que tan sólo viajan
para decir que han viajado;
y que en muy pocas semanas,
corriendo la posta, adquieren
los principios que les faltan.

D. GONZALO

645 Yo sé que es noble el marqués.
Sé que nació por extrañas
casualidades en Cádiz,
y se ha criado en España;
mas su familia, sus rentas
650 y título son de Italia.[24]

D. BASILIO

¿Te ha mostrado documentos?

D. GONZALO

Algunos, y otros se aguardan
antes de efectuar la boda.

[24] En el *Plan* manuscrito, en un borrador en prosa de esta conversación, don Gonzalo dice aludiendo al marqués o barón, según se le llama allí: "Es de Alicante donde nació por casualidad. Su título, familia y casa es de Italia" (fol. 83).

D. BASILIO

¿Luego la tienes tratada?

D. GONZALO

655   Y tan de veras que ya
      he soltado mi palabra.

D.ª CLARA

Inconsideradamente.

D. GONZALO

Sea, pero está empeñada;
y sobre todo, la chica
660   lo quiere. Allá se las haya

D.ª CLARA

La conformidad alabo.

D. GONZALO

Doña Ambrosia me la alaba
también; aprueba esta boda;
y sabrá sacar la cara
665   por el marqués contra todos.

D.ª CLARA

Y por ella, ¿quién la saca?

D. GONZALO

Yo, que defiendo su genio,
su hidalguía, su crianza,
su entendimiento y buen trato.
670 Aunque por una desgracia
ya no es rica, y su marido
fue comerciante...

D. EUGENIO

                    ¡Oh qué falsa
opinión! Pues ¿por ventura
haber estado casada
675 con un negociante honrado
es desdoro?

D.ª CLARA

                    No se trata
de linajes. La conducta
es la que humilla o exalta.
Doña Ambrosia ha sido siempre
680 superficial y voltaria.

D. GONZALO

Ya. De toda mujer viva,
alegre y de rompe y rasga
se dice lo propio. En fin,
callemos. No tiene gracia
685 que viniendo a divertirnos,
nos trabemos de palabras.
¡Eh! No hay que tratar aquí
de negocios; allá en casa.
Hoy, fiesta y bulla. Y si no,
690 oigan ustedes la que anda.

*(Suenan adentro guitarras y vocería. La cuadrilla
de Majos, formada en corro, trae en medio de él
a D.ª Pepita, que sale vestida gallardamente de maja,
como también D.ª Ambrosia, la cual viene al mismo
tiempo con toda la cuadrilla, aunque fuera del corro.)*

ESCENA V

D.ª Pepita, D.ª Ambrosia, D. Gonzalo, D.ª Clara,
D. Eugenio, D. Basilio, *el* Tío Pedro, Bartolo, *y todos
los* Majos *y* Majas *brincando al son de la música y tirando
los sombreros al aire con grande algazara.*

UNOS

¡Que viva la señorita!

OTROS

¡Que viva la flor de España!

*(D. Ambrosia saluda a los concurrentes, y cesa la
música.)*

BARTOLO

Diga usté también conmigo,
tío Pedro: ¡Que viva el ama!

TÍO PEDRO

695   Tú déjalos que alboroten.
¿Por qué te metes en danza?

D.ª PEPITA

¡Chicos! Prosiga la broma.
¿De qué sirve esa guitarra?

D.ª CLARA

Pero saluda a las gentes;
ten más modo.

D.ª PEPITA

700   ¡Qué substancia!

D.ª CLARA

¿Has perdido el juicio?

D.ª PEPITA

                              Pues,
me le habré dejado en casa.
¿Lo dice usted porque vengo
alegre? Pues el que traiga
705   mal humor, que se lo cure
como le diere más rabia.
¿Es esto función de campo,
o algún duelo? ¿A qué nos llaman?
¿A estarnos siete personas
710   mirándonos a las caras?
Tasadamente sería
una fiesta muy salada
si no hubiera yo pensado
en traer para animarla
715   esta cuadrilla, que toda
es de la cáscara amarga.

¡Toma! Y esperaba yo
que me dieran muchas gracias
de que les traigo al famoso
720   Repulgo, a la Amotinada
y a Curra, que bailarán
en la punta de una lanza.
Con éstos nos divertimos
en forma, y no con fantasmas
espetados.
(Al de la guitarra.)
725   Canta aquellas
seguidillas que me agradan
tanto, las del seis y siete. [25]
Vamos allá.
(A una de las MAJAS.)
                    Y tú, Arbolaria,
¿te vienes sin el pandero?
730   Tía mía, me alegrara
que usted la oyera. Ejecuta
con un gusto y una gracia...

D.ª CLARA

Es delicado instrumento
y de mucha expresión.

D.ª PEPITA

                    Basta
735   que a mí me guste. Cabal.
Toca, si quieres. Aguarda,

[25] *las del seis y siete:* Pepita alude a esa clase de seguidillas en cuya composición entran versos hexasílabos y heptasílabos, variante de la especie
corriente compuesta con versos pentasílabos y heptasílabos. La seguidilla
de versos de seis y siete sílabas se remonta a la Edad Media y seguía cultivándose en el setecientos por poetas populares como Ramón de la Cruz.
Véase Tomás Navarro, *Métrica española,* Nueva York, 1966, pp. 157-162.
222-223, 275-277, 325-326. El mismo Iriarte tiene unas seguidillas en las
que entran versos hexasílabos *(BAE,* LXIII, 64c).

sacaré mis castañuelas.
(Las saca y se las pone.)

D. GONZALO

¡Qué alegre! ¡Qué vivaracha!
Hija de padre por fin.

D.ª AMBROSIA

740 Pero si en Madrid no se halla
señorita más jovial,
más complaciente, más llana...

D.ª CLARA

En efecto: de llanezas
no suele ser muy escasa.

D.ª PEPITA

745 ¡Qué! ¿Sermoncito tenemos?
Temprano. Pues ya no hay nada
de lo dicho.

D. GONZALO

                    No te enfades,
hija.

D.ª PEPITA

                    Pronto se despacha
esta comisión. Afuera,
(Quítase las castañuelas y las arroja.)
750 afuera galas profanas.
Se acabó el baile.

D.ª AMBROSIA

¡Pepita!

D.ª PEPITA

Dame unas tijeras.

D.ª AMBROSIA

Vaya.

¿Para qué?

D.ª PEPITA

Dámelas.

D.ª AMBROSIA

Toma.

(*Dáselas* D.ª AMBROSIA.)

D.ª PEPITA

¡Ea! Venga esa guitarra.

(*El* MAJO *se la entrega.*)

D.ª AMBROSIA

¿Qué quieres hacer?

D.ª PEPITA

755   Justicia.

D.ª AMBROSIA

¿Con quién?

D.ª PEPITA

Con esta malvada,
para que no venga aquí
a alborotarnos la casa.
(*Corta las cuerdas*, *y vuelve la guitarra al* Majo.)

D.ª CLARA

¡Qué prontitudes tan necias!

D.ª PEPITA

Si quiero.

D.ª CLARA

760   *Quiero* es palabra
de rey.

D.ª PEPITA

Pues si no, diré
que me ha dado la *regana*.
¿Es palabra de rey ésta?

D.ª CLARA

Ésa es de gente ordinaria.

D.ª PEPITA

765   Lo sabré para otra vez.
       ¿Tío Pedro?

TÍO PEDRO

Aquí estoy, nuestra ama.

D.ª PEPITA

Usted, como mayordomo...

TÍO PEDRO

Anque endino, lo soy.

D.ª PEPITA

                           Haga
       que den muy bien de almorzar
770   a toda esta gente honrada.
       Adentro, amigos, adentro;
       a remojar la palabra;
       y luego, ya que a vosotros
       y a mí también nos desairan,
775   un pie tras otro a Madrid.

D.ª AMBROSIA

Pero...

D.ª PEPITA

                   No hay pero que valga.
       Allá me portaré yo
       con todos. Hasta mañana.

TÍO PEDRO

(Yéndose con todos los MAJOS.*)*
Escurrámonos de aquí,
780   que el tiempo está de borrasca.

BARTOLO

(Presentando a D.ª PEPITA *las castañuelas que ha recogido.)*
Señora, las castañuelas...
si usté las quiere...

D.ª PEPITA

Arrojarlas
al pozo.

BARTOLO

(Guardándoselas en la faltriquera.)
Vengan acá.
A la postre algo se saca
de la pendencia.

D.ª PEPITA

785   Señores,
la pelotera está armada,
y toda la diversión
se ha vuelto agua de cerrajas.
Conque así... ¡Bartolo!

D. GONZALO

Ustedes
790   sufocan a la muchacha.

D.ª PEPITA

Di que no quiten el coche.
(A D.ª AMBROSIA.)
Podemos tomar la rauta,
amiga, que aquí las dos
ya estamos de sobra. A casa.
795 Y ustedes se quedarán
a hacer vida solitaria.

D. GONZALO

(A D.ª AMBROSIA.)
Deténgala usted, vecina.

D.ª AMBROSIA

Niña, espera.

D.ª CLARA

                No. Dejarla.
El fin es que esté contenta.

D.ª PEPITA

800 Ya. ¿Quiere usted que me vaya?
Pues me quedo.

D. GONZALO

                Ea, tratemos
de aprovechar la mañana.
Vamos a dar una vuelta
por aquí mientras nos llaman
805 al desayuno. Ven, hija.

D.ª PEPITA

¿Yo? Luego iré.
(A BARTOLO.)
                    Que me traigan
el bastidor de bordar.

BARTOLO

¿No es un armatoste...?

D.ª PEPITA

Marcha.

BARTOLO

¿...como aquello en que se pone
810 la ropa para enjugarla?

D.ª PEPITA

Sí, el bastidor, bruto, bestia...

BARTOLO

¿El que ha venido a la zaga
del coche?

D.ª PEPITA

                    Mira, bribón,
no te harte de bofetadas.

BARTOLO

815 Voy allá. (¡Qué malas pulgas!)
     (Vase.)

D.ª CLARA

¡Bien pensado! En Madrid pasas
mano sobre mano meses
enteros; y hoy que se trata
de gozar del campo, venga
820 la labor. ¡Moza aplicada!

D.ª PEPITA

Estoy bordando un chaleco,
y le he de acabar sin falta
mañana mismo.

D.ª CLARA

                    Adelante.
Vamos, señores.
(A D.ª PEPITA.)
                    Trabaja.

D. GONZALO

825 ¿Se queda usted, doña Ambrosia?

D.ª AMBROSIA

Es preciso acompañarla.

(Vanse por la izquierda D. GONZALO, D.ª CLARA, D. EUGENIO *y* D. BASILIO. *Vuelve* BARTOLO *con el bastidor armado.)*

BARTOLO

Aquí lo traigo.

D.ª PEPITA

Una silla.

(Acerca BARTOLO *una silla alta.)*

BARTOLO

Aquí la pongo.

D.ª PEPITA

Una baja,

alarbe.

BARTOLO

Aquí está.
(Acerca una silla baja.)
¿Qué más?

D.ª PEPITA

(Sentándose.)
Que te mudes.

BARTOLO

830   Pues mudanza.
          (Vase.)

E S C E N A   VI

D.ª Pepita, *bordando; y* D.ª Ambrosia.

D.ª AMBROSIA

¿Quién como el marqués merece
que esas manos delicadas
se empleen...?

D.ª PEPITA

                    No le hará daño.

D.ª AMBROSIA

¿Cómo no? Pues tú pensabas
835   regalarle ese chaleco.

D.ª PEPITA

Es verdad.

D.ª AMBROSIA

                    ¿No te idolatra?
¿No es ya tu novio, aprobado
por don Gonzalo? ¿No le amas?

D.ª PEPITA

Ya estoy de otro parecer.
840   Murió el marqués, y en sus barbas
he de hacer esta fineza
a don Eugenio.

D.ª AMBROSIA

              ¡Inconstancia!
¡Injusticia! ¿A don Eugenio,
que te pone tantas tachas,
845   que con sus exhortaciones
ridículas te empalaga?

D.ª PEPITA

Cierto, pero el marquesillo
me tiene muy enfadada.

D.ª AMBROSIA

¿Porque ofreció acompañarnos
hoy...?

D.ª PEPITA

850   Y nos dejó plantadas.

D.ª AMBROSIA

No habrá podido tal vez...

D.ª PEPITA

Pues que pueda, pese a su alma.

D.ª AMBROSIA

¿Quejitas? Yo haré las paces.

D.ª PEPITA

Bien. Como yo no las haga...

D.ª AMBROSIA

855 Él te desenojará.

D.ª PEPITA

¡Que si quieres!

D.ª AMBROSIA

Calla, calla.
Ya le tenemos aquí.
¡Qué presencia tan gallarda!
Mírale.

D.ª PEPITA

Muy buen provecho.

D.ª AMBROSIA

860 Cuidado cómo le tratas.

ESCENA VII

D.ª PEPITA, D.ª AMBROSIA; *y el* MARQUÉS, *muy petimetre,*
aunque sin espada.

MARQUÉS

¡Ah, que vengo penetrado
de un dolor cruel! ¡Madamas!
He faltado al *randevú.* [26]
Como es correo de Italia
865   hoy precisamente, quise
dejar escritas mis cartas...
¿Y bien, amable Pepita?
¡Qué! ¡Recibirme indignada!
¿No merezco un golpe de ojo
870   lisonjero? ¿Una palabra
consolante? Me delato.
Soy un criminal...

D.ª PEPITA

¡Machaca!

MARQUÉS

Tenga usted la complacencia
de hacerme, por pura gracia,
875   el honor de querer darse
la pena de oír la causa
de tal inexactitud.
Ese aire brusco me alarma.
Sí, mi delito es enorme,

[26] *randevú:* representación fonética de la voz francesa *rendez-vous,* "cita".

880   atroz; me cubre de infamia;
       pero yo haré mis excusas,
       o esta casa de campaña
       será para mí el teatro
       de una escena sanguinaria.
885   ¡Ah! Yo la conjuro a usted...

D.ª PEPITA

¿Estoy acaso endiablada?

D.ª AMBROSIA

Vamos, Pepa... Marquesito,
ésta será alguna chanza.

MARQUÉS

       Pero a bien que justamente
890   traigo aquí con que aplacarla,
       un sacrificio que ha días
       juré ofrecer a sus aras
       como el más tierno homenaje...
       (*Saca un montón de papeles.*)
       Una lista detallada
895   de las jóvenes bellezas
       que han sido objeto de varias
       intrigas galantes mías
       en Londres, París, La Haya
       y otras cortes. Éstos son,
900   sin que parezca jactancia,
       billetes que me han escrito
       en lengua inglesa, italiana,
       francesa, etcétera; algunos
       retratos que conservaba
905   de mis favorecedoras
       y otras pequeñas alhajas,
       que cuando no conocía

a la beldad que hoy me encanta,
eran para mí de un precio...
910 Pero ya sólo ella manda.
Todo se lo sacrifico.
Y además...

D.ª AMBROSIA

                Niña, levanta
la cabeza. ¿No agradeces
semejante expresión? Habla.

MARQUÉS

915 A lo menos yo obtendría
mi perdón como escuchara
Pepita esta producción
en verso, que a su alabanza
he escrito ayer. No imagino
920 que su labor la distraiga
tanto que dude acordarme
la bondad de oír. En Francia
las que ponen más en boga
unos versos, son las damas.
925 Llenas de conocimientos,
todas son allá ilustradas.
Yo leo.

D.ª AMBROSIA

Pues atendamos.

MARQUÉS

Esta es la primera octava:
(Lee.)
"Tu ascendiente feliz, que me electriza,

930   pone en juego del alma los resortes;
       y si el nupcial concierto se organiza,
       él hará remarcables mis transportes.
       Mi pasión con la tuya simpatiza,
       batiendo el corazón pianos y fortes;
935   y de esta vibración interesante
       tú eres muelle real, y yo el volante."

D.ª AMBROSIA

¿No oyes qué graciosos versos?

D.ª PEPITA

(Con mucha prontitud.)
¡Ay, doña Ambrosia de mi alma!
¡De lo que me acuerdo ahora!

D.ª AMBROSIA

940   Di: ¿por qué te sobresaltas?

D.ª PEPITA

¡Ah, mi perrito Jazmín!
Se nos ha quedado en casa.
Lo primero que encargué...
¡La tonta de mi criada!
Voy a enviar por él.
(Gritando.)
945   ¡Bartolo!
(En voz más baja.)
La despediré. ¡Qué rabia!
(Gritando.)
¡Tío Pedro! Nadie responde.
Mejor será que yo vaya.
¡Ah, mi pobre Jazminito!

950   ¿Qué hará solo allá sin su ama?
         (Vase precipitada por la puerta del frente.)

D.ª AMBROSIA

      Marqués mío, vamos; que estos
      caprichos pronto se pasan.
      En todo caso, recojo
      los billetes y esa octava,
955   que a su tiempo harán efecto.
      El asunto de importancia
      que tenemos entre manos
      es ejecutar la traza
      que usted ha inventado, a fin
960   de que don Eugenio caiga
      hoy de la gracia del padre.
      ¿Se ha fingido ya la carta
      consabida?

MARQUÉS

(Sacando una carta.)
                     Aquí la traigo.

D.ª AMBROSIA

Pero no viene cerrada.

MARQUÉS

965   Abierta y sin sobrescrito.

D.ª AMBROSIA

De ese modo se solapa
mejor el engaño. Ahora

pensemos cómo dejarla
caer en la faltriquera
de don Eugenio.

MARQUÉS

970   Con maña
el golpe de mano es fácil.
Se acerca usted, verbigracia,
cuando él esté distraído;
y muy pronto en la casaca...

D.ª AMBROSIA

975 Venga la carta, que yo
así a la disimulada...

MARQUÉS

No se apercibirá de ello.

D.ª AMBROSIA

Y si acaso lo repara,
diré que iba a darle un chasco.
980 Estoy viendo ya que él gana
a don Gonzalo, y aun temo
que tal vez a la muchacha,
como no andemos muy listos.
Le protege doña Clara,
985 que está muy mal con usted
y conmigo. Alguna trama
discurriremos también
para que hermano y hermana
vuelvan a descomponerse,
990 porque si esta remilgada

no salta luego de aquí,
dos bodas nos desbarata.
Ni usted logrará a Pepita,
ni yo seré su madrastra.

MARQUÉS

995   A propósito, señora,
¿lleva usted muy avanzada
su pretensión con el padre?
Él hace ver repugnancia
al matrimonio. ¿Y qué importa?
1000   Redoble usted sus instancias.
No es joven, pero el carácter
es dulce. No para en casa.
En fin, será un buen marido.
Y luego son tan escasas
las bodas ricas...

D.ª AMBROSIA

1005   En eso
estoy. La ocasión es calva,
y ya sobre la materia
le he dado alguna puntada.
Pero aún más le estrecharé
hoy.

MARQUÉS

1010   Sí, con toda eficacia,
mi adorable protectora;
y mientras usted ataca
al padre, yo con la hija...

D.ª AMBROSIA

¡Chito! Que ya está en campaña
1015   don Eugenio. Aquí entra el golpe.

MARQUÉS

Pues, amiga, ¡alerta! ¡Al arma!
Este plan, este complot
es nervio de nuestra alianza.

ESCENA VIII

El MARQUÉS, D. EUGENIO; D.ª AMBROSIA, *leyendo el
papel de los versos.*

D. EUGENIO

Señor marqués, bienvenido.

MARQUÉS

Servitor.[27]

D.ª AMBROSIA

1020   ¿Y la comparsa?
¡Usted separarse de ella!
Pero ya. Lo que allá falta
es lo que usted busca aquí.

D. EUGENIO

No, señora. Esto buscaba.
(Toma el quitasol que dejó D. CLARA *sobre una silla,
y hace ademán de irse.)*

---

[27] *servitor*, apócope del ital. *servitore:* servidor. Aunque los galicismos
predominan en el exótico lenguaje del marqués, hay que recordar que finge
ser de familia noble italiana.

D.ª AMBROSIA

¿Ese quitasol?

D. EUGENIO

1025   Le pide
mi señora doña Clara.

D.ª AMBROSIA

Don Eugenio, ¿tan de prisa?
Quiero, antes que usted se vaya,
que lea y juzgue estos versos.
(Se los entrega.)
1030 Son de un nuevo autor que calla
su nombre. Con libertad
diga usted. Esa elegancia
no es muy común.

D. EUGENIO

(Después de haber leído.)
                          Antes pienso
que en nuestros tiempos no es rara.
1035 ¡Como esto se escribe tanto!
¡Triste lengua castellana!
¡Qué *transportes remarcables!*
¡Y qué *resortes* del alma!

MARQUÉS

(Riéndose.)
¡Ah! ¡Miserables puristas!

1040   ¿Y han de ser los que no viajan
        conocedores en lenguas?
        ¡Qué absurdidad! [28]

D. EUGENIO

                    Las extrañas
        aprenden viajando algunos
        razonablemente, y gracias;
1045   pero después a viciar
        la suya nadie les gana.

MARQUÉS

        Ni tampoco a enriquecerla.

D. EUGENIO

        Según. Porque hay abundancia
        que es superfluidad y vicio.

        (D.ª AMBROSIA *introduce al descuido la carta en el*
        bolsillo de la casaca de D. EUGENIO, *mientras éste*
        disputa con el MARQUÉS.)

MARQUÉS

1050   ¡Cómo! ¡Sin salir de España
        se atreven a razonar!

---

[27] Originalmente Iriarte tenía la intención de hacer que el marqués o
barón, según le iba a llamar, compusiera un libro dedicado a tales observaciones sobre los viajes, pues en el *Plan* manuscrito se lee el siguiente apunte:
"Libro que ha escrito el barón y piensa publicar. Contiene sus observaciones
y descubrimientos en sus viajes. Trata de *omni scibili* con pedantería, etc."
(fol. 88).

D. EUGENIO

Es muy poco lo que gana
en viajar el que no lleva
la instrucción anticipada,
1055   y enseña el ver muchos libros
más que el ver muchas posadas.

MARQUÉS

¡Y sostendrán que no es éste
el taller de la ignorancia!

D. EUGENIO

Aborrezco las disputas;
1060   y más, siendo de esta casta.
(Volviendo el papel a D.ª AMBROSIA.)
Usted me dé su licencia;
que en semejantes demandas
del que más habla es el triunfo,
y la razón del que calla.
(Vase.)

MARQUÉS

1065   Aquí el sentido común
y el gusto van a la diabla.
Después de darse los aires
de mi rival, ¡así ultraja
a personas de mi rango!
Ya nos veremos.

D.ª AMBROSIA

1070   Cachaza,
marqués. Sosiéguese usted,
y al negocio. La artimaña

salió muy bien. Cuando él vea
lo que contiene la carta,
1075   y don Gonzalo reciba
la otra que aquí le traigan
confirmando el mismo aviso
de que están de mala data
en Cataluña las cosas
1080   de la fábrica, ya se arma
una buena tremolina.
No le arriendo la ganancia
al don Eugenio. Si entrando
los dos en desconfianza,
riñeran... [29]

MARQUÉS

1085   Lo creo bien.
Nada mejor.

D.ª AMBROSIA

Y quedaba
por nuestro el campo en logrando
desquiciar a doña Clara.

MARQUÉS

¡Ah! No existe una mujer
1090   más *secatora*, [30] montada

---

[29] Para los puntos suspensivos me atengo a la edición príncipe. La de 1805.
al parecer por errata, tiene un punto final después de *riñeran*.
[30] *secatora* < ital. *seccatore*, "aburrido, cansado". Comp. *secator*, con el
mismo sentido, en el *Donde menos se piensa salta la liebre* de Iriarte *(Obras.*
1805, VIII, 253), y en José Mor de Fuentes, *La Serafina*, ed. Ildefonso-
Manuel Gil, Zaragoza, 1959, p. 56.

a la antigua, misántropa [31]
y sin una idea exacta
del buen tono y del gran mundo.
Es muy probable que nazca
1095 de sus funestos consejos
la mutación tan extraña
que encuentro en la señorita.
Procuraré de calmarla;
porque al fin, dejando aparte
1100 que me agrada la elegancia
de su figura, es partido
excelente, me entusiasma.
Y aunque veo que en el fondo
ella está mal educada,
1105 el dote no es bagatela.
Cuento sobre él, y tomadas
tengo todas mis medidas
para llevármela a Italia.
Allí se vive, señora...

D.ª AMBROSIA

Ya viene.

---

[31] *misántropa:* El primer texto conocido de *misanthrope* en francés es de 1552 (Paul Robert, *Dictionnaire alphabétique et analogique de la langue française*, París, 1966); el primero conocido del ingl. *misanthrope* es de 1683 (*The shorter Oxford dictionary on historical principles*, Oxford, 1969); pero *misántropo* no se recogió en ningún léxico del español hasta el *Diccionario castellano* (Madrid, 1786-1793), de Esteban de Terreros y Pando (1707-1782), aunque ya en 1734, en el tomo VI del *Teatro crítico*, el padre Feijoo había definido la entonces exótica palabra: "Todo esto significa un genio tétrico, insociable, ceñudo, y que Heráclito merecía el epíteto que se dio al ateniense Timón, de *misántropo*, esto es, enemigo o aborrecedor de los hombres" (*BAE*, LVI, 304a). Aunque existen otros ejemplos en la misma época (Cadalso, *Cartas marruecas*, ed. Glendinning-Dupuis, p. 88; Iriarte, Epístola VII, pasaje citado en nuestra Introducción, cap. I), el presente texto iriartiano de la forma femenina *misántropa* (aún no registrada en los diccionarios modernos) representa todavía el primer período de uso de esta voz en castellano. La Academia tardó hasta 1817 en recoger *misántropo*.

ESCENA IX

D.ª AMBROSIA, *el* MARQUÉS, D.ª PEPITA, *que sale por la puerta del frente; y después el* TÍO PEDRO.

D.ª AMBROSIA

1110   ¡Qué cabizbaja!
¡Qué suspensa! ¿Y Jazminito?

D.ª PEPITA

(Sentándose.)
He mandado ya que parta
Bartolo a Madrid por él.

D.ª AMBROSIA

Estarás tranquilizada
1115 con eso, y harás más caso
del marqués.

MARQUÉS

                      Usted pensaba
en un pequeño animal
más que en su amante. Trocara
mi situación por la suya.

D.ª AMBROSIA

1120 Perdónale ya su falta.

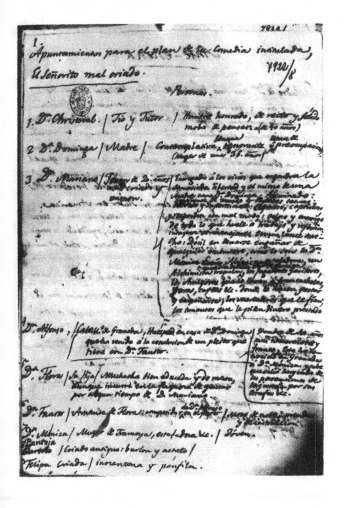

Borrador y apuntes para el reparto de *El señorito mimado*
(nótese la aparente equivocación de Iriarte en el título de la obra)
(Biblioteca Nacional)

Recibo del sueldo de Iriarte aprovechado para apuntes para
El señorito mimado
(Biblioteca Nacional)

D.ª PEPITA

(Risueña.)
Vaya, a trueque de no oír
lástimas... por perdonada.

MARQUÉS

¡Qué delicia! Estas bondades
sobrepasan mi esperanza.
1125   Permita usted que a esos pies
(Arrodíllase.)
yo me prosterne, me abata,
me confunda. ¡Ah, qué sonrisa
tan insinuante!

TÍO PEDRO

*(Saliendo de repente, y quedándose suspenso al ver
al* MARQUÉS.*)*
                           ¡Naranjas!
¡Con qué devoción está!

(La señorita[32] y el MARQUÉS, *sin atender al recado
que da el* TÍO PEDRO, *continúan hablándose en secreto.)*

TÍO PEDRO

Señora...

D.ª AMBROSIA

1130   ¿De qué se trata?

___

[32] *La señorita:* La edición de 1805 tiene *La doña Pepita.*

TÍO PEDRO

Un recao...

D.ª AMBROSIA

                    No es ahora
tiempo.

TÍO PEDRO

Es que el perrito...

D.ª AMBROSIA

                    Nada.

TÍO PEDRO

Parece ser, según dice
el lacayo...

D.ª AMBROSIA

                    ¡Qué matraca!

TÍO PEDRO

Oiga su mercé.

D.ª AMBROSIA

1135   Dejarlo.

TÍO PEDRO

Que es excusao que vaya
Bartolo por él...

D.ª PEPITA

¿Qué ha dicho?

D.ª AMBROSIA

Tontunas. Tío Pedro, basta.

TÍO PEDRO

Pues, volviendo a lo del chucho,
1140 diz que hoy a la madrugaa...

D.ª AMBROSIA

¡Dale!

TÍO PEDRO

Dejaron la puerta
abierta, y se jue de casa.

D.ª PEPITA

¡Ay, querido mío!

MARQUÉS

¡Amable
belleza!

D.ª PEPITA

¡Prenda de mi alma!
¡Qué hermosos ojos!

MARQUÉS

1145   Favor
que no merezco.

D.ª PEPITA

¡Qué cara!

MARQUÉS

Ella y todo es de Pepita.

D.ª PEPITA

¡Tan vivo, con tanta gracia!

MARQUÉS

¡Ah! Me sonrojo...

D.ª PEPITA

¡Y qué fino!

MARQUÉS

Fino sí soy.

D.ª CLARA

1195 Entre usted, que ya seguimos.

MARQUÉS

(Encogiéndose de hombros, y haciendo una reveren-
cia.)
San fason. [35] Esta antigualla
de la etiqueta es inútil.
(Vase.)

D.ª CLARA

Y si lo es, ¿para qué usarla?
Don Eugenio, mi sobrina
1200 confirma su extravagancia
cada vez más.

D. EUGENIO

                          Con todo eso,
no me parece tan ardua
la empresa de corregirla.

D.ª CLARA

Su afecto de usted le engaña.
1205 El tiempo dirá: veremos
cuán poco fruto se saca.
Yo estimo a usted por su juicio,
por su honradez consumada;
y estoy previendo el sensible
1210 desaire que le amenaza.

---

[35] *san fason* (= fr. *sans façon*): sin ceremonia.

D. BASILIO

Lidiamos, amigo mío,
con una gente muy rara.
Novio, un marqués que en dos meses
logra aquí tal confianza,
1215 sin más motivo que haber
bailado dos contradanzas
con la chica no sé dónde,
y ofrecerle ella la casa.
Protectora, una vecina
1220 imprudente, casquivana,
que fomenta los caprichos
de esta niña malcriada.
Testigo de todo, un padre
que nunca se inquieta, vayan
1225 como vayan los negocios.
Por una parte, declara
que la Pepita será
de usted, como la persuada;
por otra, que ella prefiere
1230 al marqués, que violentarla
la voluntad no es posible,
y que él dio ya su palabra.
Luego ha dicho que las cosas
están tan adelantadas,
1235 que ya doña Ambrosia cuida
de la elección de las galas
para la boda. Y lo bueno
es que el tal marqués se encarga
del aderezo, diciendo
1240 que le hace venir de Francia,
y le introduce por alto.
Yo me temo alguna maula,
porque mi hermano soltó
para comprar esta alhaja
1245 diez mil pesos; y aunque dice
el marqués que está girada

la letra a París, ¿quién sabe
si tal vez... Con verlo basta.

D.ª CLARA

    ¿Y para venir a ser
1250 testigo de una desgracia,
ha querido usted sacarme
de mi retiro? ¿No estaba
mejor lejos de un hermano
incapaz de remediarla?
1255 Le exhortaré nuevamente
para que se apuren cuantas
diligencias penden ya
de mi influjo. Saldrán vanas;
pero a lo menos me empeño
1260 en quedar acreditada
con usted de buena amiga,
y con él de buena hermana.

D. BASILIO

Yo ayudaré por mi parte.
Mas ya adentro nos aguardan.
Vamos.

D. EUGENIO

1265   No me desalientan
las disposiciones dadas
por don Gonzalo. Me estima,
y puede aún revocarlas.

D.ª CLARA

¿Y el marqués?

D. EUGENIO

Le falta seso,
1270   y podrá perder la gracia
de hija y padre.

D. BASILIO

¿Y doña Ambrosia?

D. EUGENIO

Por lo mismo que ya manda
demasiado, es muy posible
que llegue a no mandar nada.

D.ª CLARA

1275   Pues ¿qué falta para el logro
de tan buenas esperanzas?

D. EUGENIO

Que tenga yo tal industria,
tan persuasivas palabras,
que muestre a la señorita
1280   los vicios de su crianza
y la pruebe que llevando
siempre la razón por pauta,
quien los detesta de veras,
de veras los desarraiga.

ACTO SEGUNDO

ESCENA I

D. GONZALO, *el* MARQUÉS *y* D.ª AMBROSIA.

D. GONZALO

1285   También es fuerte rigor.
       ¿No han de permitir siquiera
       que cuando vienen al campo
       cuatro amigos, se diviertan?
       Sobre que me han puesto ya
1290   de mal humor... Y es empresa
       que pocos han conseguido.

MARQUÉS

       No conocen las maneras
       de la buena sociedad,
       no saben vivir. ¡Si vieran
1295   qué deliciosas partidas
       de campaña, qué soberbias
       vilechaturas[36] se forman
       en Italia, en Inglaterra!
       Es otro método aquél.
1300   Animada una asamblea
       con los nobles sentimientos

---

[36] *vilechatura* (= ital. *villeggiatura*) : vacaciones, excursión.

que la inspira una docena
de botellas de champaña...

D. GONZALO

No; por acá bien alegra.
1305 el de Jerez. Pero, amigo,
todo se vuelve hoy reyertas
aquí. ¡Vea usted mi hermana
qué seria está! Más valiera
no habernos reconciliado,
1310 ni pensar en tener fiesta.
Desazona desde luego
a la chica. Entonces ella,
como sufre pocas chanzas,
toma el portante, y se queda
1315 sin almorzar. Esos majos
bailarines, que pudieran
alegrar esto, se marchan.
Don Eugenio con sentencias
nos muele; y usted ahora
1320 traba con él en la mesa
cuestiones sobre los viajes,
sobre el idioma. Se alteran
los ánimos, y así damos
con la diversión en tierra.
1325 Soy amante de la paz;
y por huir de pendencias,
allá los dejo, y me iré
por ahí con mi escopeta.

D.ª AMBROSIA

Siempre toma don Eugenio
1330 por pretexto esas materias
para oponerse al marqués;
pero, amigo, otra es la guerra
que él quisiera hacerle...

D. GONZALO

Ya.
Resentido de que Pepa
no se inclina...

D.ª AMBROSIA

1335   Ése es el pique.
Mas ¡qué pretensión tan necia!
¡Querer que ame una mujer
por reflexión! A bien que ella
no es tonta. Elige a su gusto,
1340   y no es regular que atienda
al filósofo que exhorta
más que al galán que la obsequia.

MARQUÉS

Usted no es padre tirano.

D. GONZALO

Y ella ajustará sus cuentas,
que a mí...

ESCENA II

Los dichos y el TÍO PEDRO *con una carta en la mano.*

D. GONZALO

¿Qué es eso?

TÍO PEDRO

1345   Una carta.

D. GONZALO

¡Hombre! ¿Ni aun aquí me dejan
respirar? Cierto que estamos
hoy para correspondencias.

TÍO PEDRO

(Mientras D. GONZALO *abre y lee la carta.)*
La trujo un hombre de capa,
1350   y no ha esperao respuesta.
Diz que vinía de parte
de uno que no se me acuerda
el nombre...

D. GONZALO

No tiene marca
del correo en la cubierta.

D.ª AMBROSIA

Será de Madrid.

D. GONZALO

1355   No tal.

MARQUÉS

La habrán enviado de fuera
inclusa en otra, encargando
la comisión de su entrega.

D. GONZALO

Así será... Pero aquí
se me dan noticias...

D.ª AMBROSIA

1360   ¿Buenas?

D. GONZALO

Diabólicas. Oiga usted.
(Lee:)

"Muy señor mío: Aunque no tengo el honor de
conocer a usted sino de reputación, la probidad me
exhorta a comunicarle un aviso importante. El correo
último hice saber a D. Eugenio de Lara que los que
le administran la fábrica o manufactura que ha establecido en esta villa, le han malversado una suma
enorme; y que viéndose ya en un descubierto que
no puede tardar en hacerse público, están preparando
secretamente su fuga fuera de España, y dejarán
arruinado al propietario. Vengo de saber que es
usted uno de los principales interesados en los
fondos de la fábrica en cuestión; y sensible a una
tan desagradable catástrofe de que está amenazado,
le doy reservadamente la misma noticia para su
gobierno. Bien entendido que éste es un secreto que
nadie sino yo ha penetrado hasta ahora".

Firma: don Víctor de Sierra.
¡Adiós! Voló mi dinero.

D.ª AMBROSIA

Que a un hombre de bien suceda
1365 cualquier contratiempo, vaya.

Pero ¡usar tanta reserva
con usted! De don Eugenio
digo que no lo creyera.

MARQUÉS

¿Conque estos que aun no se juzgan
1370 susceptibles de pequeñas
faltas, y secan al mundo
con su gran moral...?

D. GONZALO

                    La pegan
lo mismo que todos.

MARQUÉS

                    Yo
le presentara la queja
la más amarga.

D. GONZALO

1375   Sí, amarga,
agria y con sal y pimienta.

D.ª AMBROSIA

Sobre mi dinero voces.

D. GONZALO

¡Ahí es una friolera!
¡Oh! Nos veremos las caras.

D.ª AMBROSIA

1380   Por eso he notado señas
       de tristeza en don Eugenio.

MARQUÉS

       ¿Quién duda que su conciencia
       le habrá estado reprochando
       esta falta de franqueza
       con un amigo?

D.ª AMBROSIA

1385   Usted saque
       con la mayor diligencia
       de poder del señor mío
       todo su caudal. Las pruebas
       que da usted de generoso
1390   son loables, pero llegan
       las cosas a cierto punto...

D. GONZALO

       Ya tomaré providencia.
       Tío Pedro, ¿está don Eugenio
       adentro?

TÍO PEDRO

                   Qu'hacia la huerta
1395   le he visto con la señora
       doña Clara.

D.ª AMBROSIA

                    Muy estrecha
se va haciendo esa amistad.

MARQUÉS

También tienen sus flaquezas
los filósofos. Prodigan
1400 sublimes rasgos, condenan
todo capricho amoroso,
declaman; pero se dejan
seducir del bello sexo.

D.ª AMBROSIA

Conviene que usted se vea
1405 con don Eugenio cuanto antes.
Marqués, el señor se queda.
Vamos a nuestra partida
de tresillo.

TÍO PEDRO

                    Ya está puesta
la mesa.

D.ª AMBROSIA

¿En dónde?

TÍO PEDRO

                    En la sala.

MARQUÉS

1410 Debajo de la glorieta
estaríamos mejor
situados.

D.ª AMBROSIA

Llevar la mesa
allá, tío Pedro, y barajas.

(*Vase el* Tío Pedro, *y sale* D. Basilio.)

ESCENA III

D. Gonzalo, D.ª Ambrosia, *el* Marqués *y* D. Basilio.

D. GONZALO

Adiós, hermano.
(*A* D.ª Ambrosia.)
¿Y quién tercia?

D.ª AMBROSIA

1415 Pepita, eso ya se sabe.

D. GONZALO

¿Dónde andará la tal Pepa?

D. BASILIO

Tanto disgusto parece
la causa nuestra presencia,

que por huir de nosotros,
1420 según Bartolo nos cuenta,
se ha ido en una borrica
a corretear por las eras,
escoltada de los mozos
de la labor.

D. GONZALO

                              Es traviesa
como ella sola.

D.ª AMBROSIA

1425   Pues bien,
dejarla que se divierta.
Si volviere por aquí,
decirla que allá la espera
el marqués. Hasta la vista.

MARQUÉS

Andiamo.[37]
(Vase con D.ª AMBROSIA *por la izquierda. El* TÍO
PEDRO *y* BARTOLO *salen por la puerta del frente,
llevando una mesa de juego.* BARTOLO *vuelve la cara
como para escuchar, y se va deteniendo.)*

TÍO PEDRO

1430   Acá por la izquierda.
Menéate.

---

[37] *andiamo* (ital.): vamos.

BARTOLO

Poco a poco.

TÍO PEDRO

Vas volviendo la cabeza
y despacito, por si oyes
lo que los amos conversan.

BARTOLO

¿Quién? ¿Yo?

TÍO PEDRO

1435   Sí, tú. Ya te entiendo.
Anda, hombre.

BARTOLO

                Si en esta pierna
me ha dao como un calambre.
No arrempuje usted.

TÍO PEDRO

                Arrea.

(Vanse por la izquierda.)

D. BASILIO

Hermano, escucha un momento.

D. GONZALO

Estoy de prisa.

D. BASILIO

1440   Quisiera
consultar algunas dudas
contigo.

D. GONZALO

                    Bien, como sean
brevecitas...

D. BASILIO

                    Sólo haré
cuatro preguntas ligeras.

D. GONZALO

1445 Pues a la quinta no aguardo.
Despachemos.

D. BASILIO

                    La primera:
¿Por qué te dejas mandar
de esta viuda tan a ciegas?

D. GONZALO

Porque es mis pies y mis manos,
1450 porque mi casa sin ella

se perdería, porque es
ella quien me la gobierna,
y pudiera gobernar
una monarquía entera;
1455 porque no es aya, ni amiga,
ni compañera de Pepa,
sino una segunda madre...

D. BASILIO

Y excelente consejera.

D. GONZALO

Como que tiene talento.

D. BASILIO

1460 Lo dirán las consecuencias.
¿Y por qué te pagas tanto
del marqués?

D. GONZALO

Porque sus prendas
han agradado a la chica;
y en estando ella contenta,
1465 lo estoy yo. Van dos preguntas.
Tercera...

D. BASILIO

¿Y cómo se empeña
doña Ambrosia en proteger
a un forastero que apenas
conocemos?

D. GONZALO

                    Es que ciertos
1470 sujetos tienen estrella
con las damas.

D. BASILIO

                    ¿Y por qué?

D. GONZALO

¿Por qué? ¿Quieres que lo sepan
los hombres si muchas veces
tampoco lo saben ellas?

D. BASILIO

1475 ¿Y es posible que debiendo
tu hija por su nobleza,
gallarda persona y dote
emplearse bien, consientas
que un capricho...

D. GONZALO

                    ¿Qué capricho?
1480 ¿El de querer ser marquesa?
Pues muchas lo tomarían
a dos manos.

D. BASILIO

                    Considera
que tiene muchos resabios,
y no procuras su enmienda.

D. GONZALO

1485 Porque no hallo qué enmendar,
y porque quiero que sea
franca, alegre, sacudida,
no sosa ni zalamera,
y que al lucero del alba
1490 responda, cuando se ofrezca,
una claridad. ¿Estamos?

D. BASILIO

Ya, pero no me hace fuerza.

D. GONZALO

¿Tienes más que preguntar?

D. BASILIO

Nada; y según tus respuestas,
1495 aun de lo que he preguntado
te aseguro que me pesa.

D. GONZALO

Pues adiós.

D. BASILIO

                    Hermano, allá
lo verás.

D. GONZALO

Enhorabuena.
(Vase por la derecha. El TÍO PEDRO *y* BARTOLO
llegan de vuelta al tiempo de concluirse esta conver-
sación.)

ESCENA IV

D. BASILIO, *el* TÍO PEDRO *y* BARTOLO.

TÍO PEDRO

      Ya te lo igo. Algún chasco
1500 puee ser que te suceda
      por esa maldita maña.

D. BASILIO

      Vaya, ¿por qué es la pendencia?

TÍO PEDRO

      Porque este Bartolo too
      lo parla y too lo acecha,
1505 curioso y mormuraor.

BARTOLO

      ¿Curioso? Si no lo juera,
      no sabría algunas cosas
      que otros quisieran saberlas.

D. BASILIO

¿Qué cosas?

BARTOLO

      Con estos ojos,
1510 que se han de comer la tierra,
vi yo...

D. BASILIO

¿Qué viste?

BARTOLO

                Y oí
con estas mesmas orejas...

D. BASILIO

¿Qué oíste?

BARTOLO

      Pero más vale
callar, porque no haiga gresca.

D. BASILIO

No la habrá. Di.

BARTOLO

1515   Estaba yo
        compuniendo unas macetas
        allí etrás; y el marqués,
        sí señor, en gran conversa
        con doña Ambrosia... Y dirán
1520   que uno tiene mala lengua,
        pero las cosas de que ellos
        platicaban no eran güenas.
        Y dempués aquella acción
        que les vi hacer... ¡Ah! Vergüenza
1525   me diera a mí, aunque soy probe...
        Ea, dejémoslo.

D. BASILIO

Espera.

BARTOLO

        Voy a coger unas pocas
        de lechugas y unas brevas
        para meodía. Luego
1530   le daré a su mercé cuenta
        de toíco; que estas cosas
        no es menester que las sepa
        naide sino cuatro u cinco
        u seis[38] personas de aquellas
        de satisfacción.
        (Vase.)

[38] *cuatro u cinco / u seis:* Sobre este uso de *u,* véase la nota 35 a *El señorito mimado.*

TÍO PEDRO

1535   Por poco
no añide[39] hasta dos docenas.
Señor, usté no haga caso.

D. BASILIO

Tal vez será una simpleza,
o tal vez cosa que importe.
1540   Lo seguro es que usted vea
cómo puede sonsacarle,
y traerme la respuesta.

TÍO PEDRO

No habrá menester tenazas;
y de aquí a una hora u media,
1545   trairé yo la razón de eso,
y mucho más que él supiera.
¡Poquito le gusta al mozo
meterse en vías[40] ajenas!
Voy tras él.
(Vase.)

ESCENA V

D.ª CLARA, D. EUGENIO y D.ª PEPITA, que salen por la
izquierda; y D. BASILIO.

D. BASILIO

                        ¡Ah! Sobrinita
1550   mía, bienvenida seas.

---

[39] añidir (y añedir), ant. y rúst.: añadir.
[40] vías (con pérdida de la d intervocálica): vidas.

D.ª PEPITA

Vamos, tío; usted también
entrará en la conferencia,
y de una vez para siempre
trataremos la materia
1555 con toda formalidad.
Despacito y buena letra.
Sentémonos.
(Siéntanse los cuatro.)

D. BASILIO

                    El asunto
parece que va de veras.

D.ª PEPITA

Tendremos aquí los cuatro
1560 una junta; y en presencia
de mis tíos, que me están
tratando de calavera,
se explicará don Eugenio.
Sabremos todos qué piensa
1565 de mí. Sabrá lo que pienso
yo de él. Se dará sentencia.
A ver si quedando en una
cosa fija, dentro u fuera,[41]
consigo que ni él ni ustedes
1570 me rompan más la cabeza.

---

[41] *dentro u fuera:* Véase la nota 35 a *El señorito mimado.*

D.ª CLARA

Me gusta esa claridad.
Ahora sí que das pruebas
de tener juicio.

D. EUGENIO

              Empecemos
a examinar con prudencia
1575   tan importante negocio.
Yo, señorita...

D.ª PEPITA

                   Mi arenga
es antes que la de usted.

D. BASILIO

Sí, que hable primero.

D.ª PEPITA

                   Atiendan.
Este caballero ha días
1580   que con solemnes protestas
afirma gustar de mí,
pero no sé cómo entienda
esta afición. Unas veces
se muestra fino, pondera
1585   mi tal cual mérito; y pasa
a mi lado horas enteras,
acreditando que está
contento, y que se interesa
en mi bien. Mas otras veces

1590   se disgusta; vitupera
        mis palabras, mis acciones;
        y en tono de que aconseja,
        me va poniendo unas tachas
        fatalísimas. Me alega
1595   ejemplitos; y en hallando
        ocasión, no hay indirecta
        que no me suelte al descuido,
        y siempre en cabeza ajena.
        Pues que nota en mí defectos
1600   (que yo no sé cuáles sean),
        o no me quiere y me engaña,
        o sólo me quiere a medias;
        y en uno u en otro caso
        me resiento de la ofensa.
1605   Si tengo las nulidades
        que supone, nada cuesta
        decírmelas cara a cara
        sin rodeos ni zalemas;
        pues aun cuando las demuestre,
1610   le probaré que con esas
        doscientas imperfecciones
        y dos mil más que tuviera,
        como él me quisiera en forma,
        me diera una preferencia
1615   absoluta, sin pararse
        en tales delicadezas.
        Si son escrúpulos suyos,
        otras hallará que tengan
        más gracia para curarlos
1620   o más dosis de paciencia
        para sufrir a un galán
        que tan suavemente mezcla
        entre caricia y caricia
        un párrafo de fraterna.
1625   He dicho. Ustedes verán
        si es bien fundada mi queja.
        Hable don Eugenio ahora,
        y salga por donde pueda.

D. EUGENIO

Ese mismo proceder
1630 mío con que usted contempla
la agravio, es un testimonio
de inclinación verdadera.
¿Puede una dama juiciosa
figurarse que merezca
1635 su favor quien no procura
su felicidad completa?
Señorita, dos especies
hay de pasión: una, ciega,
que aspira al objeto amado
1640 sin examen, sin cautela.
La satisfacción presente
la incita con tal violencia
que sólo anhela una dicha,
y en su duración no piensa.
1645 Otra pasión hay prudente,
reflexiva...

D.ª PEPITA

                    La primera,
si la tiene usted, tal cual;
la segunda, recogerla.
Quien ama es el corazón,
1650 amigo; no la cabeza.

D.ª CLARA

Pero él debe siempre hacer
la elección a gusto de ella.

D. BASILIO

Si no, el placer luego pasa;
y el desabrimiento queda.

D.ª PEPITA

1655   ¿Por qué me habré yo metido
        en conversación tan seria?

D. EUGENIO

        La que desea adquirir
        estimación duradera,
        no confía en atractivos
1660   de juventud y belleza,
        que no suelen ser la finca[42]
        más segura.

D.ª PEPITA

                            Pues si feas
        y talluditas las quiere
        usted, famosa cosecha
        hay de unas y otras.

D. EUGENIO

1665   Señora,
        lo que digo es que las prendas
        del ánimo, las virtudes

---

[42] *finca:* Aquí, por extensión de ciertas acepciones suyas, vale lo mismo que *fianza, prenda, garantia.* En el artículo *fin* del *Tesoro* de Covarrubias, se lee "*Fincar,* por quedar alguna cosa de alcance, y *finca* el mismo alcance". En la edición de 1706 del *Vocabulario español e italiano,* de Lorenzo Franciosini, *finca* se traduce por *debito,* "deuda, débito". En el *Diccionario de Autoridades, finca* se define como "el efecto o situación en que alguno tiene derecho a cobrar su renta, o alguna cantidad determinada". Y en este mismo artículo se cita un pasaje de la *Luz de verdades católicas* del P. Juan Martínez de la Parra en el que *finca* tiene un sentido no enteramente diferente del que le da Iriarte: "Con repetidas instancias la exhortaba a que entregada a la culpa por un vil sustento, hiciese de su cuerpo la más infame *finca* de su honra".

y el entendimiento engendran
cariño más racional,
1670 y de mayor permanencia.

D.ª PEPITA

¡Qué antigualla! Ya el amor
se escoge como una tela.
No se repara en que dure
poco, si la vista es[43] buena.

D. EUGENIO

1675 Piensa usted como muy joven.

D.ª PEPITA

¡Oiga! Pues a los cincuenta
pensaré del mismo modo.

D.ª CLARA

Otras no llegan a treinta,
cuando ya las desengaña
1680 alguna triste experiencia.

D.ª PEPITA

¿Cómo?

D. EUGENIO

Yo lo explicaré.
Durante la primavera
de la edad logran ustedes
aplauso en las concurrencias,

---

[43] *es:* Por errata este verbo falta en el texto de la edición príncipe, pero se suple en la lista de erratas al final de la misma.

1685   atenciones, rendimientos;
       cualquier dicho es agudeza,
       cualquier ademán es gracia,
       todo se admira y celebra;
       y en el corro de aspirantes
1690   que embelesados las cercan,
       el que menos encarece
       su pasión la llama eterna.
       Entonces casi no hay una
       que para ser feliz, crea
1695   necesitar otras dotes
       que las de naturaleza.
       La flor de la juventud
       es rosa al fin. No es perpetua,
       y apenas se ha marchitado
1700   cuando toda la ligera
       bandada de mariposas,
       que giraba en torno de ella,
       desaparece, volando
       a buscar flores más frescas.

D.ª PEPITA

1705   ¡Ay, ay! ¡Pobre don Eugenio!
       ¡Se nos ha vuelto poeta
       del siglo pasado! ¡Vaya!
       ¿Sabremos de qué comedia
       se sacó esa relación?[44]
1710   Siga usted, que está discreta.

---

[44] *¡Se nos ha vuelto poeta | del siglo pasado... de qué comedia | se sacó esa relación?* En *Los literatos en Cuaresma* Iriarte satiriza el estilo de los dramaturgos aureoseculares riéndose de esos espectadores que se sienten defraudados si no oyen cada vez que van al teatro "alguna *relación* en que haya tempestades, eclipses, batallas, caballos, leones, tigres y toda casta de monstruos, fieras, vestiglos, alimañas y sabandijas descomunales; o algunas comparaciones poéticas que abunden en flores, troncos, plantas, cumbres, peñascos, prados, selvas, malezas, astros, signos del Zodíaco, constelaciones, pájaros, peces, arroyuelos, olas, escollos, arenas, nácar, perlas, coral, conchas. caracoles y todo género de mariscos" *(Obras*, 1805, VII, 81).

D. EUGENIO

¿Me pregunta usted de dónde
la saqué? De una tragedia
que en el teatro del mundo
sin cesar se representa,
1715   y que siempre finaliza
con la escena más funesta.

D.ª PEPITA

¿Cuándo?

D. EUGENIO

Cuando una beldad
que tuvo séquito llega
a verse desamparada.
1720   ¿Y qué recursos la quedan
entonces? ¿Adoradores?
Ya ninguno se la acerca.
¿Amigos fieles? ¿Y cómo
los ganó? ¿Cuáles conserva?
1725   ¿Supo acaso cultivar
su ingenio, adquirir ideas
capaces de fomentar
la conversación amena?[45]

---

[45] *la conversación amena:* En el siglo XVIII el talento para la conversación animada se consideraba como dote tan indispensable en las señoritas bien criadas, que incluso se llegó en cierta ocasión a elogiar tal talento en un epitafio. En la lápida sepulcral de Ann Hockley, que murió de la tisis el 25 de junio de 1745 y fue sepultada en el suelo de la Christ Church de Filadelfia, se lee: "Under this stone lies Ann Hockley who will ever be remembered with fine steem by all who knew her for her good sense, *sprightly conversation*, strict virtue, sincere friendship, and unaffected piety". En fin, la señorita Hockley también poseía casi todas las demás cualidades que don Eugenio busca en las muchachas casaderas. Sobre la importancia de la conversación para la sociedad y la literatura en el setecientos, véase el cap. I ("La Condesa-duquesa de Benavente y los placeres de la conversación") de mi libro sobre Cadalso.

          ¿Arraigó en su corazón
1730   las virtudes que alimentan
          el trato social y afable?
          ¿Aprendió la diferencia
          que hay de la franqueza libre
          a la ingenuidad modesta?

D.ª PEPITA

1735   Y supongamos que en nada
          de eso ha pensado.

D. EUGENIO

                                  Pues sepa
          que vivirá sin amigos;
          que será víctima cierta
          de una infeliz soledad,
1740   de la inacción y tristeza.

D.ª PEPITA

          Que se divierta, si quiere,
          en hilar, o hacer calceta.
          ¡Bravo cuidado! ¿Y por qué
          me da esa gran reprimenda
1745   usted, que no es nada mío,
          ni me manda, ni me cela?

D. EUGENIO

          Porque en este mundo todos
          somos de todos. Quisiera
          que usted cobrase aversión
1750   al tiránico sistema
          de los que según estilo
          musulmán, no consideran
          a las mujeres nacidas
          sino para esclavas necias

1755   del hombre, y las privan casi
     del uso de las potencias.
     Emplee usted bien las suyas;
     verá cuánto la deleitan
     ciertos estudios...[46]

D.ª PEPITA

                Y luego
1760   que me llamen bachillera.

D. EUGENIO

     Sólo pensarán así
     los que ignoren[47] que hay tareas
     no menos propias de un sexo
     que de otro. ¿Quién no se prenda
1765   de una dama que reúne
     a la natural viveza
     el[48] útil conocimiento
     de la historia, de la recta
     moral, de geografía
1770   y de las más cultas lenguas,
     como desfrute[49] los buenos
     libros escritos en ellas.
     La afición a poesía,
     dibujo, música...

[46] A juzgar por este parlamento y el próximo de don Eugenio, este buen caballero "ilustrado" habrá leído el en realidad modernísimo discurso final del tomo I (1726) del *Teatro crítico*, titulado "Defensa de las mujeres", en el que Feijoo, además de defender a éstas, demuestra "su aptitud para todo género de ciencias y conocimientos sublimes", insistiendo, con ejemplos traídos de todas las culturas del mundo, en el hecho de que "no hay desigualdad en las capacidades de uno y otro sexo" *(BAE,* LXI, 50-58).

[47] *ignoren:* Me atengo para esta lección a la edición de 1805. La príncipe tiene *ignoran,* forma menos correcta en el presente contexto.

[48] *el:* La edición príncipe tiene *es* por errata, que se corrigió en la ya mencionada lista impresa al final de ella.

[49] *desfrutar:* disfrutar. Es la única forma registrada en el *Diccionario de Autoridades.*

D.ª PEPITA

¡Aprieta!
1775 Botánica, anatomía,
      química y toda la jerga
      de médicos y abogados,
      y después la Biblioteca
      del Escorial enterita
1780 metida en esta cabeza...[50]
      (Levántase atropelladamente.)
      Dígole a usted que no quiero;
      y que en su vida se atreva
      a dar lecciones, ni piense
      que ha de ganar la prebenda
1785 por oposición, luciendo
      la sabiduría.
      (Levántanse todos.)

D.ª CLARA

Pepa,
modérate.

[50] Los primeros versos de este parlamento y los últimos del anterior
—un auténtico catálogo de los predilectos temas de conversación entre las
damas y los caballeros que frecuentaban las elegantes tertulias del setecientos— traen a la memoria ciertos versos de la Epístola IX de Iriarte, de 20
de mayo de 1776, en los que el poeta explica cómo escoge a sus amigos:
"Los hábiles y estudiosos / siempre por tales admito. / El matemático sabio, /
el lógico reflexivo, / el útil naturalista, / el botánico instruido, / el orador
elocuente, / el humanista erudito, / el que estatuas eterniza, / el que levanta
edificios, / todos merecen mi aprecio" (BAE, LXIII, 36a). Tan comprensivo
catálogo de temas científicos y humanísticos para la conversación también
trae a la memoria el "curso completo de todas las ciencias dividido en siete
lecciones... [publicado] en obsequio de los que pretenden saber mucho estudiando poco", o sea la célebre sátira de Cadalso titulada Los eruditos a la
violeta (1772), así como todos los libros de divulgación y cursos públicos
que en el XVIII se destinaron tanto a las damas como a los caballeros que
se habían aficionado a la nueva moda de conversar acerca de las ciencias.
En El don de gentes Iriarte vuelve al tema de la elegante boga de conversar
sobre las ciencias y las humanidades, al hacer que el barón de Sotobello
diga: "Yo de todo formo / colección... / Gabinete, biblioteca, / monetario,
camafeos, / máquinas, cuadros, estatuas, / ... Frecuenté el observatorio
astronómico; y queriendo / ver el planeta Saturno, / tomé bastante sereno"
(Obras, 1805, VIII, 132, 134).

D. BASILIO

¿Y eras tú
la que sobre esta materia
ibas a hablar formalmente?

D.ª CLARA

1790 Falta que oigas la sentencia
que esperabas. Don Eugenio
te estima, y quiere tu enmienda.
Dale oídos, y serás
feliz. Atiende a finezas
1795 interesadas y falsas
de ese marqués y a indiscretas
lisonjas de doña Ambrosia,
y pagarás tu imprudencia.
No te digo más.

D.ª PEPITA

Ni aun tanto
era menester.

ESCENA VI

D. Gonzalo, D.ª Clara, D. Eugenio, D.ª Pepita y
D. Basilio.

D. GONZALO

1800 ¡Pendencias,
y más pendencias! ¿Querrán
dejar un momento quieta

a la muchacha? Pepita,
en el cenador te esperan
1805   el marqués y doña Ambrosia.

D.ª PEPITA

Voy corriendo. Ahí les queda
el Séneca de estos tiempos,
que les meterá por fuerza
la erudición en los cascos.
1810   Adiós, adiós. Cuando él vuelva
a embocarme otra misión,
que me emplumen. Pocas de éstas.
(Vase.)

D. GONZALO

Ahora bien. Llega el caso
(A D. EUGENIO.)
de ajustar aquí unas cuentas.

D. EUGENIO

¿Conmigo?

D. GONZALO

1815   Sí, con usted.
No hay reparo en que lo sepan
mis hermanos. ¿Cómo estamos
en cuanto a las dependencias
de la fábrica?

D. EUGENIO

                 Muy bien.
1820   No sé qué misterio encierra
esa pregunta.

D. GONZALO

1855 Pues ése nos quiere bien,
      y a fe que no es carta ciega,
      que el hombre bien claro firma.

      (Vuelve D. EUGENIO *la carta a* D. GONZALO.)

D. EUGENIO

      Será carta verdadera,
      mas la noticia no lo es;
1860 porque sé con evidencia
      que aquel establecimiento
      hoy, más que nunca, prospera.

D. GONZALO

      Así lo aparentarán
      los mismos que le manejan.

D. EUGENIO

1865 Las cartas que últimamente
      he recibido, comprueban
      lo contrario. A bien que todas
      las traigo en las faltriqueras.
      *(Empieza a sacar varias cartas que va mostrando
      a* D. GONZALO. D. BASILIO *ayuda a desdoblar algu-
      nas de ellas, y las examina mientras* D. GONZALO
      hace lo mismo.)

D.ª CLARA

      Basta que el señor afirme
1870 que no conoce tal Sierra

sin que exhiba testimonios
de su verdad.

D. BASILIO

         No se encuentra
aquí firma parecida
a la de ese hombre.

D. GONZALO

           A ver ésta.
1875   Me parece... cabalmente...
la misma, la misma letra.

D. EUGENIO

¿Es posible?

D. GONZALO

        Vea usted.

(D. EUGENIO *lee para sí la carta*. D. BASILIO *se acerca y pasa la vista por ella al mismo tiempo que* D. EUGENIO.)

D. EUGENIO

 ¡Qué es esto!

D. GONZALO

       No se tolera
entre hombres de bien y amigos
1880   tal ficción. ¡Y qué torpeza!

Disimularlo primero,
luego negarlo, y nos muestra
él mismo ahora la carta
que con frescura protesta
no haber recibido.

D. EUGENIO

1885   ¡Cierto
que es terrible mi sorpresa!
Este aviso bien conviene
con el otro.

D. BASILIO

                    Sí, y la fecha
es del correo pasado.

D. GONZALO

1890   ¿Necesitamos más pruebas?

D.ª CLARA

Seguramente hay aquí
alguna trama encubierta,
pues no cabe en don Eugenio
falsedad ni estratagema.

D. GONZALO

1895   Yo de nadie fío. El chasco
es muy pesado; y mi queja
es tan grave, que no admite
satisfacción ni respuesta.

D. EUGENIO

Amigo...

D. BASILIO

Hermano...

D.ª CLARA

Gonzalo...

D. GONZALO

1900   Que venga el señor, que venga
       a congraciarse conmigo.
       Adiós. Como si no hubiera
       habido amistad jamás
       entre nosotros.

D.ª CLARA

Sosiega.

D. GONZALO

1905   Ya se aclarará el asunto
       en forma, y pague quien deba.
       (Vase.)

D. EUGENIO

       ¡En qué confusión me ha puesto!
       A menos que recibiera
       yo esta carta, y la guardara
1910   con las otras sin leerla...

D. BASILIO

Todo puede ser.

D. EUGENIO

                              Lo cierto
es que ya las apariencias,
a pesar de mi inculpable
integridad, me condenan.
1915   Pero, al fin, medios habrá
de vindicar mi inocencia
si me escucha don Gonzalo
con más espacio. Intercedan
ustedes.

D. BASILIO

                    Vamos a estar
1920   con él y hacer la más seria
averiguación de todo.

D.ª CLARA

¿Y no debiera estar hecha
antes de insultar así
a un hombre honrado?

D. BASILIO

                              Aquí llega
1925   Pepita. Y viene riñendo
con su amada compañera.

D.ª CLARA

Vámonos por este lado,
no sea que nos detengan.

(Vanse por la derecha D.ª CLARA, D. EUGENIO *y*
D. BASILIO.)

ESCENA VII

D.ª PEPITA, *con unos naipes en la mano, y* D.ª AMBROSIA,
que salen por la izquierda.

D.ª PEPITA

     Esto no se hace conmigo;
1930 no, señora. Es insolencia
del marqués. ¡Pues! ¡Disputarme
que es codillo, siendo puesta!
Aquí está la baza, mira.

D.ª AMBROSIA

     Cierto, la baza tercera.
1935 Él hizo cuatro, yo dos.

D.ª PEPITA

(Arrojando las cartas con enfado.)
No hay tal codillo.

D.ª AMBROSIA

            No sea.
Pero ven acá. ¿Te irritas
por esa gran bagatela
con quien te complace en todo?

D.ª PEPITA

1940 Bastaba que lo dijera
      yo para no replicarme.
      Y en fin, tengan o no tengan
      razón las damas, los hombres
      deben dársela por fuerza.

D.ª AMBROSIA

1945 Pero has tratado al marqués
      malamente. Eso quisiera
      don Eugenio, que riñéseis
      los dos.

D.ª PEPITA

                Aunque él me impacienta
      con sus amonestaciones,
1950 tiene otro modo; y sus prendas,
      si he de hablar con claridad,
      merecerían que hiciera
      más caso de él.

D.ª AMBROSIA

                ¡Que tal digas!

D.ª PEPITA

      Una cosa es que por tema,
1955 por despique, por venganza
      de que me enamora a medias
      y anda buscando defectos
      que tildarme, yo conceda
      mis favores al marqués,

1960   y otra es que no comprehenda[51]
       lo que vale cada uno.

D.ª AMBROSIA

¿Conque tu correspondencia
al que eliges por esposo
sólo se funda en que intentas
1965   castigar con un desaire
al competidor?

D.ª PEPITA

Lo aciertas.

D.ª AMBROSIA

Pero ¿no le amas?

D.ª PEPITA

Conforme.
Si el amor es sentir penas,
ansias, desvelos, fatigas
1970   y toda aquella caterva
de lástimas que he leído
en comedias y novelas,
yo no tengo tal amor;
ni entiendo cómo hay quien pierda
1975   el sueño y el apetito
por semejantes simplezas.
Pero si es amor gustar

---

[51] *comprehenda*: forma anticuada que hace falta para el metro.

de su aire, de su viveza,
de su petimetrería
1980 y buen pico, yo estoy ciega
por él.

D.ª AMBROSIA

Eso basta y sobra.
Con tal que no se aborrezca
a un hombre, es muy suficiente
para marido cualquiera;
1985 que bodas de enamorados
no son las que mejor prueban.
Lo cierto es que por un ojo
de la cara no se encuentra
un novio. (En lo que consiste
1990 no lo sé.) La grande empresa
es salir del infeliz
estado. Después se arregla
cada una como puede,
sobre todo cuando acierta
1995 con un hombre racional,
dócil, franco y de experiencia
del mundo, como el marqués.
Si te le alabo, es por esta
razón muy principalmente;
2000 pues en la hora que dieras
a don Eugenio la mano,
¡pobre Pepita! Hazte cuenta
que ibas a ser una esclava.
¿Aquél? No te permitiera
2005 ni un desahogo inocente.
Con sus máximas añejas,
su indigesta condición
y sus cansadas leyendas
pasaras buen noviciado.
2010 ¡Dios nos libre! Te midiera
los pasos con un compás.

El marqués, ¡qué diferencia!
Ya verás qué bien te trata.
Aunque en casándose piensa
2015 llevarte a Italia, le haremos
que desista de esa idea;
y viviendo tú en Madrid,
figúrate qué perfecta
vida nos podremos dar,
2020 unidas en tan estrecha
confianza como ahora.
Sí, nos tiene mucha cuenta
esta boda a tí y a mí.
Pero temo que no sepas
2025 manejarte con el pulso
necesario en la carrera
que vas a emprender.

D.ª PEPITA

Confieso
que tengo poca reserva
para esas cosas.

D.ª AMBROSIA

Pues, hija,
2030 es menester que la tengas;
porque te aseguro que hoy
sin un poco de trastienda
está una mujer vendida.
Tiempo llegará en que pueda
2035 yo, pues que soy veterana,
hacerte unas advertencias
muy útiles; porque, mira,
como en casa y fuera de ella
los hombres todo lo mandan,
2040 a nosotras no nos queda
más recurso que mandarlos

a ellos. De esta manera
también lo mandamos todo.
He aquí lá primera ciencia
2045   de una mujer. No es muy fácil,
mas no hay remedio. Aprenderla,
o resolverse a vivir
perpetuamente sujeta.

D.ª PEPITA

¡Vaya! Como yo me aplique
2050   cuatro días, con tus reglas
y mi tal cual travesura
seré el honor de tu escuela.

D.ª AMBROSIA

¡Ah! Gobernar a los hombres
es arte de mucha tecla,
2055   y no se adquiere tan pronto.
A cada cual se le lleva
con método muy diverso.
Por más que ellos se envanezcan
de lo que pueden y saben,
2060   pregonando a boca llena
que nuestro sexo es el débil,
todos tienen sus flaquezas
y tanto u acaso más
deplorables que las nuestras.
2065   Descubrir a cada uno
la suya y darle por ella,
ése, amiga, es el secreto,
ésa es la llave maestra.
Desde luego se supone
2070   que la cobarde que no entra
poniéndose en el buen pie
de mandar con prepotencia
los primeros quince días,

por siempre jamás se queda
2075 hecha una monja en el siglo,
hija humilde de obediencia.
Es menester habituarlos.
Si el recién casado empieza
a ceder, cederá siempre,
2080 y la mujer triunfa y reina.
Pero algunos que al principio
son dóciles, se rebelan
después. Aquí es necesario
recurrir a las cautelas
2085 más delicadas del arte.
A veces, indiferencia,
oír serena los cargos,
y como que se desprecian;
a veces, abatimiento
2090 de dolor y de vergüenza.
Y si no basta, acudir
con cuatro caricias hechas
a tiempo; pero no usarlas
con demasiada frecuencia,
2095 porque si llegan a hacerse
muy triviales, ya no pegan.
Cuando el caso apriete mucho,
declamar con entereza
y con furor que amenace
2100 resoluciones violentas
y de tal publicidad,
que el pobrecillo las tema.
Sobre todo, negar siempre;
y nunca echarse por tierra.
2105 En fin... Pero me dejaba
lo mejor. Una jaqueca
de quita y pon, un buen flato
manejado con prudencia,
son un bálsamo, querida;
2110 porque no sólo libertan
a una mujer del apuro
y ahorran muchas respuestas,

sino que todos entonces
la cuidan y la contemplan;
2115   y lo que antes fue reñirla,
es luego compadecerla.
Por la mañana: "¡Dios mío!
Estoy fatal, casi muerta".
Pero a la tarde vestirse
2120   como si tal cosa fuera.
Parchecitos en las sienes,
y al paseo, a la comedia,
al baile, o a lo que salga.

D.ª PEPITA

Según eso ¿se remedan
los flatos?

D.ª AMBROSIA

2125   Muy a lo vivo;
o si no, un dolor de muelas.
Con cualquier enjuagatorio
se tiene la boca llena;
y entonces, aunque la estrechen
2130   a una, no se contesta.

D.ª PEPITA

Bien fáciles de aprender [52]
me parecen esas tretas.
Mucho más dificultoso
es llorar cuando una quiera,
2135   y eso ya lo sé yo hacer.

[52] La edición de 1805 tiene, por errata: "Bien fácil es de aprender / ..."

D.ª AMBROSIA

¿Sí? Pues tú saldrás experta.

D.ª PEPITA

Y hacerme la vergonzosa
cuando oigo cosas no buenas,
para que los hombres queden
2140   prendados de la inocencia.

D.ª AMBROSIA

¡Ingenio feliz! Por donde
muchas acaban, tú empiezas.

D.ª PEPITA

Con todo, quiero me enseñes
nuestras máximas secretas.

D.ª AMBROSIA

2145   Sólo aquí que no nos oyen
los hombres, las descubriera.
Hay otras muchas, y todas
contribuyen al sistema
de que hagan su voluntad,
2150   gasten siempre y se diviertan
las carísimas esposas
que carísimo les cuestan.

D.ª PEPITA

Es menester que lo aguanten
al fin, quieran o no quieran;

2155 que para eso son maridos.
Bastantes impertinencias
sufrimos con criaturas,
con amas y otras cincuenta
pensiones que ellos no sufren.
2160 Les toca cuidar la hacienda;
luego el gastarlo con todo
lucimiento es cuenta nuestra,
o verán lo que les pasa
si no nos tienen contentas.

D.ª AMBROSIA

2165 Sin duda ya ellos conocen
algo de esto; porque apenas
se les habla de consorcio,
huyen el cuerpo, y nos tiemblan.

D.ª PEPITA

Prosigue, amiguita mía;
2170 que me gustan esas reglas.

D.ª AMBROSIA

De paso he dicho esto. El uso
te enseñará otras cosuelas.

D.ª PEPITA

Pues más despacio hablaremos.

D.ª AMBROSIA

Sí, que es larga la materia.
Vamos, discípula

D.ª PEPITA

2175   Vamos,
incomparable maestra.

D.ª AMBROSIA

Volvamos a la partida...
Pero aguarda. Aquí se acerca
tu padre. Puedes ahora
2180 echarle una especie suelta
sobre eso que hemos tratado.

D.ª PEPITA

¿De mi tía?

D.ª AMBROSIA

Y que la obsequia
don Eugenio. A ver si es dable
deshacernos de él y de ella.

ESCENA VIII

D.ª Pepita, D.ª Ambrosia, *el* Marqués *y* D. Gonzalo.

MARQUÉS

2185 Es deshonorante[53] el crimen.
¿Puede estar más descubierta
la traición de don Eugenio?

----

[53] *deshonorante:* palabra francesa *(déshonorant)* con terminación española, por *deshonroso*.

D. GONZALO

Pero mi hermana se empeña
en disculpar a su amigo.
2190   Suyo; porque si antes lo era
mío, ya no lo es.

D.ª AMBROSIA

¿Y usted
se admira de que defienda
doña Clara a don Eugenio?

MARQUÉS

Ignora la inteligencia
2195   amorosa que mantienen.

D. GONZALO

¿Mi hermana y él?

D.ª PEPITA

Como suena.

D. GONZALO

¿Qué dices, muchacha?

D.ª PEPITA

Digo
lo que sé. Pues ¿soy yo ciega?

D. GONZALO

Aunque los tres me lo afirmen,
2200 no concibo tal sospecha
contra Clara, que no ha dado
jamás que decir.

D.ª PEPITA

        Es diestra
en ocultar con la capa
de santidad las miserias
2205 humanas; mas yo la entiendo.

D. GONZALO

Es frágil como cualquiera;
pero suspendo mi juicio ·
hasta que tenga unas pruebas...

D.ª PEPITA

Yo las daré muy de bulto.
2210 Verbigracia: su doncella
me cuenta que don Eugenio
ni un día siquiera deja
pasar sin ver a mi tía.

D. GONZALO

Eso es porque, como piensan
2215 a lo filósofo, gustan
uno de otro.

D.ª AMBROSIA

(*En tono de malicia.*)
                    Ya; congenian,
que es lo principal.

D.ª PEPITA

                    Y si andan
regalándose finezas
como dos enamorados,
¿qué dirá usted?

D. GONZALO

2220   De manera
que pueden ellas ser tales...

D.ª PEPITA

¡Pero cómo! ¿Usted se acuerda
del reloj que dio a la tía
cuando se casó? Pues sepa
2225   que le tiene don Eugenio,
ponderando que la aprecia.

D. GONZALO

¿Y ella se le ha regalado?

D.ª PEPITA

¿Pues quería usted que él fuera
a hurtarle?

D. GONZALO

                    Yo necesito
verlo.

D.ª PEPITA

2230   Luego que parezca
por aquí, se le haré yo
sacar. Y cuando usted vea
un bolsillo de oro y plata
con un pasador de piedras
2235   finas y, lo que denota
más estrechez, con las letras
del nombre de don Eugenio...
Él le tiene: obra estupenda
de las primorosas manos
2240   de mi tía y manifiesta
memoria de su cariño.

D. GONZALO

¿Y eso es cierto?

D.ª PEPITA

                    Usted no crea
en gazmoñadas. Las que
son así, mosquitas muertas...
2245   ¡Dios me libre! Y dan consejos
a las demás. ¡Zalameras!
Yo digo: *sí, sí; no, no;*
y quiero la gente ingenua;
pero esas hipocresías...

D. GONZALO

Calla, niña.

D.ª PEPITA

2250   Me degüellan.

D. GONZALO

¿Es posible que mi hermana...?
Pero allá se las avenga
con su marido.

D.ª AMBROSIA

Aquél sí.
Es hombre de mucha espera,
un bendito.

MARQUÉS

2255   Él tomará
paciencia. Al fin, siempre es ésta
la suerte de mil maridos;
y no obstante que los juegan
sobre el teatro a la cara
2260   del *parterre*, ellos no dejan
de seguir su tren de vida,
ni toman una gran pena.[54]

---

[54] El marqués de Fontecalda habrá leído el *Arte poética* de Boileau. En todo caso, su idea de que los maridos cornudos no se reconocen cuando se corrige el abuso de la infidelidad conyugal en el teatro, recuerda los versos siguientes de Boileau en los que se dan ejemplos de otros tipos que no se reconocen al verse representados por la comedia: "Chacun, peint avec art, dans ce nouveau miroir, / S'y vit avec plaisir, ou crut ne s'y point voir: / L'avare, des premiers, rit du tableau fidèle / D'un avare souvent tracé sur son modèle; / Et mille fois un fat finement exprimé / Méconnut le portrait sur lui-même formé" (Nicolás Boileau Despréaux, *Oeuvres poétiques*, ed. Charles Louandre, París, 1863, p. 324).

D.ª PEPITA

Y usted, padre, ¿qué me dice
del don Eugenio, que mientras
2265 públicamente pretende
a la sobrina, festeja
a la tía callandico?
Parece que el hombre es pieza.

D.ª AMBROSIA

¡Oh! Yo no sé con qué cara
2270 solicita le prefieras
al marqués.

MARQUÉS

Si él me pudiese
suplantar, para mí fuera
un golpe mortificante.
No lo temo... Mas él llega.

ESCENA IX

Los dichos y D. Eugenio.

D. EUGENIO

2275 Mi señora doña Clara
y su digno esposo esperan
que usted, señor don Gonzalo,
por breve rato venga
conmigo a la sala. Allí
2280 daré a usted la más completa
satisfacción que es posible

por ahora; pero resta
que mañana o esta noche,
luego que estemos de vuelta
en Madrid...

D. GONZALO

2285   Bien. Todos esos
quebraderos de cabeza
dejémoslos para allá,
y veremos por quién queda.

D.ª PEPITA

Don Eugenio, ¿qué tal anda
2290   su reloj de usted? Quisiera
poner el mío a la hora.
A ver.

D. EUGENIO

(Sacando el reloj.)
          Las nueve y cuarenta.

D. GONZALO

(Acercándose a mirar el reloj.)
Nueve y cuarenta... En efecto.
¡Vaya, que no lo creyera!

D. EUGENIO

¿Que fuese esta hora?

D. GONZALO

2295   Pues,
hubo aquí una duda.

D.ª PEPITA

(A D. GONZALO.)
                                No era
yo la que estaba atrasada
de noticias... Por la tema,
¿se ha desengañado usted?

D. GONZALO

2300   Tienes razón. ¿Quién me trueca
este doblón de ocho?

D. EUGENIO

(Sacando un bolsillo.)
                                Yo.

D. GONZALO

Para pagar una cuenta
al tío Pedro.

D.ª PEPITA

                        ¡Qué bolsillo
tan lindo! Pues en las tiendas
no los hay de éstos.

D. EUGENIO

2305   Perdone
usted que no se le ofrezca,
porque es dádiva estimable
de otra dama.

D.ª PEPITA

              ¿Y se pudiera
saber quién es?

D. EUGENIO

              Su señora
tía de usted.

D.ª PEPITA

2310   ¿Sí? ¿De veras?
Está muy bien empleado.

D. GONZALO

(*Mirando con atención el bolsillo.*)
Celebro que se entretenga
mi hermana en buenas labores
propias de su sexo. En ciertas
2315 especies de habilidades
la que menos corre, vuela.

D.ª PEPITA

Marqués, a jugar; que estoy
picada de aquella apuesta.

MARQUÉS

¿Y querrá usted desquitarse?

D.ª PEPITA

2320 Sí, pero de otra manera.
Esos juegos carteados
son tan insulsos... Si fueran
de apunte o de envite fuerte...

MARQUÉS

¿Al quince?

D.ª PEPITA

                    Al quince me lleva
2325 la inclinación. Sí, envidado.
Vamos, amiguita. ¿Juega
usted, don Eugenio?

D. EUGENIO

                    ¿Yo?
Sólo por condescendencia;
por afición, nunca.

D.ª PEPITA

                    ¿Y qué?
2330 Si lo toma o si lo deja,
para mí es lo mismo.

D. EUGENIO

    Ahora
voy a dar una respuesta
a doña Clara, mas luego...

D.ª PEPITA

Pues vaya usted, y no vuelva.
2335 ¡Ea! Piérdase de vista.

D. EUGENIO

Lo que he dicho es...

D.ª PEPITA

    ¡Si la tierra
tuviera un escotillón
por que desapareciera
de aquí más pronto!

D. EUGENIO

   Señora...

D.ª PEPITA

2340 ¿No hago yo mayor fineza
en convidarle, que usted
en admitir?

D. EUGENIO

    ¿Quién lo niega?
Obedeceré al instante.

D.ª PEPITA

No me gustan obediencias
forzadas. ¿Marqués?

MARQUÉS

2345   ¡Madama!

D.ª PEPITA

Vámonos.
(*Coge del brazo al* MARQUÉS *como para irse con él.*)

D. EUGENIO

                    Si mi presencia
es la causa del enojo,
ya queda usted libre de ella.
(*Vase.*)

D.ª PEPITA

Agur. La ida del humo.

D. GONZALO

2350   Chica, ¿y conmigo no cuentas?
También soy aficionado
un poco a tirar la oreja.

D.ª PEPITA

Pues venga usted.

D.ª AMBROSIA

Vé delante.
Tenemos cierta materia
2355 pendiente tu padre y yo.
Ya vamos.

D.ª PEPITA

No te detengas.
Al quince, marqués, al quince.

MARQUÉS

A todo lo que usted quiera.

ESCENA X

D. GONZALO y D.ª AMBROSIA.

D.ª AMBROSIA

¿Va usted conociendo ya
2360 las gentes que le rodean?

D. GONZALO

Sí, señora, y descubriendo
más terreno que quisiera.
Me fiaba de un amigo
a quien entregué mi hacienda,
2365 y él me callaba que estoy
en términos de perderla.
Muy prendado de mi hija,

y conservando secreta
intimidad con mi hermana.
2370 Todos son unos. La buena
señora, después de hacerse
la impecable... También ellas
deben de ser todas unas.

D.ª AMBROSIA

Todas no. Yo bien pudiera
2375 citar alguna de quien
es regular que usted tenga
buen concepto, y que le debe
la mejor correspondencia;
que mirando por su casa
2380 de usted, tanto se desvela
en cuidarla que se olvida
de la propia por la ajena
—leve muestra del afecto
sólido que le profesa—,
2385 que para evitar los muchos
riesgos a que vive expuesta
una señorita joven,
huérfana de madre, cela
con esmero su conducta,
2390 la acompaña y la aconseja.
Y en fin...

D. GONZALO

¡Ah, vecina mía!
Basta. No me reconvenga
usted con los beneficios
que su bondad me dispensa.
2395 Sé cómo se sacrifica
por servirme, y, que está hecha
perennemente una esclava
sin apartarse de Pepa.

Sé también, y lo agradezco,
2400   que a no ser porque gobierna
lo económico una amiga
juiciosa, yo no tuviera
ni camisa.

D.ª AMBROSIA

            Pues quien sabe
todo eso, conviene sepa
2405   igualmente cuán injusta,
cuán amarga recompensa
logra ya de sus afanes
la que tan bien los emplea.
¡Ay, amigo don Gonzalo!
2410   Los cuatro años de frecuencia
continua en casa de usted,
y nuestra cordial y estrecha
unión, que a nadie se oculta,
son causa de que hoy padezca
2415   el honor suyo y el mío.
Ya mi opinión anda en lenguas
de las gentes. Los que más
nos favorecen, sospechan
que estamos secretamente
2420   desposados. Otros siembran
voces más perjudiciales
a mi notoria decencia.
No hay que decir más a un hombre
que justamente se precia
2425   de caballero. En sus manos
con gran confianza entrega
su crédito una señora,
para que según conciencia
y pundonor le restaure.
2430   Y si el mérito que alega
de fiel amiga no basta,
baste saber que encomienda

una dama el noble y digno
desagravio de esta ofensa
2435 al mismo que, aunque inocente,
ha dado lugar a ella.
Me explico así precisada.
Perdone usted mi franqueza.

D. GONZALO

Sentiría que persona
2440 a quien debo las finezas
que a usted, llegase a tener
hoy de mí la menor queja.
Pero esos murmuradores
maliciosos se desprecian.

D.ª AMBROSIA

2445 Acá los despreciaremos
nosotros, enhorabuena.
Mas el público, juzgando
por todas las apariencias,
les da asenso; y en usted
2450 consiste el desvanecerlas.

D. GONZALO

Jamás podré yo faltar
a una amiga verdadera.
Pero, señora, mis años...

D.ª AMBROSIA

¡Los años! ¿Qué? ¿Soy yo de estas
2455 calaverillas que pierden
las mejores conveniencias
sólo porque el novio gasta

peluca, y luego se prendan
de un tupé muy bien rizado
2460   y una cabeza muy hueca?
No hay desproporción tampoco.
Usted tendrá los cincuenta...

D. GONZALO

Sí tal. Cumplidos.

D.ª AMBROSIA

                    Y yo
alrededor de los treinta.

D. GONZALO

2465   Ya usted sabe que mi genio...

D.ª AMBROSIA

No le hay en toda la tierra
tan cortado para el mío.
Ambos somos de una escuela:
alegres, sin pataratas,
2470   siempre iguales, y la prueba
es no haber tenido un sí
ni un no.

D. GONZALO

                ¡Ta! Ni Dios lo quiera.
Sólo que amo demasiado
mi libertad, y el sistema
2475   de vida a que estoy tan hecho...

D.ª AMBROSIA

¡Qué inconveniente! Eso fuera
bueno cuando yo imitara
a la difunta en lo seria,
en lo encogida, celosa
2480   y amiga de tomar cuentas
que fue, según me ha contado
usted mismo.

D. GONZALO

Todo eso era.

D.ª AMBROSIA

Conmigo no tendrá usted
ninguna de esas molestias.
2485   Entrará, saldrá. Temprano,
tarde. Que se divierta
a su modo. Haré lo propio.
Viviremos en perfecta
concordia. Pues lo demás
2490   no es matrimonio, es galera.
Yo tengo bastante mundo.
A usted ya nadie le lleva
de los andadores.

D. GONZALO

Ambos
comemos pan con corteza.

D.ª AMBROSIA

2495   Unidos, mas no sujetos,
haremos buena pareja.

D. GONZALO

Está bien... Pero cuidado,
vecina, que ha de ser ésa
la principal condición.

D.ª AMBROSIA

2500   Y yo quiero que lo sea.

D. GONZALO

Así, ya nos convendremos.

D.ª AMBROSIA

Basta la mutua promesa.

D. GONZALO

Rabiará mi hermana.

D.ª AMBROSIA

                    Rabie.
¿Qué necesitamos de ella?
2505   Pepita con el marqués,
yo con usted... Demos priesa
a estas dos bodas. La dicha
de los cuatro ya es completa.

E S C E N A X I

Los dichos y BARTOLO.

D. GONZALO

¿Qué traes de bueno?

BARTOLO

                    Dice
2510   la señorita que espera
       a sus mercees.

D.ª AMBROSIA

Ya vamos.

D. GONZALO

Di: ¿se han marchado de veras
los majos? Me ha parecido
que sonaban allá fuera
las guitarras.

BARTOLO

2515   La verdá,
       señor. Están en la huerta
       de enfrente. Yo les [he] [55] icho

---

[55] [*he*]: He suplido este verbo auxiliar, que, al parecer por errata de la
edición príncipe, falta en todas las ediciones consultadas, pero que es indispensable para la sintaxis y el metro; y aun así hay que leer este octosílabo
con hiato entre la *e* de *de* y la de *enfrente*, o entre la *e* de [*he*] y la *i* de *icho*,

que tan presto no se jueran,
porque aunque la señorita
2520 los despachó, me hice cuenta
de que aquello era un arranque,
y que a la postre...

D. GONZALO

¡Ocurrencia
muy feliz! Anda, Bartolo,
y diles que al punto vuelvan.
(A D.ª AMBROSIA.)
2525 Se les llamará a su tiempo
para celebrar la fiesta.

BARTOLO

¡Miren qué bien hice yo
en guardar las castañuelas!
(Vase.)

D.ª AMBROSIA

¡Venturoso día! Vamos,
esposo.

D. GONZALO

2530   Vamos, parienta.
¡Viva la alegría!

preferentemente en este segundo caso, para que el verso resulte cabal. Hay
un ejemplo de *he icho* con sinalefa en el v. 88. Comp. los hiatos *le igo* y *lo igo*
en los vv. 2539 y 2563. En el presente caso como en los otros se pierde la *d*
de *dicho* (> *icho*) por su posición intervocálica.

D.ª AMBROSIA

¡Viva!
¡Y muera la envidia!

D. GONZALO

¡Muera!

ACTO TERCERO

ESCENA I

D.ª CLARA, *el* TÍO PEDRO *y* BARTOLO.

D.ª CLARA

¿Conque, según usted dice,
todavía están jugando?

TÍO PEDRO

2535 Sí, pardiez; y en too el día
llevan traza de dejarlo.
Pero envidan los doblones
como si jueran ochavos.
Ya le igo a su mercé,
2540 yo vengo escandalizao.
Verdá es que nunca he visto
jugar sino acá en el campo
a los probes, algún día
de fiesta, la brisca a cuarto.
2545 Pero aquello es divertirse
con cuatro amigos un rato,
y no tirarse lo mesmo
que si no jueran cristianos.

BARTOLO

¡Ay, tío Pedro! Si en Madril,
2550 sigún a mí me han contao,

485

hay hombre que en una noche...
¿en una noche?... en un cuarto
de hora, pierde cuatro veces
más de lo que un hortelano
2555 como yo, con cinco riales,
gana sudando en un año.

TÍO PEDRO

Serán ricotes.

BARTOLO

Se entiende.
Y más si tienen vasallos
que se lo ganen.

TÍO PEDRO

Aquéllos,
2560 ¿qu'han d'hacer sino jugarlo?

D.ª CLARA

¿Y dice usted que quien pierde
más que todos es mi hermano?

TÍO PEDRO

Lo igo porque aunque pierda
la señorita otro tanto,
2565 y lo mesmo doña Ambrosia,
naide paga sino el amo;
y diz que del cuero salen
las correas. Supongamos
que el buen marqués a toícos
2570 me los iba ya pelando.

BARTOLO

Estos así son dichosos
en cuanto ponen la mano...
Y el amo y la señorita
como le hacen tanto caso...
2575 No me engañará él a mí,
con todo que soy un macho,
ni a usté tampoco, ¿es verdá,
señora?

ESCENA II

Los dichos y D. BASILIO.

D. BASILIO

                 ¡Qué es lo que acabo
de ver! No es posible esté
2580 en su juicio mi cuñado.
Ni él ni su hija ni su amiga
saben ya cómo ni cuánto
pierden. El marqués se ríe
de verlos precipitados,
2585 los pica, los atolondra;
y ellos se van empeñando
con ansia de desquitarse.
¡Qué demencia! Y no es lo extraño
que hayan perdido el dinero
2590 que traían, porque al cabo
será corta cantidad;
mas jugando ya con tantos,
nuestra sobrinita, en fuerza
de su genio arrebatado,
2595 se ciega, envida sin tino;

y por un cálculo saco
que con quinientas medallas
no pagará don Gonzalo
la pérdida de los tres.

D.ª CLARA

¿Qué dices?

D. BASILIO

2600   Y he reparado
que el marqués no juega limpio.

D.ª CLARA

¿También ésa?

D. BASILIO

Por debajo
de la mesa al disimulo
sacaba de cuando en cuando
2605 naipes para completar
el punto de quince...

TÍO PEDRO

¡Rayo!

D. BASILIO

Sin duda en la faltriquera
los traía preparados.

D.ª CLARA

No puedo yo consentir
2610   exceso tan temerario
de unos y otros. Allá voy.

D. BASILIO

¿Qué pretendes?

D.ª CLARA

Remediarlo.
(*Vase por la izquierda.*)

D. BASILIO

Mi hermano toda su vida
ha de ser un perdulario.

TÍO PEDRO

2615   Aquel señor forastero
que ahora poco ha llegao,
y que usté quiso que entrara
a descansar en mi cuarto,
allá se ha queao solo.
2620   Yo voy a ver si quiere algo.

D. BASILIO

Dígale que volveré
a estar con él; que entretanto
se mantenga oculto allí,
y que ya tendré cuidado

2625   de avisarle se presente
        aquí cuando llegue el caso.

                        TÍO PEDRO

        Él dijo que a doña Ambrosia
        es a quien viene buscando.

                        D. BASILIO

        A su tiempo la verá.
        Yo me entiendo.

                        TÍO PEDRO

2630   Pues me marcho.
        (Vase.)

                        D. BASILIO

        Ya, por fin, el mayordomo
        parece que te ha sacado
        del cuerpo aquel gran secreto.

                        BARTOLO

        Quise al prencipio callarlo,
2635   pero dempués dije: No,
        aquí hay algún contrabando;
        porque meter doña Ambrosia
        un papelito doblao
        drento de la faltriquera
2640   de aquel señor mientras tanto
        que él y el marqués y el marqués
        y él estaban enzarzaos,
        no, no me dio buena espina,
        ni tampoco lo que hablaron,

2645   cuando se jue don Ugenio,
        la viuda y el perroquiano.

D. BASILIO

Deja, que con ese aviso
luego se pondrán en claro
ciertas cosas.

BARTOLO

                        Bien pudiera
2650   su mercé dicirme en pago
        qué caballero es aquél
        que está tan agazapao
        en el cuarto del tío Pedro,
        desque su mercé en el patio
2655   le vido y le habló. ¿Vendrá
        a la junción convidao?

D. BASILIO

Ya tendrá su parte en ella.
Vé a recoger su caballo.

BARTOLO

Voy corriendo...
(Hace que se va y vuelve.)
                        Mire usté,
2660   yo estaba tras de aquel árbol
        cuando el marqués y la viuda...

D. BASILIO

Todo lo sé...

BARTOLO

Es que yo callo
muchas cosas...

D. BASILIO

Vete, vete.

BARTOLO

Pero también, cuando hablo, hablo.

ESCENA III

D. Gonzalo y D.ª Clara, *que salen por la izquierda.*
D. Basilio; *y* Bartolo, *que habiendo hecho ademán de irse,
se queda un poco retirado.*

D.ª CLARA

2665 No estaba presente yo;
      que ya lo hubiera estorbado,
      y no te precipitara
      tu ceguedad en el lazo
      que te armaba un hombre astuto.
2670 Bien lo pagas. Pero extraño
      contribuyas a que Pepa,
      sobre todos sus resabios,
      se aficione a un juego fuerte,
      origen de mil estragos.

D. GONZALO

2675 Cierto que es mucho el dinero
      que el marqués nos ha ganado,
      mas todo se queda en casa.

D. BASILIO

¿Qué cuentas haces, hermano?

D. GONZALO

Como él ha de ser mi yerno,
2680   al ajustar los contratos
eso menos llevará
en el dote.

D.ª CLARA

                    ¡Bien pensado!
¿Conque esa boda es segura?

D. GONZALO

Ésa y otra.

D.ª CLARA

¿Cuál?

D. GONZALO

                        Me caso
2685   con mi amiga doña Ambrosia.

D.ª CLARA

Pero ¿cómo?

D. BASILIO

Pero ¿cuándo?

D. GONZALO

¿Cómo? Queriendo los dos.
¿Cuándo? Muy pronto.

D.ª CLARA

                              ¡Gonzalo!

D. GONZALO

        Ya te diré los motivos,
2690   que son muy extraordinarios.
        (*Reparando en* BARTOLO.)
        Pícaro, ¿qué haces ahí?
        Él nos estaba escuchando.

BARTOLO

        No, señor. ¿Lo de esas bodas?
        No tengo ya que escucharlo.
2695   Desque he vinío yo aquí
        la otra vez con un recao,
        la señora doña Ambrosia
        y usté no estaban hablando
        más que de eso.

D. GONZALO

                        ¡Ea! ¿Qué esperas?

BARTOLO

Si mandan algo...

D. GONZALO

2700   Mandamos
que nos dejes.

(*Vase* BARTOLO.)

D. BASILIO

(*A* D. GONZALO.)
                       Bien dispones
tus proyectos. Yo oigo y callo;
pero sé que en descubriendo
cierto secreto que guardo,
2705 ni tú has de querer ya dar
a tu vecina la mano,
ni mi sobrina al marqués.

D. GONZALO

¿Cómo así?

D. BASILIO

                No lo declaro
por ahora. Lo sabrás
2710 dentro de muy breve rato
cuando estén juntos aquí
todos los interesados.
(*Vase.*)[56]

---

[56] En la edición príncipe esta acotación aparece tan sólo en la lista de
"Erratas" al final del texto (p. 141), junto con la indicación de que se ha de
insertar en este lugar. No obstante, no se recogió esta corrección ni en la
edición de 1805 ni en la suelta sin año.

D. GONZALO

¡Buenos misterios!

D.ª CLARA

            Escucha.
¡Que seas tan insensato!
2715 ¡Que no consultes las cosas!
¡Y que tengas tan cerrados
los oídos para todos
los que bien te aconsejamos!
¡Sólo doña Ambrosia puede
2720 contigo! ¡Sólo el incauto
proceder, el mero antojo
de una niña y sus disparos
han de ser la ley, la norma
de tu conducta!

D. GONZALO

            He soltado
2725 una palabra al marqués,
otra a doña Ambrosia, y me hallo
en precisión de cumplirlas.

D.ª CLARA

Eso es, pundonor exacto
en el cumplimiento de ellas;
2730 y en darlas, ningún reparo.
Tu hija y su amiga son locas.

D. GONZALO

¡Vaya, que te has levantado
hoy de malísimo humor!

Pero, hermana, hablemos claros.
2735 Ya que tachas sus acciones
y las mías,
(*Bajando la voz.*)
                    por lo bajo
te prevengo que reformes
las tuyas.

D.ª CLARA

                Y yo, por alto,
respondo que no podrás
2740 hacerme ni un leve cargo.

D. GONZALO

Uno y gordo.

D.ª CLARA

Será injusto.

D. GONZALO

Meta cada cual la mano
en su pecho. Todos tienen
por qué callar. Pues ¿acaso
2745 que Pepa quiera al marqués
es algún delito raro?
¿No son solteros? Pues todo
se compone con casarlos.
Pero tú, que das lecciones
2750 de cordura y en tu estado,
ya ves que tanta amistad
con don Eugenio da campo
para que las gentes crean...

D.ª CLARA

Creerán lo que es muy falso.
2755   Faltara conversación
         divertida en los estrados
         si la malicia dejase
         de suponer que en el trato
         de personas de dos sexos
2760   hay siempre algún fin dañado.
         ¿Mujer y tener amigo?
         No se ve ya ese milagro.
         ¿Hombre y amiga? Imposible.
         ¿Quién la trata más? Fulano.
2765   Ése es el cortejo, amante,
         galán, pique, mueble, trapo.[57]
         Y porque cuatro indiscretas
         o fáciles han cobrado
         la opinión que doña Ambrosia
2770   y la que desde hoy presagio
         cobrará también tu hija,
         si no se precave el daño,
         ¿han de perder su buen nombre
         las mujeres de recato?

D. GONZALO

2775   Pero poco a poco, hermana.
         Mi juicio no es temerario;
         y si lo he de decir todo,
         cuando dos se hacen regalos

[57] *pique, mueble, trapo:* En el *Diccionario de Autoridades,* sobre *trapo,*
se lee: "En estilo familiar se toma también por el galán o la dama de baja
suerte; más comúnmente se dice *trapillo*". El sentido de *pique* y *mueble* se
aclara por la enumeración de sinónimos de que forman parte, aunque en
los diccionarios no están registrados con la acepción que tienen aquí. Tampoco aparece ninguna de estas tres voces con el valor de "galán" en la *Óptica
del cortejo,* de Ramírez, auténtico manual de las técnicas del galanteo en
la época de Iriarte.

como un reloj, verbigracia,
2780 para que el enamorado
sepa a qué hora fue dichoso,
o un bolsillo muy profano
con sus letras... Ya me entiendes.

D.ª CLARA

Lo entiendo, y no satisfago
2785 a indignas reconvenciones.
Bolsillo y reloj son ambos
dones míos, y con ellos
celebro mucho haber dado
a don Eugenio una muestra
de cordial afecto.

D. GONZALO

2790   Estamos
de la otra parte. ¿Qué más,
si el reo canta de plano?

D.ª CLARA

En público lo diré,
y sin el menor empacho.
2795 Pero sólo he de dar cuentas
a mi esposo, no a un hermano
que con sospechas inicuas
hace el más sensible agravio
a una hermana que se precia
2800 de tener muy bien sentado
su crédito en esta parte.
No es posible que vivamos
unidos. Bien dije que era
inútil reconciliarnos.
2805 Ya que con tan poco honor
piensas de mí, lo acertado
será no volver a vernos.

Mi único fin, mi conato
era impedir el desorden
2810 de tu casa. Ya no es arduo
mi empeño, es inasequible
si algún pronto desengaño
no te escarmienta; y así,
¿de qué sirve incomodarnos?
2815 Da esa madrastra a tu hija;
goce en propiedad el mando
la que tanto abusa de él
teniéndole de prestado.
Ese charlatán viajante
2820 sea, pues, depositario
de tu confianza y bienes.
Ambos te darán el pago.
Yo me vuelvo a mi retiro.

D. GONZALO

No, Clara, no.

D.ª CLARA

Sí, Gonzalo.

ESCENA IV

D.ª CLARA, D. GONZALO y D. EUGENIO.

D. EUGENIO

2825 Me pesa mucho de hallar
a ustedes así altercando.
Haya paz, buena armonía.
Pero ya veo que valgo
muy poco con el señor

2830 desde que ha desconfiado
de mi verdad y honradez.
¿Ninguno de mis descargos
ha de poder convencerle?

D. GONZALO

Ya he dicho que suspendamos
2835 eso para otra ocasión.

D. EUGENIO

Mi crédito está empeñado,
y antes de veinte y cuatro horas
ofrezco ponerle en salvo.
Tengo amigos que me abonen,
2840 y el primero es su cuñado
de usted.

D. GONZALO

¿Don Basilio? Vaya.
Sea enhorabuena que ambos
se lleven bien, y uno a otro
se favorezcan.

D.ª CLARA

Al caso.

D. EUGENIO

2845 Entregaré puntualmente,
al instante que volvamos
a Madrid, el principal
que usted ha depositado
en mi poder.

D. GONZALO

Eso.

D. EUGENIO

Y luego
2850   espero probar que es falso
aviso el de que padezca
mi fábrica menoscabo;
porque esa voz, difundida,
puede causarme un quebranto
verdadero.

D. GONZALO

2855   Bien está.
Sí, sí, los cuartos, los cuartos.
Todo lo demás es paja.

D.ª CLARA

¡Que así procedas, hermano!
Te conocí generoso;
ya no lo eres.

D. GONZALO

2860   Me he mudado
lo mismo que las juiciosas
que han estado edificando
con su virtud y después,
alborotadas de cascos,
2865   hacen lo que muchas locas

de quienes murmuran tanto.
Ustedes tendrán que hablar.
A lo menos no sirvamos
de estorbo. Adiós.
(*Vase por la puerta de enfrente.*)

D.ª CLARA

                    No es el genio
2870 de este hombre inconsiderado
para mi formalidad.
Aquí se viene acercando
otro que tal. El marqués.
Voyme, porque sin enfado
2875 no puedo ya resistir
su parola y su descaro.

(*Vase* D.ª CLARA *por la derecha; y sale el* MARQUÉS
por la izquierda deteniendo a D. EUGENIO, *que hace
ademán de irse con* D.ª CLARA.)

ESCENA V

El MARQUÉS *y* D. EUGENIO.

MARQUÉS

Don Eugenio, una palabra.
Celebro haber arribado
a tiempo de hallarle solo.
2880 ¿Qué entendió usted decir cuando
le hizo ver aquellos versos
doña Ambrosia? Es necesario
que en un pequeño detalle
me lo explique.

D. EUGENIO

Precisado
2885 a dar mi dictamen, dije
no estaban en castellano.

MARQUÉS

Fue un insulto.

D. EUGENIO

¿Contra quién?

MARQUÉS

Contra el autor.

D. EUGENIO

No constando
su nombre, a nadie ofendí.
2890 Censuré unos versos malos,
y no más.

MARQUÉS

Pues yo los hice.

D. EUGENIO

Lo siento, mas no retracto
mi opinión.

MARQUÉS

¿A mí que soy
académico honorario
2895   de los Árcades de Roma?[58]
¿A mí, que entre ellos me llamo
Holocosmo Girabundo?[59]
Necesito un desagravio
de ultraje tan revoltante...[60]
2900   Pero estamos desarmados.

D. EUGENIO

Aun no estándolo, no riño
por debates literarios.

MARQUÉS

Pues bien, señor. Yo por todo
lo que me afecta me bato.

D. EUGENIO

2905   No lo merece este asunto.

[58] *Árcades de Roma:* Así se llamaba la célebre academia poética anti-marinista, de vida muy larga, fundada en Roma en el siglo XVII por Gravina y Crescimbeni, con el patrocinio de la reina Cristina de Suecia. Al ingresar en la academia, los miembros tomaban nombres simbólicos, como de pastores griegos; y también imitando lo pastoril, se reunían al aire libre. Se recibía "entre los Árcades" a poetas y mecenas de toda Europa y América. Por ejemplo, los dos Moratines fueron Árcades.

[59] *Holocosmo Girabundo* (gr. y esp., "que se pasea por todo el mundo"): Es una parodia de los rumbosos nombres griegos que los Árcades de Roma tomaban al entrar en la academia cosmopolita fundada en 1690 por quienes frecuentaban el salón romano de la reina Cristina. Por ejemplo, los nombres pastoriles de los Árcades Nicolás y Leandro Fernández de Moratín fueron Flumisbo Thermodonciaco e Inarco Celenio. La frase "entre ellos" del verso anterior es una alusión al hecho de que en las portadas de sus libros los Árcades solían hacer imprimir sus nombres griegos, a continuación de sus nombres corrientes, precedidos o seguidos aquéllos de la frase explicativa "entre los Árcades de Roma".

[60] *revoltante* (adjetivo francés [*révoltant*] con terminación española): escandaloso.

MARQUÉS

Yo tuve por igual caso
con un milord, que era inglés,
un duelo de los más raros.

D. EUGENIO

Siendo lord, supongo no era
2910   ruso, alemán ni polaco.
Pero él hizo mal; pues nunca
dicta el pundonor al sabio
que enmiende con el acero
lo que la pluma ha pecado,
2915   y a la fuerza de razones
oponga fuerza de brazos.

MARQUÉS

Haré público este duelo,
y que usted no le ha aceptado.

D. EUGENIO

Enhorabuena. Sabrán
2920   que conservo el juicio sano;
que no tocan al honor
cuestiones sobre vocablos,
las cuales, no con la espada,
con los libros en la mano
2925   se aclaran. A esto me obligo,
a este desafío salgo.

MARQUÉS

Muy bien va. Disputaremos
por escrito.

D. EUGENIO

                Presentando
usted sus versos, diré
2930   en qué fundo mis reparos.

MARQUÉS

Y yo haré respuesta.

D. EUGENIO

                    Entonces
nombraremos tres o cuatro
jueces hábiles.

MARQUÉS

                De acuerdo.
Me pico de literato
2935   como cualquiera. Con todo,
pretendo que nos batamos,
porque tengo otros motivos...

D. EUGENIO

Si son otros, explicarlos.

MARQUÉS

Usted sabe que Pepita
es ya mía.

D. EUGENIO

2940   Si ese caso
ha llegado, no me consta.

MARQUÉS

Pero está ya contratado
nuestro enlace.

D. EUGENIO

No lo ignoro.

MARQUÉS

Y usted quiere, sin embargo,
seducirla.

D. EUGENIO

2945   Aconsejarla.

MARQUÉS

Es menester decidamos
este punto.

D. EUGENIO

Ella es quien puede
decidir. De su labio
ha de salir la sentencia.
2950 La espada no puede darnos
dominio en su corazón,

porque es acto voluntario
en ella elegir aquel
que halle digno de su agrado.
2955   Si juzga que no lo soy,
¿con reñir lo seré acaso?
Dando muestras de valiente,
las diera de temerario;
y al fin siempre quedaría
2960   igualmente desairado.
Aquí viene.

MARQUÉS

Ella no duda
de la preferencia entre ambos.

ESCENA VI

El MARQUÉS, D. EUGENIO, D.ª PEPITA *y* D.ª AMBROSIA.

D.ª PEPITA

¿Qué es esto? ¿De preferencia
se disputa? Es excusado,
2965   señor don Eugenio mío,
que usted se dé malos ratos.
Desde ahora para siempre
protesto, juro y declaro
que un hombre que galantea
2970   como en duda y al soslayo,
poniendo mil cortapisas
y haciéndose el delicado,
reformador de costumbres,
serio dictador romano,
2975   me choca y me chocará
eternamente. No me hablo
con quien no tome el amor

bien a pechos y a destajo.
Yo con el marqués me entiendo.
2980   ¡Ea! Ya está echado el fallo.

D. EUGENIO

Las voluntades son libres.

D.ª PEPITA

Mucho, y la mía más.

MARQUÉS

¡Bravo!

D.ª PEPITA

Lo dicho, dicho.

D.ª AMBROSIA

Adelante,
¡y viva ese aire de taco!

ESCENA VII

Los dichos y D. BASILIO.

D.ª PEPITA

2985   Sépalo el tío, la tía,
mi padre y todos. No me ando
en contemplaciones.

D. BASILIO

¡Pepa!
¿Contra quién te enojas tanto?

D. EUGENIO

Contra mí. Ya éste es negocio
concluido.

MARQUÉS

2990   Y yo he triunfado
por la obligante indulgencia
de esta beldad, cuyo encanto
hace hoy la felicidad
de mi vida.

D. BASILIO

¿Y has pensado
maduramente?[61]

D.ª PEPITA

2995   Ya sé
de memoria cuantos cargos
tienen ustedes que hacerme.

---

[61] Es evidente que este parlamento de don Basilio se concibió como una
interrogación, dirigida a Pepita, y así he suplido los signos de interrogación
que faltan en todas las ediciones anteriores.

MARQUÉS

A maravilla. Yo parto
a informar de un tan brillante
3000 fortunón a don Gonzalo.
(Al tiempo de irse, retrocede y continúa.)
¡Ah, doña Ambrosia! ¿Y mis versos?
Usted los tendrá guardados.

D.ª AMBROSIA

(Sacando unos cuantos papeles.)
Aquí están.

MARQUÉS

Si usted se toma
la molestia de entregarlos
3005 al señor, él hará de ellos
un crítico comentario
que ha ofrecido. Imprimiré
la respuesta que preparo,
y la han de dar los jornales [62]
3010 extranjeros mil aplausos.
(Vase.)

D.ª AMBROSIA

*(Reconociendo los papeles, y revolviendo las faltrique-
ras de las cuales va sacando otros.)*
No parecen estos versos.
Ellos estaban mezclados
con los papeles que sabes,
Pepita... Aquéllos...

----

[62] *jornal,* por *periódico* o *diario,* pues el marqués piensa en la voz francesa
journal.

D.ª PEPITA

      Ya caigo.
3015 Es finísimo el marqués.
    (A D. EUGENIO.)
    Sepa usted que me ha entregado
    los billetes amorosos
    de las damas que aceptaron
    sus obsequios en Italia,
3020 y en Nápoles y otros varios
    países.

D. EUGENIO

      Si usted supiera,
    según mis consejos, algo
    de geografía, nunca
    pensara que está situado
3025 Nápoles fuera de Italia.

D.ª PEPITA

Poca erudición. Al grano.
Ello es que el marqués...

D.ª AMBROSIA

          No doy
con tales versos.

D.ª PEPITA

    Buscarlos.
Ayude usted, don Eugenio.

D. EUGENIO

(Tomando y reconociendo algunos de los papeles.)
3030   A ver éste. Es italiano.
Éste, francés. También éste.

D.ª AMBROSIA

¿A que no los encontramos?

D. EUGENIO

Aguarde usted... Ésta es letra
del marqués... En castellano
3035   está el papel... Pero es prosa...
y borrador... ¡Oh, qué hallazgo!
(Lee:)

"Señor don Gonzalo de Medina
    Muy señor mío: Aunque no tengo el honor de
conocer a usted sino de reputación, la probidad
me exhorta a comunicarle..."

Así empezaba la carta
que recibió don Gonzalo.

D. BASILIO

Sí; la letra es del marqués.
3040   Ya se descubrió el arcano.

D.ª AMBROSIA

Será otra carta.

D. EUGENIO

La misma.

D.ª AMBROSIA

O copia que le habrá dado
don Gonzalo.

D. BASILIO

Es borrador.

D. EUGENIO

Y estotro, si no me engaño,
3045   el de la carta que hallé
en mi bolsillo. Leamos:

"Señor don Eugenio de Lara
    Muy señor mío: Yo me hago un deber de hacer
saber a usted que en la fábrica que tiene en esta
villa..."

Todo es suyo, hasta el lenguaje.
Don Basilio, estoy pasmado.

D. BASILIO

Yo no; porque desde luego,
3050   y ya ve usted que no en vano,
malicié que en este embrollo
andaba el marqués.

D.ª AMBROSIA

          A espacio.
Vengan esas cartas.

D. BASILÍO

                    No,
perdone usted. En mis manos
3055   están bien depositadas.
Son útiles, y las guardo.

D.ª AMBROSIA

Mire usted que así lo pide
una dama.

D. BASILIO

                    No la falto
al respeto en lo demás,
3060   pero en esto es necesario
no la obedezca; pues debo
salvar luego con tan claros
documentos la inocencia
de este caballero honrado.
(Vase.)

D.ª PEPITA

3065   Yo no entiendo este embolismo.

D.ª AMBROSIA

Es un lance extraordinario
acá para entre nosotros.

D. EUGENIO

(Volviendo todos los papeles a D.ª AMBROSIA, *menos uno.)*
Ya no nos hacen al caso
estos papeles.

D.ª PEPITA

¿Qué tal?

D. EUGENIO

3070   No me importa examinarlos.
Al fin, aquí ha parecido
el que estábamos buscando.

D.ª PEPITA

¿Las coplas?

D. EUGENIO

                    Cierto. Aunque escribe
el marqués versos tan malos,
3075   su prosa es mucho peor.

D.ª AMBROSIA

Don Eugenio, no partamos
de ligero. Podrá dar
el marqués tales descargos.

D. EUGENIO

Ninguno habrá suficiente.

D.ª PEPITA

3080   ¿Me dirán ustedes cuándo
dejan la conversación?
Yo en eso no entro ni salgo.
Señor mío, a nuestro asunto.
He dicho a usted que a mi lado
3085   cuanto menos tiempo gaste
será lo mejor.

D. EUGENIO

                    Mi engaño
ha cesado ya, señora.
Ya la excusaré el cansancio
de oír mis exhortaciones.
3090   Que usted haya despreciado
mi obsequio y buena intención
me es sensible; pero gano
a costa de este desaire
un gran bien, averiguando
3095   no seríamos felices
con genios tan encontrados.
Conocerlo tan a tiempo
nos asegura el descanso.
¡Ay de otros a quienes llega
3100   más tardío el desengaño!

D.ª PEPITA

¡Muy bien exclamado! Ahora
pudiera usted decirme algo

de aquello de falsa, aleve,
ingrata, homicida... ¡Vamos!

D. EUGENIO

3105   ¿Yo injuriar a quien me saca
de un error? Bien al contrario;
rendidas gracias la doy
por favor tan señalado.
Señora, a los pies de usted.

D.ª PEPITA

(Remedándole.)
3110   Señor, beso a usted las manos.

(Vase D. EUGENIO.*)*

D.ª PEPITA

Por esta vez me parece
que no lleva mal despacho.

D.ª AMBROSIA

Te portas. Pero, amiguita,
me tiene con sobresalto
3115   el grandísimo descuido
del marqués. ¡No haber quemado
aquellos dos borradores!
¡Mal negocio! ¡Y por qué tanto
los fue a mezclar con los otros
papeles!

D.ª PEPITA

3120   Pues bien. Al cabo,
¿qué resulta?

D.ª AMBROSIA

           Descubrirse
cierto enredillo tramado
para poner mal a ese hombre
con tu padre, y libertarnos
3125 de sus importunidades
y su influjo. Mira un caso
que debes tener presente.
Todo papel reservado
se ha de quemar.

D.ª PEPITA

             Ése y otros
3130 consejos que me vas dando,
tendrán puntual observancia.
Prosigue, que no me canso
de la lección; y aun me quejo
de que en el otro repaso
3135 me dejaste con la miel,
como dicen, en los labios.
Vaya: "Segundos consejos
que dio don Quijote a Sancho".[63]
Empieza, que ya te escucho.
3140 Pero ¿qué estás cavilando?

D.ª AMBROSIA

Tengo ahora mal humor.
Otro día más despacio...

---

[63] Pepita alude al título del cap. XLIII de la segunda parte del *Quijote:*
"De los consejos segundos que dio don Quijote a Sancho Panza".

D.ª PEPITA

Si no estás para ello, ten
a lo menos el trabajo
3145   de oírme, y examinar
si me voy haciendo cargo
de tus buenas instrucciones.
Yo de todas ellas saco
que el disimulo en nosotras
3150   es mueble muy necesario.

D.ª AMBROSIA

Basta la apariencia en todo;
y por eso dijo un sabio
que el siglo de oro, de plata,
de cobre y hierro han pasado,
3155   y es siglo de similor
en el que al presente estamos.

D.ª PEPITA

Todo será que yo pueda
vencer este genio franco.
A fe que no diré entonces
3160   palabra, ni daré paso
sin estudio y precaución.
Yo tendré mis tertulianos. [64]
Entre ellos no es regular
me falten aficionados;
3165   y tomaré mis medidas
para no descontentarlos.
Manejándonos con maña,

---

[64] Sobre los versos siguientes y la *marcialidad* de Pepita, véase el cap. VI
de la Introducción.

aunque ellos se vuelvan Argos,
quien más mira menos ve.
3170   como en los juegos de manos.
Por ejemplo: a los que a solas
trate con más agasajo,
pondré en público mal gesto;
y también será del caso
3175   reñirles bien cuando lo oigan
los que pueden separarnos,
y aun hacer me reconvengan
sobre lo mal que los trato.
Además, me iré con tiento
3180   en llevarlos siempre al lado;
pues, aunque veo que es duro
privarnos de aquel gustazo
de lucir una conquista,
reflexiono, sin embargo,
3185   que las exterioridades
nos pierden tarde o temprano.

D.ª AMBROSIA

Bien dices. Las diversiones
han de ser sin aparato;
y cuando el humo se vea,
3190   ya ha de estar quemado el cuarto.

D.ª PEPITA

Lo que también me parece
disparate es que tengamos
criadas lindas, a pique
de que den al ama un chasco.

D.ª AMBROSIA

3195   No convienen dos figuras
principales en un cuadro.

D.ª PEPITA

Ahora, el escoger bichos
para pajes y lacayos
será indecente.

D.ª AMBROSIA

         A lo menos,
3200   hoy es gala lo contrario.

D.ª PEPITA

Oye, otra cosa me ocurre.
Por si acaso hay hombres raros,
como ese buen don Eugenio,
que se quejen de que estamos
3205   por conquistar, y pretendan
que debemos saber algo,
ya procuraré tener
algunos libros sembrados
o cerca del tocador
3210   o en las mesas. Ostentando
que leemos, basta; y luego
que vengan a averiguarlo.
En nuestras conversaciones
ya ves que no fatigamos
3215   el discurso. Cuando alguna
se vaya formalizando,
con un *ya, bien, ¿pues no digo?,*
estamos fuera del paso.
Lo mismo hacen muchos hombres,
3220   y los llaman ilustrados. [65]

---

[65] Este parlamento revela de nuevo la influencia de *Los eruditos a la violeta,*
de Cadalso.

D.ª AMBROSIA

Admirada estoy de oírte.

D.ª PEPITA

Es que me voy desasnando.

D.ª AMBROSIA

¿Si se infundirá esta ciencia
con la leche que mamamos?
3225   Mas vamos a lo que importa,
Pepita. ¿No te ha picado
aquella serenidad,
aquel semblante pacato
con que oyó su despedida
don Eugenio?

D.ª PEPITA

3230   Me ha volado.
¿Sabes que ahora quisiera
atraerle?

D.ª AMBROSIA

                    Ni pensarlo.
Era preciso humillarse,
y hacer papel desairado.
3235   No te lo aconsejo, no.

D.ª PEPITA

Pues ¡ánimo! Prosigamos
correspondiendo al marqués,

D.ª CLARA

Sosiégate.

D. GONZALO

                    Pues libre
y sin costas. Si hay engaño,
3325   que no valga. Hermana mía,
perdóname. Compongamos
todas las desavenencias;
y lo pasado, pasado.
Pepa es del marqués y mía
3330   doña Ambrosia. El trato es trato,
que le apruebes, o que no.
(Gritando.)
¡Bartolo! Señores, vamos
a pensar en divertirnos.

ESCENA IX

Los dichos, BARTOLO *y el* TÍO PEDRO.

TÍO PEDRO

Anda, hombre; que llama el amo.

BARTOLO

¿Señor?

D. GONZALO

3335   Ya puede venir
esa cuadrilla de majos.

D.ª PEPITA

¿Todavía no se han ido?
Me alegro.

BARTOLO

              Voy a buscarlos.
(Vase.)

D. GONZALO

Pues mientras vienen, sentarse;
3340 que va a empezar el fandango.

D.ª CLARA

Puedes celebrar tus dichas,
con tal de que no asistamos
mi esposo, ni don Eugenio
ni yo. Basilio, ¿has mandado
que pongan mi coche?

D. BASILIO

3345   Sí.

D. GONZALO

¿Y qué? ¿No hay más que plantarnos?

D.ª PEPITA

Vayan muy enhorabuena.
Nos quedaremos los cuatro:

padre, madrastra, hija y yerno.
3350 A ver si nos libertamos
de pesadeces...
(Mirando hacia la izquierda.)
                              ¿Quién viene?
¿El marqués? No, el estirado
señor de las reflexiones.

E S C E N A X

Los mismos y D. Eugenio.

D. EUGENIO

(A D.ª Clara.)
¿Es hora de que partamos?

D.ª PEPITA

Al punto.

D. BASILIO

3355   Hay mucho que hacer.

D. EUGENIO

La experiencia me ha mostrado
que para amigo del padre
ya no soy bueno, y soy malo
para amante de la hija.

D.ª PEPITA

3360 Lo segundo sí que es claro.

D. EUGENIO

Mi pretensión era necia,
y desde ahora levanto
la mano de ella.

D.ª PEPITA

         Acabemos.
No venga usted presentando
3365 más memoriales, porque
ya he puesto al margen: *Negado*.
Y el provisto...
(Señalando al marqués que llega.)
         Mire, mire.

ESCENA XI

Los dichos y el MARQUÉS.

MARQUÉS

¿Todo el mundo aquí? ¿Y yo falto?

D. BASILIO

Muy a tiempo llega usted.
3370 Para tu gobierno, hermano,
la fábrica de este amigo
no experimenta desfalco,
y el aviso que hoy aquí
has recibido es muy falso.
3375 Mira el borrador de letra
de tu marqués que ha inventado
la noticia.

MARQUÉS

¿Cómo es esto?

D.ª AMBROSIA

Lo ha descubierto un acaso.

D. GONZALO

Ya lo veo. Marqués mío,
3380   todo lo que huele a engaño
me disgusta.

MARQUÉS

            La verdad
es, señor, que yo, ocultando
mi nombre, he dado este aviso
tan interesante. Salgo
3385   garante de que es seguro,
y por hacer bien a entrambos...

D. GONZALO

¡Ah! ¿Fue caridad?

MARQUÉS

            Sin duda.
No tuve otro fin.

D. BASILIO

            A espacio.
Hoy doña Ambrosia y usted
3390   dispusieron y lograron

introducir al señor,
cogiéndole descuidado,
la otra carta en el bolsillo
con ocho días de atraso
3395 en la fecha, de lo cual
le resultó un grave cargo.
     (*A* D. GONZALO.)
Mira el borrador.

                    D.ª AMBROSIA

Repare usted, don Gonzalo,
que enemigos envidiosos
3400 tiran a desconceptuarnos,
y se valdrán de ficciones...

                    D.ª CLARA

Señora, no las usamos.

                    D. BASILIO

Bartolo, que fue testigo
del lance, lo ha declarado.

                    D.ª AMBROSIA

3405 ¿Y contra gentes de honor[66]
se ha de dar crédito a un payo
malicioso?

---

[66] *honor:* La edición príncipe tiene *honra*, pero en la lista de "Erratas"
impresa al final de ella se da la corrección aquí recogida; corrección sin la
cual el verso queda defectuoso. Sin embargo, no se incorporó enmienda
métrica tan necesaria a la edición de 1805. Esta vez sí se introdujo la corrección en la edición suelta sin año, quizá basada directamente en la príncipe

MARQUÉS

¡Que esta intriga
nos meta en un embarazo!

D.ª AMBROSIA

Chismes, enredos.

D. GONZALO

Con todo,
3410 es menester aclararlos.

D.ª CLARA

¿Aún dudas?

D.ª PEPITA

¡Ea! Ya suena
la música. A lo que estamos.

ESCENA XII

Los mismos. BARTOLO *y la cuadrilla de* MAJOS. *Éstos salen tocando y bailando el fandango con mucha algazara; y apenas han dado unas cuantas vueltas, hace* D. BASILIO *suspender la música.*

D. BASILIO

Callen ustedes. Tenemos
por ahora otros cuidados.

D.ª PEPITA

3415   Pues téngaselos usted,
       y déjenos. ¡Échale agrio!
       Vamos allá, padre mío.
       Seguidillas entre cuatro:
       doña Ambrosia y usted, yo
3420   con el marqués. Los nombrados.

       (D. GONZALO *con* D.ª AMBROSIA *y* D.ª PEPITA *con*
       el MARQUÉS *salen al medio del tablado, colocándose*
       como para bailar seguidillas.)

D.ª CLARA

Quédate con Dios.

D. GONZALO

¿De veras?

D. BASILIO

De veras nos ausentamos.
Pero antes tengo dispuesto
dar a todos un buen rato.
3425   Tío Pedro, llegó la hora
de que salga de su cuarto
de usted aquel caballero.
Que venga.

TÍO PEDRO

Allá voy volando.
(Vase.)

D. BASILIO

Advierto primeramente
3430 que aquí no necesitamos
testigos de fuera. Importa
que nos dejen libre el campo
estos señores.
(Señalando a los MAJOS.)

D.ª PEPITA

Están
bajo mi sombra, a mi mando;
3435 y no les han de hacer otro
desaire como el pasado.

D. BASILIO

Bien. Puede ser que te pese.

D.ª PEPITA

Se han de quedar.

D. BASILIO

Por quedados.

D. GONZALO

¿Qué viene a ser eso?

D. BASILIO

Aquí
3440 ha llegado preguntando

por doña Ambrosia un sujeto,
que no habiéndola encontrado
en su casa, supo estaba
en esta función de campo,
3445   y viene a darla noticias
que la importan. Me persuado
que con su informe podrá
descubrirse el bribonazo
por cuya maldad quebró
3450   aquel negociante honrado,
marido de esta señora.

(El MARQUÉS *se inmuta.)*

D.ª AMBROSIA

¿Qué dice usted? Fuera hallazgo
bien dichoso para mí.

D. BASILIO

¿Conoció usted por acaso
al picarón?

D.ª AMBROSIA

3455   No, mi esposo
tenía en el cuarto bajo,
como suelen otros muchos
negociantes, su despacho;
y yo vivía en el piso
3460   principal, sin tener trato
con los que iban a negocios
de comercio. Don Eustaquio
de qué sé yo qué dijeron
que se llamaba el malvado,
3465   pero ni una vez le vi.
Le ahogara entre mis brazos...
¡Traidor, infame!

ESCENA ÚLTIMA

Todos los interlocutores de la comedia. D. CARLOS, vestido de camino, con botas y un sable o cuchillo de monte. Los MAJOS retirados hacia el foro.

D.ª AMBROSIA

¿Qué es esto?
¿Eres tú? ¡Sobrino! ¡Carlos!

(D. CARLOS abraza a D.ª AMBROSIA. Entretanto el MARQUÉS vuelve la espalda a D. CARLOS, temiendo que éste le vea.)

D. CARLOS

¡Querida tía! Señores,
a la obediencia.

D. GONZALO

3470   Atendamos.

(El MARQUÉS hace ademán de irse. D.ª PEPITA le detiene.)

D.ª PEPITA

¿Adónde va usted, marqués?
Quieto aquí siempre a mi lado.

(Durante la conversación siguiente, el MARQUÉS se va a poner con disimulo detrás del TÍO PEDRO, que no estará lejos de D.ª PEPITA.)

D.ª AMBROSIA

No te esperaba tan pronto.

D. CARLOS

Se hubiera alargado el plazo
3475 de mi vuelta si en París
no me hubieran informado
de que el impostor maligno,
don Eustaquio de Bolaños,
por quien mi tío perdió
3480 caudal y vida, y que en vano
me ha hecho viajar por Francia,
Holanda y Países Bajos,
hoy se pasea en Madrid
con título imaginario
3485 de marqués de Fontecalda...

D.ª AMBROSIA

¡Cómo!

D. GONZALO

¡Qué oigo!

D.ª PEPITA

Fuera chasco.

TÍO PEDRO

(*Apartándose a un lado para dejar ver al* MARQUÉS, *que se ocultaba detrás de él.*)
Aquí está su señoría.

D. CARLOS

(Echando mano al sable y queriendo acometer al
Marqués.*)*
Él es... ¡Indigno, villano!
(D. Basilio *y* D. Gonzalo *contienen a* D. Carlos,
que suspende la acción. El Marqués, D.ª Ambrosia,
D.ª Pepita *y todos los demás circunstantes se quedan
como pasmados; y después de un corto rato de silencio,
prosigue* D. Carlos*:)*
Aquí mismo morirás,
3490   como des un solo paso.

D. GONZALO

¡Doña Ambrosia! ¿Y era usted
madrina de tal ahijado?

D.ª AMBROSIA

¡Ah! Yo estaba protegiendo
a mi mayor adversario.
3495   Carlos, ¿por quién lo has sabido?

D. CARLOS

Por quien me ha dado el encargo
de que entregase esta carta
al esposo más ingrato.
(Entregando una carta al Marqués.*)*
Lee lo que aquí te escribe
3500   la infeliz que está llorando
tu perfidia, y la dureza
con que la has abandonado.

D.ª PEPITA

¡Casado el marqués!

D. CARLOS

Su esposa
queda en París.

D. GONZALO

¡Caso raro!

MARQUÉS

3505 Es calumnia sorprendente.
Mi carácter ultrajado
se vengará. Estoy sin armas;
que si no, tan fiero estrago
hiciera...

D. CARLOS

Amenazas locas,
3510 que ahora no son del caso.
En una prisión, no aquí,
habrás de dar tus descargos;
que por más que los estudies,
han de ser pocos y malos.

MARQUÉS

¿Quién ha de prenderme?

D. CARLOS

3515   Yo.

D. BASILIO

Y todos los que aquí estamos.

BARTOLO

Sí, señor. Voy a buscar
una soga paa atallo.

D. CARLOS

No es menester. Le tendremos
3520   encerrado en algún cuarto
de esta casa, siendo yo
guarda de vista, entretanto
que se avisa a la justicia.

D. BASILIO

Nosotros, que ahora vamos
3525   a Madrid, daremos parte.

D. CARLOS

Eso conviene.

MARQUÉS

Yo rabio.

D.ª CLARA

¿Qué dices, hermano?

D. GONZALO

Estoy
absorto.

D.ª PEPITA

De buena escapo.

D.ª CLARA

(A D.ª PEPITA.)
Quería llevarte a Italia,
3530   donde tiene sus estados,
dejarte, y comerse el dote.

D. CARLOS

¿Iba a casarse?

D.ª AMBROSIA

Sí, Carlos.

D. GONZALO

Doña Ambrosia, usted me ha puesto
en el precipicio.

D.ª CLARA

Al cabo
3535 has caído ya en la cuenta.

D. GONZALO

He vivido confiado;
y este escarmiento me avisa
que debo atajar el daño.
¡Señora! ¿Y el aderezo
(*A* D.ª AMBROSIA.)
3540 que debía entrar por alto?
Por alto se fue. Usted sabe
que a su instancia y por su mano
entregué los diez mil pesos
a ese hombre de mis pecados.
3545 ¿Cuándo los cobraré yo?

MARQUÉS

¡Hola! Señor, yo he pagado.
Usted ha perdido al quince
algo más que eso, y yo alcanzo
todavía por mi cuenta
3550 unos cien doblones largos.

D. GONZALO

Por ser yo el simple que soy,
me está muy bien empleado.

MARQUÉS

Si al venir el aderezo
le cogen por contrabando
el riesgo es a usted.

D. GONZALO

3555   ¿No digo?
Siempre seré yo el pagano.

D.ª CLARA

¿Y la opinión de tu hija?

D. GONZALO

Como ya se hablaba tanto
en Madrid de su gran boda,
3560   será este lance sonado.

D.ª CLARA

Escandaloso. Y después,
¿me dirás qué hombre sensato
te la pedirá? El remedio
es un colegio, Gonzalo.
3565   Allí podrá corregirse,
ínterin se va olvidando
un suceso tan ruidoso;
sin lo cual apenas hallo
probabilidad de que haya
3570   quien la ofrezca ya su mano.

D. GONZALO

En efecto: me parece
será lo más acertado.

D.ª PEPITA

(Con gran desenfado.)
¿Colegio?

D. GONZALO

Sin remisión.

D.ª PEPITA

No es mi vocación de claustro.
3575 ¡Yo quedarme para tía!
¿Me faltará novio acaso?

D.ª CLARA

¿Y quién será?

D.ª PEPITA

(Con humildad y timidez.)
Don Eugenio,
verbigracia, que ha mostrado
tenerme afición...

D. EUGENIO

(Con dignidad.)
Señora,
3580 he visto que los resabios
de la educación de usted
son algo más arraigados
que creía. Usted perdone.
Otro menos delicado
3585 que yo será más dichoso.

D.ª PEPITA

¡Cómo!
(Patea y hace ademán de arañarse.)

¡Por vida de tantos!
¿A mí...?

D.ª CLARA

Ya ves que la mala
conducta al fin da mal pago.

D.ª PEPITA

(*Abrazándose a* D.ª AMBROSIA.)
¡Amiga!

D.ª CLARA

El desaire sientes;
3590   mas perder por tus desbarros
en don Eugenio un esposo
tan prudente, tan honrado,
es hoy tu mayor castigo.

D. GONZALO

Vecina, me desengaño
3595   de que el ejemplo de usted
y sus consejos viciaron
a esa niña, siendo causa
de cuánto me está pasando.
Quien usa malos ardides,
3600   no espere ya echarme el gancho.

D.ª AMBROSIA

¿Y la palabra, señor?

D. GONZALO

La di medio precisado;
y con lo que he visto, puedo
retractarla, y la retracto.
3605 A la puerta de su casa
dejaré a usted en llegando
a Madrid, y con la mía
no cuente más.

D.ª AMBROSIA

                    ¿Este trato
merece una amiga fiel?

D. GONZALO

3610 Es que ya empiezo a ver claro.

D. CARLOS

Señor marqués, venga usía.

MARQUÉS

¡Oh golpe humillante!

D. CARLOS

                    Vamos,
o a la menor resistencia...

TÍO PEDRO

Agárrele de ese brazo,
y yo de éste.

BARTOLO

3615   Entre los dos
va muy bien asigurao.

(Vase el MARQUÉS *en medio del* TÍO PEDRO *y* BAR-
TOLO, *que le llevan de los brazos, y síguelos* D. CAR-
LOS.*)*

D. GONZALO

¡Nos han dado ciertamente
famoso día de campo!
Ya esta casa es para todos
3620   melancólico teatro.
Volvámonos a Madrid.

D.ª PEPITA

¡Ay, tía!

D.ª CLARA

                    ¿Ahora haces caso
de tu tía?

D.ª PEPITA

         ¿Yo a colegio?

D. GONZALO

Donde estés a buen recado.

D.ª AMBROSIA

3625 Y yo a llorar mis servicios
      inicuamente premiados.

D. GONZALO

¿Y yo? ¿Mi dinero? ¿Mi honra?
¡Bien me alcanza el ramalazo!

D.ª CLARA

Por unas locas como éstas,
3630 por sus caprichos, sus gastos
y mala crianza, pierden
su fortuna más de cuatro
dignas de una ventajosa
colocación. Recelando
3635 los hombres la general
censura, los malos ratos,
las deudas y otros perjuicios,
huyen de tomar estado.

D. GONZALO

Hermana mía, desde hoy
3640 aprenderé a ser más cauto;
y apréndanlo con mi ejemplo
otros padres descuidados.

FIN DE "LA SEÑORITA MALCRIADA"

ÍNDICE DE LÁMINAS